i Robinson / Letture

Di Vanessa Roghi
nelle nostre edizioni:

La lettera sovversiva.
Da don Milani a De Mauro, il potere delle parole

Piccola città.
Una storia comune di eroina

Vanessa Roghi

Lezioni di Fantastica

Storia di Gianni Rodari

Editori Laterza

www.laterza.it

Prima edizione aprile 2020

Edizione
3 4 5 6 7

Anno
2020 2021 2022 2023 2024 2025

Questo libro è stampato
su carta amica delle foreste

Stampato da
Sedit 4.zero srl - Bari (Italy)
per conto della
Gius. Laterza & Figli Spa
ISBN 978-88-581-4069-7

Si compongono qui le storie, gli atti
scancellati pel giuoco del futuro.

Eugenio Montale, *In limine*

Indice

Lezioni di Fantastica

Storia di Gianni Rodari

Introduzione

> La mia memoria non è amorevole, ma ostile e
> lavora non a riprodurre, ma a eliminare
> il passato. Il 'raznocinec' non sa che farsene
> della memoria, gli basta raccontare i libri che ha
> letto e la sua biografia è bell'e pronta.
> Là dove per le generazioni fortunate parla l'epos
> in esametri e in cronaca, là per me c'è il segno
> dello iato e tra me e il secolo c'è una frana,
> un fossato, pieno d'un tempo rumoreggiante.
>
> Osip Mandel'stam

> Non mi fido dei ricordi
> più che non mi fidi degli scorpioni.
>
> Gianni Rodari

Gianni Rodari è stato il più grande scrittore di favole e filastrocche del Novecento italiano, ma non solo questo: ha scritto su quotidiani, diretto periodici, è stato attivo collaboratore di associazioni di genitori e insegnanti, ha lavorato in modo originale con le amministrazioni provinciali e comunali, autentico motore di sviluppo democratico del paese fra gli anni Sessanta e gli anni Settanta del secolo scorso.

Sempre attento ai tempi in cui ha vissuto, che ha scrutato con preoccupazione ma anche con fiducia: dagli anni della guerra fredda a quelli dell'irruzione dei cartoni animati giapponesi, che ha difeso, poco prima di morire, allo stesso modo in cui tanti anni prima, nel 1951, aveva difeso i fumetti: «Ogni tanto si sente parlare di proibire questo o quel fumetto: non sarebbe più utile proibire agli insegnanti di far odiare i libri, trasformandoli in strumenti di tortura anziché di scoperta?»[1].

Lo strumento che ha usato per forzare la superficie della realtà e sondarne le possibilità è stato quello dell'immaginazione, un'immaginazione che si fonda su un impiego rivoluzionario della parola che con tutti i suoi usi è il più grande strumento di liberazione che gli esseri umani abbiano mai inventato[2]. Uno strumento democratico a patto di non tenerlo chiuso soltanto dentro i libri, per un pubblico speciale di lettori, o anche, semplicemente, per un pubblico di lettori: troppo spesso infatti, come ha scritto Mario Lodi, le sue storie sono finite «come canarini in gabbia in alcuni libri»[3].

Insieme ad altri ha immaginato una nuova figura di insegnante all'interno di una scuola rinnovata, ha lavorato alla costruzione di un diverso modello di genitore, più consapevole e vicino ai bambini e alle bambine dell'Italia negli anni della grande e complessa trasformazione; ha guardato alle novità senza gli occhiali del passato, accogliendole, criticandole, ma mai condannandole in quanto tali. Infine, ha voluto fortemente condividere con gli altri le sue scoperte sulla Fantastica, cardine tra la fantasia e la ragione, in un libro tutto d'oro e d'argento, la *Grammatica della fantasia*. Un gioco, sì, ma – come ha scritto lui stesso – «il gioco, pur restando un gioco, può coinvolgere il mondo»[4].

Rodari ha inventato un nuovo modo di guardare il mondo, ascoltandolo, fino alla fine, con il suo «orecchio acerbo», e così facendo ha portato l'elemento fantastico nel cuore della crescita democratica dell'Italia repubblicana.

Rodari è stato un intellettuale. E se un intellettuale è una persona in grado di dare un senso a quello che sta sotto gli occhi di tutti, rompendo lo specchio della duplicazione, tenendo a mente il passato e il futuro, allora Gianni Rodari è stato un meraviglioso intellettuale.

Lezioni di Fantastica è, dunque, il tentativo di raccontare, da un punto di vista storico, la sua biografia ricca e complessa, a partire dai libri letti e quelli scritti, dagli interventi sulla stampa, dalle lettere ad amici, dagli appunti di viaggio alle note sulla scuola. Una ricerca che si interroga sul senso stesso della parola 'intellettuale', sul suo ruolo nell'Italia del dopoguerra e quindi nella nostra contemporaneità. Il tentativo di raccontare un Gianni Rodari tutto intero, e non a una unica dimensione, dicendone soltanto «tutto il bene possibile»[5]. Problematizzandolo, facendolo tornare ad essere uomo del suo tempo, datato a volte, eppure nell'insieme, ancora, attuale. Mai facile per mancanza di complessità ma facile per scelta, perché questo è il suo obiettivo politico: il mio committente, dirà ancora nel 1974, è il movimento operaio più che il mio editore[6].

Rodari diventa scrittore per l'infanzia per caso, violando alcune convenzioni base del suo tempo: prima fra tutte, che la letteratura rivolta ai bambini debba trasmettere modelli grondanti 'commozione', 'sacrificio' e una contenuta felicità[7]. Non che manchi una morale nelle prime filastrocche, ma il terreno è diverso: non una lezione impartita dall'alto in basso ma la chiara consapevolezza che adulto e bambino hanno «una parte di mondo in comune, perciò possono parlare la stessa lingua e intendersi»[8]. Una complicità sul terreno della fantasia. La traduzione poetica di «concetti e principi che la pedagogia contemporanea ha cercato di affermare, ostacolata dalla scuola, dalla famiglia, dalla Chiesa, dai dirigenti delle politiche scolastiche e altri ancora»[9]. Senza alcuna pretesa di sistematicità, come ha scritto il suo più attento studioso, Pino Boero: «è la natura stessa degli interventi rodariani a rifiutare il rischio della sistematicità della riflessione pedagogica, il pericolo dell'enunciazione di principi generali; Rodari parte dalle 'cose di ogni giorno' e a queste resta legato, non rifiuta il confronto teorico, ma alla discussione interminabile sui principi, preferisce l'azzardo della prova, la concretezza dell'esperienza»[10].

Ma prima di scrivere per i bambini Rodari sogna di fare lo scrittore per tutti. È in questo momento che incontra una magnifica e disconosciuta disciplina: la Fantastica.

Nell'inverno 1937-38, in seguito alla raccomandazione di una maestra, moglie di un vigile urbano, venni assunto per insegnare l'italiano ai bambini in casa di ebrei tedeschi che credevano – lo credettero per pochi mesi – di aver trovato in Italia un rifugio contro le persecuzioni razziali. Vivevo con loro, in una fattoria sulle colline presso il lago Maggiore. Con i bambini lavoravo dalle sette alle dieci del mattino. Il resto della giornata lo passavo nei boschi a camminare e a leggere Dostoevskij. Fu un bel periodo, fin che durò. Imparai un po' di tedesco e mi buttai sui libri di quella lingua con la passione, il disordine e la voluttà che fruttano a chi studia cento volte più che cento anni di scuola. Un giorno, nei *Frammenti* di Novalis (1772-1801), trovai quello che dice: «Se avessimo anche una Fantastica, come una Logica, sarebbe scoperta l'arte di inventare». Era molto bello. Quasi tutti i *Frammenti* di Novalis lo sono, quasi tutti contengono illuminazioni straordinarie[11].

In Italia ci sono stati vent'anni di fascismo e sta per arrivare una nuova guerra. Che la parola sia l'unico strumento per immaginare tempi nuovi è una convinzione profonda di tanti, il mondo è opaco, incerto, e, anche se l'immaginazione sembra una via di fuga privata, c'è chi decide di coltivarla. Rodari ha nel cuore i surrealisti francesi e nella mente la lezione di Eugenio Montale e come lui cerca nella realtà un anello che non tiene, non per evadere ma per scoprire altre possibilità. «Io ho fiducia nella capacità della fantasia di esprimere tutti i contenuti. Non credo che la fantasia sia un'evasione, come è stata più volte definita, ma uno strumento della mente, capace di esprimere per intero la personalità o di entrare in gioco con altri strumenti della personalità e formare una personalità più ricca. Non è un'evasione, non è una fuga»[12].

Gianni Rodari, nel 1938 fa il maestro, inizia a frequentare ambienti antifascisti che lo porteranno, a guerra finita, a scrivere sulla stampa comunista e fino alla fine della sua vita resterà legato al Pci, un dato centrale poiché nel confronto e nella presa di distanza da alcune posizioni del partito matura il Rodari più originale e attuale. Se infatti la dimensione utopica mutuata dal marxismo resterà un punto di riferimento, sempre, Rodari presto si accorge che non è fornendo un'utopia bell'e apparecchiata che si sovverte la realtà[13].

> Se rileggo oggi le mie storie che ho scritto nel '49 o nel '50, posso dirmi soddisfatto, potrei addirittura sottoscriverle senza cambiarle, proprio perché non le ho costruite pensando che in quel periodo, per fare la rivoluzione, occorreva insegnare certe cose e non altre. Non ho mai proceduto in questo modo. E questo vuol dire che ho sempre rispettato la capacità dei bambini di farsi da soli i loro valori [...]. Il problema non è mai stato tanto quello di trasmettergliene di bell'e fatti, ma quello di avere fiducia nella loro capacità di costruirseli e di usarli[14].

Insegna, Rodari, il metodo dell'utopia. «Il senso dell'utopia, un giorno, verrà riconosciuto tra i sensi umani alla pari con la vista, l'udito, l'odorato, ecc. Nell'attesa di quel giorno tocca alle favole mantenerlo vivo, e servirsene, per scrutare l'universo fantastico»[15].

È stato scritto che Rodari ha operato nel senso di liberare le cose e gli uomini «dalla schiavitù di essere utili», come i suoi amati surrealisti. Che le sue invenzioni linguistiche sono state pari a quelle di un Raymond Queneau. Che la sua raffinatezza di intellettuale è stata la stessa di Roland Barthes. Che la sua disponibilità al fantastico è stata molto simile a quella di Barrie, di Carroll[16]. È stato scritto, infine, che Rodari rappresenta, «nel secondo dopoguerra, la persona di maggior livello culturale in Italia: nessuno come lui è riuscito a incidere così radicalmente sul settore letterario di cui si è occupato. Per bambini e ragazzi Rodari ha una posizione decisamente rivoluzionaria, cosa che non è avvenuta fra gli scrittori per adulti, dove non mancano certamente figure di grande rilievo (esempio: Calvino, Gadda, Pavese)»[17]. Eppure la sua opera è pressoché assente dalle storie della cultura e della letteratura italiana.

Gianni Rodari è morto a Roma il 14 aprile 1980. Per uno strano caso del destino, il giorno prima di Jean-Paul Sartre, l'intellettuale novecentesco per antonomasia. Ho cercato invano sulla stampa non comunista di quei giorni un necrologio degno di questo nome per lo scrittore di Omegna. Ho trovato, invece, su «la Repubblica», due pagine dedicate a Sartre e una domanda, la cui risposta è affidata a Pier Aldo Rovatti: cosa gli dobbiamo?

Forse, nel 1980, il senso di un debito verso Sartre è tale da far venire meno il dubbio che la stessa domanda si possa porre, proprio nella pagina accanto, anche su Gianni Rodari: in pochi, davvero in pochi, si chiedono in quel momento 'cosa gli dobbiamo', come se il suo lascito fosse impalpabile, non quantificabile, destinato a scomparire visto che ogni bambino prima o poi diventa un adulto e di Rodari sembra non avere più bisogno. Ma oggi riusciremmo, con la stessa chiarezza, a decidere che Sartre e Rodari non stanno accanto nella storia degli intellettuali novecenteschi ai quali 'dobbiamo qualcosa'? Che il metodo indicato da Rodari, l'uso dialettico dell'immaginazione non sia anzi un «passaggio obbligato dall'accettazione passiva del mondo, alla capacità di criticarlo, all'impegno per trasformarlo»?[18]

Ci sono, certo, eccezioni importanti che immediatamente fanno i conti con quello che Rodari ha rappresentato nel panorama culturale italiano (perché non bastano, nella nostra storia culturale, i fantastilioni di lettori che l'hanno amato): penso a Tullio De Mauro, per esempio, che fin dal 1974 definisce Rodari un classico, nel senso usato da Italo Calvino, suscitando l'ilarità dello scrittore che se lo appunta sulla giacca con un cartello[19]. Un classico, come Collodi, come De Amicis ma ancora lontano dall'essere percepito come tale; e viene in mente che quando muore l'autore del libro *Cuore*, nel 1908, dalla riviera ligure a Torino due ali ininterrotte di folla ne salutano il feretro che viaggia in treno. Sarebbe piaciuto a Rodari attraversare l'amatissima Italia in treno, ci avrebbe scritto di certo una filastrocca che immagino più o meno così: *C'era un tale di Omegna e non di Vipiteno/ Che al suo funerale c'era andato proprio in treno...*

Niente treni per ricordarlo, ma una piccola folla di grandi e piccini nel cuore di Roma, la città che lo ha adottato dagli anni Cinquanta. Poi ad occuparsi di lui, del suo lascito, amici, studiosi, con un singolare effetto prospettico; mano a mano che il tempo passa, infatti, lo sguardo diventa presbite, aumentano gli scritti specialistici, diminuiscono i momenti di sintesi e Rodari viene fatto a pezzetti, ridotto a funzione, proprio come in una delle carte di Propp di cui egli stesso parla nella *Grammatica della fantasia*: «il grande scrittore per l'infanzia»[20].

Eppure Rodari si è sempre pensato uno scrittore per tutti e una delle cose in cui più si è riconosciuto è stata quella di finire, con le sue storie, fra Brecht e Lee Masters nella collana einaudiana degli 'Struzzi', con il numero 14. «Sono senza dubbio libri 'per bambini', ma non manca chi li considera libri *tout court*, capitati solo per qualche disguido nello scaffale della letteratura infantile»[21].

All'intellettuale Rodari, che ha scritto che «l'utopia non è meno educativa dello spirito critico. Basta trasferirla dal mondo dell'intelligenza (alla quale Gramsci prescrive giustamente il pessimismo metodico) a quello della volontà (la cui caratteristica principale, secondo lo stesso Gramsci, deve essere l'ottimismo)»[22], dobbiamo continuare a guardare per scrutare il presente e l'infanzia e la scuola, per scrutare il nostro tempo. Serve farlo perché «i bambini vengono dal futuro, non sappiamo di preciso che cosa siano, essi sono 'impastati' di ignoto e di futuro: ogni volta si presentano come un fatto assolutamente nuovo e sconcertante»[23], sono l'immagine stessa dell'imprevedibilità, per questo ci abituano all'uso dialettico della ragione, a non adagiarsi su vecchie certezze, sull'immagine di un'età dell'oro perduta, ci obbligano a esercitare la speranza. Come ha scritto Andrea Zanzotto, Rodari ha avuto il dono di permanere nell'infanzia, senza piagnucolare e senza autoimbrogliarsi; c'era in lui questa disposizione naturale, che è di rarissimi, a restare per davvero «all'altezza» dell'età bambina, e così facendo a vedere il presente come possibilità e non come annuncio di morte. «In Rodari la riduzione del proprio atto poetico quasi esclusivamente alla poesia per bambini e l'opzione che vi è sottintesa costituiscono un fatto di coscienza la cui validità si riflette su tutta la poesia di oggi, un gesto di chiarificazione, una scommessa compiuta secondo una nuova forma di umiltà e di allegria» [24]. Del resto è ai bambini e non agli adulti che si rivolge per invitarli a fare le cose difficili: «dare la mano al cieco, cantare per il sordo, liberare gli schiavi che si credono liberi»[25].

Nell'accingermi a raccontare la sua storia prendo in prestito le parole che Rodari stesso ha usato per presentare il suo ultimo romanzo, *C'era due volte il barone Lamberto*, perché anche nel mio racconto

> vi sono allusioni a questioni del nostro mondo e del nostro tempo, alcune scoperte, alcune nascoste, sepolte in profondità sotto le parole. Chi avrà voglia di scavare un po', le troverà senza sudare, perché a scavare sotto le parole si fa molto meno fatica che scavare gallerie sotto le montagne, o a zappare la terra. Chi non ha voglia di significati nascosti è libero di trascurarli e non perde nulla: secondo me la storia sta tutta quanta nelle parole visibili e nei loro nessi. E così, buon divertimento[26].

Gli insiemi

«Il Caffè», 1968

Lo consolava la matematica degli insiemi.
Riflettendo sui suoi casi facilmente scopriva
di far parte di numerosi insiemi così catalogabili:
l'insieme degli uomini nati nel 1920,
l'insieme degli uomini nati nel 1920 tuttora viventi,
l'insieme di tutti i nati,
l'insieme di tutti i mancini,
l'insieme degli epatopatici,
l'insieme degli addetti al commercio,
l'insieme degli addetti al lavoro,
l'insieme delle persone che portano l'orologio al polso,
l'insieme dei mammiferi,
l'insieme dei bipedi
(di questi due insiemi egli occupava saldamente l'intersezione
senza l'imbarazzo di chi tiene il piede in due scarpe),
l'insieme degli abitanti della via Lattea,
la cui tabulazione sarà possibile
solo a completamento della sua esplorazione [...].

Col tempo si rese conto, non senza un sentimento di orgoglio,
di essere un elemento di un insieme infinito
qual è certamente e al di là di ogni meschino dubbio
l'insieme degli uomini reali e degli uomini immaginari.
Scoprì con gioia di far parte di numerosi sottoinsiemi,
di insiemi universali,
di insiemi disgiunti,
di insiemi complementari.
Lo entusiasmò la certezza che mai, per soffiar di venti,
sarebbe precipitato in un insieme vuoto,

quale l'insieme degli uomini alti diciotto metri,
l'insieme dei presidenti della R. I. eletti prima del 1940,
l'insieme dei numeri pari divisori di tredici,
l'insieme dei ramarri parlanti,
l'insieme dei rettangoli con cinque angoli,
l'insieme delle chitarre che fumano la pipa
e quello delle pipe che suonano la chitarra. [...]
Eppure di quando in quando, con frequenza irregolare,
guardandosi allo specchio o toccandosi la guancia,
non vedeva che un'immagine un po' assurda.
Chiusa la porta di casa,
oltre a lui non c'era anima viva nelle stanze.
La notte si destava inquieto
nell'insieme dei suoi mobili, da cui restava escluso,
pensava stancamente un insieme
che costringesse almeno i fiori finti
a schierarsi al suo fianco
e, «che sarà», si domandava, «di me».

1.

Dove si parla di un forno, di gatti e di antifascismo

prestino s. m. [adattam. tosc. del milan. *prestìn*, che è il lat. *pistrinum* «mulino, forno»], ant. e region. – Forno, panetteria: *fu stipulato il contratto coi tredici prestini di panbianco della città di Milano* (Beccaria); *el prestin di scansc* è il nome milanese del «forno delle grucce» nella Corsia de' Servi, di cui parla il Manzoni (*Promessi Sposi*, cap. XII).

Enciclopedia Treccani

Gianni Rodari è nato a Omegna (Novara), sul lago d'Orta, il 23 ottobre 1920, da genitori lombardi, della Valcuvia. Dal decimo al trentesimo anno è vissuto in Lombardia, tra il Varesotto e Milano. Questo gli permette di dichiararsi, caso per caso, piemontese o lombardo.

Gianni Rodari

Uno degli esercizi di fantasia più noti di Gianni Rodari è il gioco degli insiemi, risponde alla domanda formulata «dal bambino che vuol sapere chi è, e la mamma gli dice 'figlio', lo zio 'nipote', ma è anche un 'fratello', un 'pedone', uno 'scolaro' eccetera eccetera; e ogni volta fa un nodo su una corda; insomma, scopre (matematica) gli 'insiemi' di cui fa parte»[1]. Ognuno di noi, così, è figlio, amico, fratello, ma anche di Manziana o di Bolsena, ha gli occhi verdi, va in bicicletta, mangia il gelato a colazione.

Chi è, dunque, Gianni Rodari, a quale insieme, a quanti insiemi, appartiene? Partiamo da un ricordo di Antonio Faeti, studioso e amico di Rodari: «Rodari aveva quasi vent'anni più di me: giusto l'arco di un'intera generazione. Tuttavia in molti dibattiti, in convegni, in tavole rotonde a cui abbiamo entrambi partecipato, accadeva che la parte del vecchio dovessi inevitabilmente interpretarla io, come se avessimo preso in questo senso un ammiccante accordo, mai più tradito»[2]. È una sera romana del 1973, a Gianni Rodari è stato chiesto di presentare *Guardare le figure*, saggio sulle illustrazioni dei libri per l'infanzia, uscito per Einaudi l'anno precedente. «Con la grazia inimitabile, l'umorismo, l'arguta imprendibile profondità che metteva in queste cose, Rodari, per quanto fosse lì presente, davanti ai sorridenti ascoltatori, mi descrisse come un vecchio professore, forse impazzito a causa dei troppi libri letti e riletti in continuazione. Una specie di maniaco cacciatore di farfalle che rinunciava agli insetti per collezionare antiche stampine di cui si era follemente innamorato, in un'infanzia remota»[3].

Quei libri di cui parla Faeti, infatti, Rodari da bambino non li ha letti, e pure se li avesse letti forse non li avrebbe amati, così come era accaduto alla grandissima maggioranza dei bambini appartenenti alla sua generazione e a quelle precedenti[4]. Le storie della letteratura per l'infanzia, e anche *Guardare le figure*, hanno sempre dimenticato di tener conto di un dato fondamentale, cioè che l'«infanzia storica» in Italia non aveva mai letto nulla, «presa com'era da altri problemi: la denutrizione, la pellagra, la fame, il lavoro minorile, il disambientamento causato dalle frequenti emigrazioni. I libri per bambini, 'storicamente', erano destinati ai figli della media e alta borghesia (con qualche eccezione, ridacchiava Rodari, costituita dagli incontri fortunosi e particolari, come quello dell'autore di *Guardare le figure*), non certo appartenente alle due classi privilegiate, con nutritissime e vecchie biblioteche»[5].

Una riflessione che Rodari riprende l'anno successivo, nel 1974, invitato al primo convegno internazionale su *Pinocchio*, dove ricorda come, negli anni in cui il libro di Collodi viene scritto, i bambini delle classi povere non andassero a scuola, ma a zappare la terra o a badare alle pecore; e anche nelle regioni più progredite, dopo la prima o la seconda elementare, entrassero in fabbrica:

Le vecchie del mio paese, e anche quelle di famiglia, ricordavano bene come a sette, otto anni, fossero andate in cartiera o in filanda a lavorare. Le filande erano lontane. Donne e bambine partivano la domenica sera, cantando le litanie per farsi coraggio nel buio delle strade, venivano alloggiate in dormitori comuni, tornavano al paese il sabato sera con la paga avara, ma preziosa come gli zecchini d'oro di Pinocchio. Le bambine facevano il turno in cartiera dalle otto di sera alle sette di mattina. Da vecchie ci raccontavano queste cose con una strana allegria. Esisteva allora una netta e largamente accettata 'divisione del lavoro' tra i ragazzi, pochi, che potevano commuoversi, leggendo *Pinocchio*, nel punto in cui il burattino cuor d'oro lavorava giorno e notte per mantenere Geppetto malato, la fata all'ospedale e l'improduttiva lumachina per soprammercato, e gli altri ragazzi che, in più gran numero, trascorrevano faticando l'età della fiaba. Di qua, insomma, i piccoli vetrai, i piccoli vagabondi, che recitavano la loro disavventura in prima persona, senza sospetto di letteratura; di là i fortunati lettori della loro storia, o di storie simili, come se ne trovano nel *Cuore*[6].

L'«infanzia storica», nata in un'Italia con pochi libri, figlia di analfabeti ma ricca di una tradizione orale, fatta di veglie in stalle affollate, un'infanzia a cui appartiene anche Gianni Rodari. «Non c'erano libri per bambini in casa mia, ce n'erano ancora meno in casa di mia madre. A sette anni è andata a lavorare in cartiera e non credo avessero dei libri»[7]. Non era lei a raccontare le favole, dirà Rodari in un'intervista a Nico Orengo del 1979, la zia, la nonna semmai; la mamma no, non aveva tempo[8].

Crescere in una casa senza libri per poi diventare uno scrittore non è un'esperienza così rara nel Novecento. Indagare sul momento in cui scoppia l'amore fra il bambino e la pagina di un libro è, tuttavia, sempre, un'esperienza interessante perché getta luce su un angolo buio della storia, quello dell'infanzia di famiglie che non posseggono la parola scritta. A maggior ragione se poi il bambino, da adulto, scriverà per i ragazzi, allora «è naturale che incuriosiscano soprattutto l'infanzia e l'adolescenza: è in quelle stagioni della vita che possono infatti annidarsi le possibili motivazioni a dedicarsi più tardi a un 'mestiere' così singolare, e dai ricordi di quel periodo è comprensibile che lo scrittore attinga spunti da rielaborare sul piano fantastico»[9].

È stato Marcello Argilli, il primo biografo di Gianni Rodari, a farsi questa domanda e raccontare al grande pubblico da dove fosse spuntato quello scrittore così noto a tanti al momento della sua morte, il 14 aprile 1980, ma così sconosciuto ancora oggi, a quarant'anni da allora. Eppure Rodari, come Pollicino, ha disseminato di indizi le sue filastrocche, i suoi articoli e anche i suoi libri per raccontarci la sua storia: tutti racchiudono un preziosissimo archivio di memorie private, sassolini bianchi che ci consentono di ripercorrere a ritroso la strada fino alla casa dove tutto ha avuto inizio.

E l'inizio non può che essere questo: c'era una volta un lago, circondato da alte montagne, e sul lago una città che si chiamava e si chiama Omegna. Una città piccola, con un fiume noto per l'andare all'insù invece che all'ingiù, da cui un proverbio buono per giustificare ogni sbaglio, ogni errore, blu o rosso: *La Nigoja la va in su e la legg la fouma nu*. E in italiano: *La Nigoglia va all'insù e la legge la facciamo noi.*

La via centrale, che portava e porta il nome di Giuseppe Mazzini, era popolata negli anni Venti da diverse botteghe, fra cui quella di un 'prestino', che poi sarebbe un fornaio, di proprietà di Giuseppe Rodari unito in seconde nozze, il 24 aprile 1919, con la nubile trentasettenne Maddalena Aricocchi. «Mia madre era una serva, ma di quelle istruite, che sanno il francese». Nel dire «serva» non c'era in lui né imbarazzo, né ostentazione proletaria, ma solo rispetto per sua madre che, per vivere, aveva dovuto lavorare in casa dei signori, e il desiderio di far capire quanto umili fossero le sue origini»[10].

«Donna di carattere piuttosto energico, vantava esperienze di lavoro come operaia in filanda e in qualità d'inserviente presso case padronali sia in Italia sia in Francia. Il Rodari, dal primo matrimonio, aveva avuto un figlio, Mario, ormai dodicenne; dal secondo, oltre a Gianni, Cesare, nato nel 1921»[11].

Gianni e Cesare. Il primo, timido e introverso, «un gran bel bambino, io, non lo sono mai stato: ero piccolo, magro, anemico, e tale mi vedo nelle fotografie della mia infanzia»[12]; il secondo, sempre pronto a scorrerie con gli amici per i vicoli che portavano fino all'acqua buia e profonda del lago d'Orta.

«Il lago giungeva allora a pochi metri dal cortile in cui crescevo e da cui lo divideva uno stretto vicolo tra due muraglie, una delle quali entrava nell'acqua, subito buia e profonda. Nell'acqua affondava anche il cancello rosso di una darsena. Tra le sbarre del cancello i pesci silenziosamente si aggiravano, come in un labirinto o in un gioco. Si poteva mentalmente trarne magici pronostici: 'Se il pesce uscirà dal cancello prima che conti fino a cinque, tutto andrà male', 'Se farò in tempo a contare fino a dieci, succederà qualcosa di bellissimo'. Spesso l'esercizio magico era interrotto dalle voci dei genitori che chiamavano allarmati: era proibito scendere da soli in riva al lago»[13].

Di fronte alla casa c'era un lampione e Gianni la sera lo usava per leggere il «Corriere dei piccoli». Erano gli anni Venti, in Italia c'era il fascismo:

Facevo la terza elementare a Omegna, sul lago d'Orta, dove sono nato, quando scrissi su una carta assorbente i miei primi versi. Quell'anno scrissi moltissime poesie su un quadernetto da disegno, e un mio compagno di scuola le illustrava. La maestra le mostrò al direttore. Ne venne pubblicata una sul giornale dei commercianti dell'alto novarese. Questo fu il mio massimo successo in ogni tempo come poeta. Anche perché, raggiunta l'età della ragione e fatta conoscenza delle poesie di Montale, Saba, Ungaretti, Gatto,

Quasimodo, ebbi il buon senso di capire che non avrei mai saputo scrivere cose tanto belle e smisi del tutto di scrivere[14].

Una bugia, per fortuna. Rodari, infatti, continua a scrivere, non solo poesie: «Quand'io ero un bambino, facevo anch'io il teatro dove mi capitava: sul pianerottolo di casa c'era un finestrino che dava nel cortile, e mentre io recitavo dal finestrino i miei amici, dal cortile, mi applaudivano (no, vi confesso che ho detto una bugia: molto spesso, infatti, mi tiravano dei torsoli di cavolo). Ricordo una recita in solaio, finita con una fuga generale: né Arlecchino, né Capitan Fracassa, né il Dottor Balanzone avevano saputo respingere un improvviso assalto di topi»[15]. E ancora: «da bambino il mio gioco preferito era quello del teatrino. I burattini me li fabbricavo da solo. Boccascena, il finestrino di un sottoscala, che dava sul cortile in cui si radunavano i miei compagni di gioco [...] tra i miei pochi ricordi d'infanzia veramente felici»[16].

Il Gianni bambino, che vive in un orizzonte limitato ma non angusto, fatto di edifici antichi e svaghi leggeri. «Ogni tanto passo un po' di tempo a guardare una carta della zona del Cusio. È una carta che conosco bene. Vedo Borca e rivivo le feste paesane cui mio padre portava regolarmente la famiglia: ricordo il sapore della torta acquistata all'incanto delle offerte, del vino bevuto nell'osteria appena sopra la ferrovia. D'estate si andava quasi tutte le domeniche a una sagra, da Orta a Ornavasso. La valle (la val Strona), per un bambino di Omegna quale io sono stato, tutto casa, scuola e oratorio, era un luogo di favole aeree, che stava oltre le cime e le nuvole di Quarna (vista da piazza Salera)»[17].

Se mi fermo per qualche decina di minuti sulla parola 'Omegna' da ogni punto della memoria si mettono in movimento catene di parole e di immagini che mi portano lontano. Il muro del Cobianchi mi diventa il muro della Cemsa o quello dell'Isotta Fraschini di Saronno, o quello della Breda di Sesto San Giovanni, gli operai del lontano cortile si mescolano a quelli conosciuti altrove. Da ogni punto della parola Omegna partono, per me, fili che si allungano in ogni direzione. Negli anni venti più che la scuola, Omegna è stata per me l'oratorio dei padri lungo la Nigoglia: padre Orlandi, padre Massimei, padre Salati. [Ero] il bambino che andava all'oratorio per correre sul 'passo volante', o per prendere alla Messa il biglietto che serviva per entrare, il pomeriggio, al cinematografo, dove trionfavano Ridolini e Tom Mix[18].

«Ai miei tempi i bravi bambini leggevano solo Verne. Intanto la mia maestra diceva Salgari e cinema alla piemontese e parlava delle due cose con lo stesso orrore. Salgari era una specie di nemico pubblico. A me piaceva Verne forse perché ero un bambino così docile, bisognoso di approvazione e di lode che ubbidivo a quelli che mi davano qualsiasi ordine pur di sentirmi a posto con la coscienza»[19].

Il fascismo è un orizzonte confuso che spunta fuori nella memoria attraverso indizi incerti e contraddittori: «la festa del lavoro era per noi anche il Ventun Aprile, che era anche il 'natale di Roma'. La cosa poteva produrre qualche confusione. Per non poco tempo noi abbiamo pensato (al modo informe e occasionale che tengono i bambini per pensare) che la 'festa del lavoro' servisse a ricordare che Romolo e Remo, per fondare Roma, avevano lavorato d'aratro»[20]. Oppure:

viveva nel nostro cortile una signora che possedeva un pianoforte. Andando da lei per commissioni qualche volta riuscivamo a mettere il dito sul magico strumento e fu grande festa il giorno in cui, con un solo dito, a tentoni e tastoni, ne cavammo le prime note dell'inno dei bersaglieri *Quando passano per via...* La signora c'insegnò anche a suonare un ritornello che si adattava a un testo in dialetto. Tradotto approssimativamente in italiano quel testo suonava: «Vien qui Ninetta sotto all'ombrellin – vien qui Ninetta ti darò un bacin». Eccetera. Nello stesso cortile abitavano anche degli operai di una già famosa fonderia. Uno di loro, incontrandoci, si fermava qualche volta e ci chiedeva ridendo di cantare: *Vien qui Ninetta*. Era una canzone vivace, allegra e senza malizia. Ma nostra madre si spaventò moltissimo quando ce la sentì cantare. Era, ci disse, una canzone proibita. A cantarla si poteva finire in prigione.

Guai. Mai più farsi sentire. Solo molti anni dopo scoprimmo che il motivo *Vien qui Ninetta* era quello del ritornello di *Bandiera rossa*. Ma abbiamo dimenticato chi ce lo fece scoprire[21].

A scuola il maestro mette in guardia i bambini dai sovversivi, raccontando storie terribili di un tempo nel quale il Duce non c'era e i Russi o Rossi (non esattamente la stessa cosa, ma entrambi temibili) minacciavano il paese e le sue genti: «in quell'abisso, alla rinfusa, stavano Garibaldi e la Russia, i sovversivi e la Grande Guerra, che ancora non si chiamava Prima, perché ancora non era venuta la Seconda»[22].

La famiglia di Rodari non può dirsi una famiglia antifascista. In un articolo del giugno 1953 lo scrittore ricorda la mancanza di interesse di suo padre per la politica ma anche un suo zio scappato in Svizzera dopo i moti del Novantotto. Un socialista. «Mio padre non era un socialista, ma aveva lavorato abbastanza sotto i padroni: così non fu fascista, e fece una gran scenata quando io, bambino di sei anni, tornai da scuola dicendo che bisognava iscriversi all'Opera Balilla. Fu la maestra a convincerlo: 'Non mi faccia avere noie, sa com'è difficile vivere al giorno d'oggi'. Così io diventai Balilla, come tutti i bambini della mia età»[23].

I sassolini bianchi dei ricordi conducono a volte in luoghi cari, che torneranno nelle filastrocche e a volte in altri che rimarranno sempre esclusi da ogni rima: «la parola 'Crusinallo', quando mi succede di leggerla o di pensarla, rigetta tutte le rime che le addosso, da ballo a cavallo a caciocavallo, per restare a lampeggiare tutta sola nella più dolente intersezione tra la fantasia e la memoria». Il ricordo lo riporta a una sera in tram, bambino, di ritorno da Crusinallo, una sera buia e piovosa,

> ed ecco divampare il cielo sopra il muro di Capobianchi, il rosso riverbero della colata mi si stampa per sempre nel cuore; ogni volta che penserò 'Omegna' sarà quel tram a sferragliare nelle mie membra, sarà quella fiamma a illuminare drammaticamente la mia notte. Dovrei parlare di quel bambino, di suo padre e di sua madre, dei suoi fratelli e compagni di scuola, dei gatti che abitavano il

suo cortile. Ma io non sono fatto per l'autobiografia. Mi converrà regalare lo studente di Crusinallo e la rima che lo mette in azione ai bambini di Ferrara o di Bari, per i quali Crusinallo è solo un suono e forse loro sapranno vedere dove va a finire la storia[24].

La storia di quella notte, di quella tempesta, va a finire nel più drammatico dei modi: il padre Giuseppe muore per una broncopolmonite, Gianni ha soltanto nove anni.

Sono figlio d'un fornaio. Prestino e commestibili. La parola «forno» vuol dire, per me, uno stanzone ingombro di sacchi, con un'impastatrice meccanica sulla sinistra, e di fronte le mattonelle bianche del forno, la sua bocca che si apre e chiude, mio padre che impasta, modella, inforna, sforna. Per me e per mio fratello, che ne eravamo ghiotti, egli curava ogni giorno in special modo una dozzina di panini di semola doppio zero, che dovevano essere molto abbrustoliti. L'ultima immagine che conservo di mio padre è quella di un uomo che tenta invano di scaldarsi la schiena contro il suo forno. È fradicio e trema. È uscito sotto il temporale per aiutare un gattino rimasto isolato tra le pozzanghere. Morirà dopo sette giorni, di broncopolmonite. A quei tempi non c'era la penicillina. So di essere stato accompagnato a vederlo più tardi, morto, sul suo letto, con le mani in croce. Ricordo le mani ma non il volto. E anche dell'uomo che si scalda contro le mattonelle tiepide non ricordo il volto, ma le braccia: si abbruciacchiava i peli con un giornale acceso, perché non finissero nella pasta del pane. Il giornale era «La gazzetta del popolo». Questo lo so di preciso, perché aveva una pagina per i bambini. Era il 1929. La parola «forno» ha pescato nella mia memoria e ne è risalita con un colore affettuoso e triste[25].

Il padre tornerà spesso nelle sue composizioni, così come i gatti e i forni e i fornai: «più fortunati, i bambini di campagna non sono costretti a pensare a un generico 'fornaio', ma pensano subito al fornaio Giuseppe (questo nome è per me un nome obbligato: mio padre faceva il fornaio e si chiamava Giuseppe)»[26].

Dopo la morte del marito, Maddalena si trasferisce con i suoi figli a Gavirate, un comune lombardo poco lontano:

«penso a mia madre, che a otto anni è andata in cartiera a lavorare, e poi in filanda, e poi a servire in casa di signori, e per tutta la vita, in casa d'altri o in casa nostra, è sempre stata la prima ad alzarsi e l'ultima ad andare a dormire, che ha cucinato, cucito, lavato, penato. Era proprio questo che voleva? E se avesse invece voluto diventare una cantante o una maestra di scuola?»[27].

A Gavirate la vita riprende accanto alla ferrovia. Il piccolo Gianni scopre i treni che popoleranno tante storie; il suo secondo libro sarà *Il treno delle filastrocche*:

traslocammo dalle Prealpi piemontesi a quelle lombarde, da una sponda all'altra del lago Maggiore. Ma ora eravamo sui dieci anni, stavamo molto di più per le strade a giocare. I ragazzi del paese ci aprivano gli occhi su cento cose. Un giorno il paese fu messo a rumore perché in montagna, in bella vista su un albero, era comparsa una bandiera rossa. Noi non corremmo abbastanza in fretta per fare in tempo a vederla. L'avevano messa, dicevano i ragazzi, 'i comunisti'. No, dicevano altri, i 'sovversivi'. «Ma è la stessa cosa», ribattevano i primi. «No», dicevano, «i sovversivi sono i socialisti»[28].

Di sovversivi noti in paese ce ne sono, nella prima metà degli anni Trenta, quattro o cinque, il più conosciuto, il Sandrin, si dice sia al confine. Confine o confino tuttavia nel dialetto locale sono la stessa parola e il bambino Rodari e i suoi amici non capiscono il senso di mandare qualcuno per punizione alla frontiera che dista pochi chilometri dal centro di Gavirate[29].

Per continuare gli studi, Gianni entra in seminario a Milano come moltissimi suoi coetanei di buona volontà e di scarse risorse economiche, ma ne esce a 13 anni perché «trova umiliante la disciplina»[30]. Torna a Gavirate e si iscrive all'Azione cattolica che negli anni Trenta è l'unica realtà associativa alternativa alle realtà associative fasciste; Rodari ha una sua fede non formale che emerge dai racconti e dalle lettere di questo periodo, una spiritualità indispensabile per capire il suo pensiero degli anni a venire che non avrà più richiami religiosi ma un misticismo dell'impegno personale, che ricorda molto quello che scrive il poeta Charles Péguy: «Bisogna fare, sulla terra, il proprio mestiere di esseri umani»[31].

Inizia a frequentare, senza entusiasmo ma con buoni voti, l'Istituto magistrale a Varese[32]. Di questi anni gli amici sono il ricordo più caro, gli amici e le letture: «la parola, intanto, precipita in altre direzioni, affonda nel mondo passato, fa tornare a galla presenze sommerse. 'Sasso', da questo punto di vista, è per me Santa Caterina del Sasso, un santuario a picco sul lago Maggiore. Ci andavo in bicicletta. Ci andavamo insieme, Amedeo e io. Sedevamo sotto un fresco portico a bere vino bianco e a parlare di Kant. Ci trovavamo anche in treno, eravamo entrambi studenti pendolari». Amedeo Marvelli, un lungo mantello blu, con il giovane Gianni condivide la passione per il violino e le letture. «Amedeo andò negli alpini e morì in Russia. Un'altra volta la figura di Amedeo mi tornò da un 'ricercare' sulla parola 'mattone', che mi aveva ricordato certe basse fornaci, nella campagna lombarda, e lunghe camminate nella nebbia, o nei boschi; spesso Amedeo ed io passavamo pomeriggi interi nei boschi a parlare: di Kant, di Dostoevskij, di Montale, di Alfonso Gatto. Le amicizie dei sedici anni sono quelle che lasciano i segni più profondi nella vita»[33].

Emerge da questo ricordo il ritratto di una generazione che abbraccia la letteratura come una risposta possibile al male di vivere del suo tempo: la rivista «Campo di Marte», fatta chiudere dal regime nel 1939, anno nel quale il poeta Gatto pubblica le sue *Poesie*[34].

E poi Eugenio Montale, il più amato. Come scrive nel 1946 Antonio La Penna, «fu per noi Montale ciò che era stato il Leopardi in un certo periodo della giovinezza di De Sanctis: una comunione sentimentale ne faceva il poeta prediletto», e così è per il giovane Rodari[35]. Su queste letture si innesta, come per tanti suoi coetanei, il germe del dubbio, di una rivolta estetica ed esistenziale prima che politica. Anche

Gianni Rodari arriva alla militanza comunista per una via «non sgombra di letteratura»[36].

Quando nel 1936 giunge all'Azione cattolica di Gavirate una circolare preoccupata per la diffusione del comunismo è troppo tardi, il recinto si è rotto e la pecorella Rodari è uscita a scoprire il mondo grande:

ormai sapevamo tutto sul Primo maggio e su *Bandiera rossa*. Un muratore, in gran segreto, come se si trattasse di un libro proibito, ci aveva prestato *La mia vita* di Trockij. Avevamo sedici anni. Imparavamo, quando si doveva cantare *Giovinezza*, a mescolare nel coro le parole dei sovversivi: «Delinquenza, delinquenza, del fascismo sei l'essenza». Imparavamo le parole dell'*Internazionale*. Andavamo a cantarle in montagna. Sapevamo chi e perché il Primo maggio si dava malato, non andava a lavorare, si vestiva con gli abiti festivi e, ma verso sera per non spingere troppo oltre la provocazione, si faceva vedere all'osteria[37].

Come ha scritto Bruno Zevi la generazione dei vent'anni, quella che a cinque era balilla, a dieci fascista, e che a sedici avrebbe dovuto essere fascistissima, era quella che negli anni della guerra di Etiopia iniziava a dubitare: a diciassette aveva già deciso per l'opposizione che non poteva essere che comunista, poiché solo il partito comunista distribuiva libri, manifesti, giornali ai ragazzi e ai loro padri[38]. Solo il partito comunista, insomma, si faceva tramite di lettura fra l'infanzia senza libri e un mondo nuovo, fondato sulla condivisione della conoscenza prima che dei mezzi di produzione, di un'utopia da costruire sulla terra, qui e ora.

Chiamato nel 1950 dal Pci a scrivere un'autobiografia per tracciare il suo percorso politico e i suoi trascorsi durante il fascismo, Rodari tralascia l'aspetto letterario per concentrarsi sull'educazione politica. È così che scopriamo le sue letture eretiche «durante la guerra in Abissinia e la proclamazione dell'Impero: in quell'epoca i miei filosofi erano Nietzsche, Stirner e Schopenhauer e trovavo ridicolo l'Impero»; l'influenza dell'amico Amedeo, che «parteggiava per il sistema parlamentare inglese, del quale però capivo assai poco»; il corporativismo, insegnato a scuola, che veniva presentato come sintesi del socialismo e liberalismo; l'amicizia con giovani operai gaviratesi. «In casa di uno di questi conobbi uno che 'era stato un comunista', il compagno Furega Francesco, muratore, della sezione di Gavirate, comunista nel 1921, che mi raccontò a suo modo la nascita del fascismo». Grazie a questo gruppo clandestino Rodari dice di aver letto «una 'vita di Lenin', una di Stalin, e l'autobiografia di Trockij e la storia della Rivoluzione dello stesso Trockij. Queste opere ebbero due risultati: quello di portarmi a criticare coscientemente il corporativismo e quello di farmi incuriosire sul marxismo come concezione del mondo»[39].

A differenza di tanti coetanei della generazione del lungo viaggio attraverso il fascismo Rodari non frequenta, invece, il pensiero di Benedetto Croce, un dato non marginale perché, come scriverà Carlo Cassola: «la maggior parte dei miei coetanei sono arrivati alla politica dalla letteratura e dalla filosofia, all'antifascismo dal fascismo di sinistra, al comunismo o al liberalsocialismo dal liberalismo crociano»[40]. Rodari alla politica arriverà, infatti, non attraverso l'idealismo ma attraverso l'incontro tra marxismo e surrealismo.

Dalla Biblioteca Civica di Varese, il cui direttore era rimasto un vecchio socialista, prende in prestito «*Il Manifesto*, *Il 18 brumaio*, *Miseria della filosofia* e altre opere di Marx in un volume di una edizione 'Avanti!' del 1911, il mio primo testo politico, *La donna e il socialismo* di Bebel, *Histoire du socialisme* di Guesde, *Il capitale* nella riduzione di Guesde e Cafiero, opere di Ricciotti, Lassalle, Bonomi (*Nuove vie del socialismo*) e di altri che non ricordo. Il primo vero libro dopo questi lo lessi solo nel 1944 ed era *Il rinnegato Kautski* e *La dittatura del proletariato* di Lenin»[41]. In biblioteca legge le riviste culturali di fronda: «quando arrivava 'Corrente', per noi, giovani della provincia, era un grande avvenimento»[42]. Su «Corrente» – diretta da Ernesto Treccani, pittore e futuro marito di Lidia De Grada che con Rodari dirigerà il «Giornale dei genitori» – scrivono Vittorio Sereni e Giansiro Ferrata, che ritroverà, insieme a Treccani, nel partito comunista.

Inizia a frequentare con alcuni giovani di Gavirate un gruppo «che chiamammo 'giovani comunisti': ci riunimmo una sola volta, poi non sapevamo che fare e di parlare ai 'vecchi' non ci pareva il caso»[43]. Nel 1954 Fabrizio Onofri scriverà sull'«Unità», a proposito della nascita spontanea di gruppi filocomunisti clandestini:

> c'è da farsi venire le lacrime agli occhi, a ripensare che cosa significasse allora per noi un 'comunista'. Eravamo riusciti a procurarci il *Manifesto* nel libro di Labriola, il primo volume del *Capitale* nella traduzione del Ciccotti, e più tardi il *Che fare?*, ed altri libri ed opuscoli. Ma essi servivano ancora a risolverci questioni teoriche, gnoseologiche, storiche o di dottrina politica, piuttosto che indicarci la via dell'attività politica quotidiana. La scossa decisiva, in questo senso, ci venne dai primi contatti con gruppi di muratori, tipografi ed operai, e in modo definitivo dall'aggressione di Hitler all'Unione Sovietica[44].

2.

Il maestro

Era il tempo di Wrangler e della guerra polacca.
Però noi, nel nostro bosco, con la testa poggiata
sulle mani, cercavamo di dimenticare il tuono
dei grandi avvenimenti.
E leggevamo libri di pedagogia.

Anton Semënovič Makarenko

Devo essere stato un pessimo maestro,
ma forse non antipatico ai bambini
perché sapevo inventare storie.
Di questo mi pare di poter essere sicuro.

Gianni Rodari

Gianni Rodari ha fatto il maestro soltanto pochi anni, ma ancora oggi c'è chi pensa che questo sia stato il suo mestiere principale. In realtà, anzi, il maestro lo ha fatto controvoglia, per povertà e necessità di lavorare:

prima della guerra ho fatto il maestro, cattivo perché non avevo la preparazione per fare il maestro buono, forse oggi i maestri sono preparati meglio, ma certo noi eravamo preparati malissimo, in modo orrendo; poi ero molto giovane e quindi pieno di ambizioni diverse con in mente tante cose, la filologia, la linguistica, la filosofia, poi c'era da fare i conti con il fascismo, ce n'era abbastanza per occupare un giovane togliendogli l'interesse per lavorare nella scuola. Trovo che allora a 18/19 anni assolutamente non capivo l'importanza di quello che facevo. Nella scuola mi sembrava solo di perdere tempo, avevo fretta di finire l'università per andare da un'altra parte a fare un'altra cosa. In realtà era poi insofferenza di quel tempo, non della scuola in sé. Però nella scuola mi capitava di raccontare favole: prima per fare star zitti i piccolissimi di quella classe spaventosa e quindi tutte le mie letture poi, futuristi, surrealisti francesi, diventavano materia per le favole per divertire i bambini, non è che poi potevo cercare i materiali chissà dove. Se il giorno prima avevo letto un autore surrealista francese e mi era rimasto in testa qualche cosa, quel qualcosa diventava una favola a scuola[1].

Favole senza capo né coda, che duravano giorni, a volte settimane, che facevano ridere, nate dall'incontro casuale delle parole che i bambini scrivevano, ignari l'uno della parola dell'altro, sui due lati della lavagna[2]. «Non cito i surrealisti a caso. Le loro tecniche di lavoro mi hanno sempre interessato e divertito da quando le ho scoperte: cioè da quando, ragazzo, ne trovavo le tracce nelle riviste e rivistine letterarie e d'avanguardia. Credo che proprio dopo un certo numero di 'Prospettive' mi capitò di inventare un giochetto che chiamavo 'duello di parole' e che mi serviva egregiamente a far ridere i ragazzi a scuola»[3]. Il duello di parole o binomio fantastico, una delle tecniche più note della creatività rodariana, nasce ora, qui, frutto di un fortunato incontro di un giovane curioso con una rivista di fronda «Prospettive», fondata dallo scrittore Curzio Malaparte, alla quale collaborano, tra gli altri, Alfonso Gatto ed Eugenio Montale, rivista che dedica un numero al surrealismo nel 1940, l'anno in cui l'Italia entra in guerra.

«Se avessimo una Fantastica come una Logica, sarebbe scoperta l'arte di inventare». Questo pensiero di Novalis è riportato nell'editoriale della rivista «Prospettive», completo del corollario: «Alla fantasia apparterrebbe anche l'estetica, come la dottrina dell'intelletto appartiene alla logica», che Rodari riprende in un quaderno di appunti del 1943. Però qui è scritto in un tedesco incerto, «Hatten wir auch eine Phantastik, wie eine Logik, so Ware die Erfindungkunst– erfunden. Zur phantastik, gehrst auch die Aesthetik gewissermessen wie die verumftiehre zur logik»[4]. Accanto un appunto: «Cercare bibliografia in Treccani/ Estetiche/ Studiare il surrealismo». Scrive Breton: «L'immagine è una creazione dello spirito. Non può nascere da un paragone, ma dall'accostamento di due realtà più o meno distanti»; appunta Rodari: «1) Sollecitazioni: la pietra / il duello /l'immagine»[5].

Il numero di «Prospettive» è lo spunto per due saggi inediti, *Preparazione al saggio sulla fantastica* e *Per il libro per ragazzi*, databili fra il 1942 e il 1943, nei quali Rodari dà conto in modo chiaro del passaggio verso una poetica dell'azione e democratica: l'arte, così come descritta da Breton, è alla portata di tutti. C'è molto da fare, dice il *Manifesto* surrealista: mostrare la bellezza dell'incontro casuale «tra un tavolo anatomico e una macchina da cucire», per dirla «con il santo patrono Lautréamont», mostrare la bellezza dell'inatteso, dell'utopico, del possibile[6]. L'analogia, i miti, l'immaginazione, la magia, i ricordi, il ritorno all'infanzia, la fantasia. Questi gli strumenti elencati da Curzio Malaparte che Rodari mette da parte, certo che queste pratiche saranno condivise in una letteratura futura per tutti.

Nel 1964 Rodari farà riferimento anche ad altri, meno noti, metodi sperimentati in questo periodo, come i diari di San Gersolé,

> non quelli poi raccolti, lì avevo scoperto questa cosa: mi era capitata una quarta e in questa quarta proprio avevo buttato via tutto il resto e facevo soltanto diari. Non si chiamavano ancora testi liberi, si chiamavano diari. E certo le storie, che questi bambini riuscivano poi a cavar fuori così, erano belle e mi facevano fare un'infinità di scoperte che alla scuola magistrale non avevo potuto fare, cioè mi insegnavano un po' quello che piace e non piace ai bambini, la loro psicologia, la loro capacità di inventare; loro rispecchiavano un'attenzione con una crudeltà alla vita degli adulti che io poi ho imparato e ho capito quanto i bambini osservino e comprendano della vita degli adulti, molto di più di quello che si è disposti a far credito a loro[7].

San Gersolé, una piccola frazione dell'Impruneta vicino Firenze, diventa un impensabile luogo di sperimentazione negli anni Trenta quando una maestra, Maria Maltoni, inizia a mettere in pratica con i suoi bambini un metodo improntato all'osservazione diretta della realtà che rimanda alla lezione del francese Célestin Freinet[8]: «Avevo scoperto non so dove i 'diari' della scuola di San Gersolé e subito avevo adottato quel che avevo capito, da lontano, di un metodo che si fondava sull'osservazione della vita e sulla sincerità. Anche i miei bambini scrivevano molti 'diari'. C'era una regola: bisognava raccontare un solo fatto per volta, ma raccontarlo proprio come era successo e riferire le parole della gente proprio come la gente le aveva dette. Alcuni bambini riempivano i loro racconti di dialoghi in dialetto, riportando fedelmente anche le peggiori ingiurie»[9].

La guerra, scoppiata nel 1939, coinvolge direttamente l'Italia un anno dopo, nel 1940. Gianni Rodari, dichiarato rivedibile al servizio di leva, si iscrive al corso di laurea in lingue e letterature straniere presso la facoltà di magistero dell'Università Cattolica di Milano. La cartella personale dell'Archivio della Cattolica conserva anche il testo della prova scritta da lui sostenuta per l'esame di ammissione a magistero sulle lingue moderne nella formazione dell'*Italiano nuovo*[10].

Quello che emerge sono gli «astratti furori» di una generazione che ormai del fascismo non ne può più:

nel tipo d'uomo a cui si guarda da noi con attesa è visibile una parentela con l'uomo del Rinascimento: in entrambi è un'armonia superiore, una totalità spirituale in nome della quale hanno valore pensieri ed opere, una coscienza di sé e dei propri doveri e compiti che non conosce dubbi, o se ne conosce, non ne fa un abito romantico; in entrambi il concetto di responsabilità non è posto in discussione; in entrambi vige l'equilibrio del divino e dell'umano, così come dell'anima e del corpo. L'italiano nuovo non è l'uomo mediocre, il borghese [...] ma non è nemmeno il bohémien: né il superuomo. È l'Uomo, di nuovo con la maiuscola; ma non per contrapporlo a Dio, anzi per avvicinarlo a lui in un profondo senso della dignità della vita[11].

Il 1941 è l'anno della campagna di Russia: l'Italia fascista affianca la Germania nazista nell'invasione dell'Unione Sovietica, moltissimi i giovani che partono volontari o per la leva e muoiono nella steppa. Fra questi l'amico carissimo, Amedeo. «Amedeo con il violino sotto il mantello nero, con il violino sul portabagagli delle Ferrovie Nord Milano, Amedeo, i discorsi su Kant e su Hegel, nei boschi di Besozzo alta. Lui era per Kant, io ero per Hegel. Per chi sono adesso, per la Juventus o per il Milan? Disegnava, a china bagnata, i personaggi dei *Demoni* di Dostoevskij»[12].

Con il 25 luglio, tutto precipita. Dopo l'armistizio dell'8 settembre, il fratello Cesare, mentre tenta la via del ritorno a casa da Roma, dove era arruolato in fanteria, viene arrestato e, rifiutatosi di aderire alla Repubblica Sociale, spedito in un campo di concentramento tedesco. Gianni viene richiamato alle armi nel dicembre del 1943 e inviato nei reparti sanità presso l'ospedale militare di Baggio (Milano). Ma vi presta servizio per pochi mesi perché nel maggio del 1944 abbandona l'uniforme per darsi alla clandestinità, fra le file della Resistenza[13].

Si conoscono pochi episodi del periodo della Resistenza. Un intervento di appendicite, subito da Gianni sotto falso nome, lo costringe a una lunga convalescenza in zone isolate.

Un altro episodio, così bello da non sembrare vero, è rievocato dallo stesso Rodari in un appunto conservato fra le sue carte. Sono i giorni che precedono il 25 aprile, il clima è quello della resa dei conti, già iniziata. Durante un'operazione di pattugliamento partigiano sulla statale Milano-Como, a un certo punto appare un signore:

ambiguo, tutto grigio, con quel cane e un sorriso disperato. Sironi Mario, lessi, puntando sull'interrogativo, dalla carta d'identità, il pittore delle periferie, dei gasometri, delle fabbriche nel deserto, dei grigi sotto un cielo marrone, o viceversa? Quel desso, rispose, illuminandosi di un ulteriore sorriso. Non so se posso vantarmene: gli firmai il lasciapassare, in nome dell'arte. Non dissi al comandante della brigata quelle tali cosette. Gli avevo appena consegnato

John Amery, il super traditore inglese, figlio di un ministro inglese, addetto alla propaganda nazista. Per un Amery uno si può tenere un Sironi. Non me ne vanto. Un Sironi vale quattrocentomila Amery e anche di più. Se ne andò col suo cane, non importa dove. La sua pittura era stata una lezione di tragedia, né più né meno della *Lettera dall'Amiata* di Montale. Non c'è pittore che valga i suoi quadri[14].

Finita la guerra, con la liberazione di Milano il 25 aprile, Rodari tiene un comizio nella piazza di Gavirate, a fianco di compaesani antifascisti. Parla, come racconta in una nota autobiografica del 1975, «dalla finestra di un avvocato, con una gran gioia e una gran paura in cuore»[15]. È in questa occasione che il giovane viene notato dai dirigenti lombardi del partito comunista. Rodari, chiamato a lavorare nel settore propaganda, si occupa del settimanale «L'Ordine nuovo» che aveva iniziato ad uscire a Varese il 5 maggio, messo insieme da collaboratori improvvisati[16].

Questo passaggio è descritto da Ambrogio Vaghi, che lo affianca nella nuova avventura. «Il problema per noi non era tanto quello di scrivere. Questo sapevamo farlo anche benino. Rodari in particolare aveva incominciato molto presto, poco più che sedicenne, a comporre raccontini per il locale bisettimanale cattolico e più recentemente aveva dato vita coi compagni di Gavirate, nella sezione del P.C.I. ad un giornalino ciclostilato uscito per diversi numeri[17]. Fare un settimanale a stampa era ben altra cosa. Bisognava 'progettarlo', scriverlo e farlo scrivere»[18]. E poi venderlo a un pubblico di lettori deboli, senza neanche il traino dell'«Unità» che non arriva ovunque, dice nel congresso di partito: «'l'Unità' è poco diffusa, abbiamo quindi la responsabilità di provvedere col nostro settimanale all'indirizzo politico che non viene dato dal quotidiano, dal momento che esso non viene letto»[19].

Rodari inventa articoli brevi, dunque, titoli chiari, rubriche come *Sul fronte delle fabbriche*, che racconta la dismissione dell'industria bellica e la conseguente, drammatica, disoccupazione per gli operai[20]. La rubrica *La domenica del contadino* coi dialoghi di Peder e Paul su concimi, prezzi, canoni di affitto, in dialetto, è una delle tante invenzioni di Rodari di questo periodo: «Un'altra rubrica fissa era rappresentata da *I discorsi del cavalier Bianchi*, una 'perla' giornalistica di Rodari. Gianni dialoga con questo fantomatico cavaliere qualunquista, nostalgico del fascismo e critico verso i primi incerti passi della democrazia. Il cavaliere sogna un 'uomo forte' per far marciare bene le cose, ma Gianni gli ricorda che la frusta dell'uomo forte prima o dopo potrebbe sferzare anche la sua schiena di benpensante»[21].

Con Vaghi ed Elvezio Marocchi, tipografo, Rodari impara struttura e linguaggio della pagina di giornale. Il fondo, la spalla, il taglio centrale o il taglio basso, la manchette, l'elzeviro, l'occhiello, il titolo e sottotitolo. «Partivamo – scrive Vaghi – dalla redazione con in tasca i 'menabò', cioè i disegni d'impostazione delle pagine, ma spesso e volentieri essi si riducevano ad una esile traccia. Per Gianni era quasi un gioco provare a mettere il piombo dei titoli e dei pezzi sul 'telaio' e poi spostarli a piacere a destra o a sinistra, in alto o in basso, per bilanciare meglio la pagina e renderla 'più bella'. Con la classica sigaretta in bocca, andava avanti così tra una invenzione e l'altra fino a quando, per il sollievo dei tipografi, le pagine venivano 'chiuse'»[22].

Lo avevo conosciuto a Varese all'inizio dell'estate del 1945 in occasione del primo convegno provinciale di quella Federazione del Pci. Mi aveva colpito per l'efficacia del suo modo di esporre. Ricordo che ne era stato bene impressionato anche Gian Carlo Pajetta, che era alla presidenza. Chiedemmo chi fosse: «Un giovane maestro di Gavirate», ci fu risposto. Lo rividi poco dopo a Milano per un raduno nazionale del Fronte della Gioventù. Capeggiava la delegazione di Varese. Nella vivace discussione che si scatenò, come sempre, tra settari e no aveva preso senza esitazione la posizione giusta[23].

La «posizione giusta», la linea di condotta, il ruolo degli intellettuali nel diffonderla, difenderla, tradurla in parole semplici e comprensibili per tutti, una questione che ogni comunista ha ben presente. Rodari traduce di Bertolt Brecht *La linea politica* insieme a Giuliano Carta, poeta e militante del Pci di Varese: «Un uomo non ha che due occhi, ma il Partito ha mille occhi. Il Partito vede molte città, l'uomo solo ne vede una sola. Un uomo ha la sua ora, ma il Partito ha mille ore. Un uomo solo può essere annientato. Ma il Partito non può essere annientato, perché è l'avanguardia delle masse e guida la loro lotta coi metodi dei maestri creati dalla conoscenza della realtà»[24].

Una questione centrale, in anni di definizione di una nuova identità, una via italiana al comunismo; ci sono venti anni di fascismo da mettersi alle spalle. Ha ricordato Aldo Natoli: «Ci tuffammo nell'azione pratica. L'attività di partito fu un momento totalizzante che non ci lasciava disponibilità psicologica per altre cose. Per quanto mi riguarda rimasi in questa condizione per più di dieci anni. Ho ricominciato ad andare a teatro dopo il 1956. Quando chiusero 'Il Politecnico' di Vittorini non protestai: nessuno del mio gruppo protestò. Eravamo dei politici, ci sembrava giusto che la politica avesse la meglio sul resto»[25].

Il 27 ottobre 1945 sulla rivista «Il Politecnico» Elio Vittorini scrive che il ruolo dell'intellettuale nell'Italia liberata, da ricostruire, è rendere «i problemi degli affetti e dei rapporti tra gli uomini [...] accessibili a tutti gli uomini»[26]. Anche alla luce di questa sollecitazione si apre il V congresso del partito comunista che si tiene a Roma dal 29 dicembre 1945 al 5 gennaio 1946. Rodari vi partecipa come delegato.

Uno dei temi centrali del congresso è proprio l'inquadramento degli intellettuali, che deve prescindere dalle loro 'convinzioni filosofiche': tutti sono benvenuti nel partito nuovo, anche i borghesi, anche i cattolici, come ribadisce in un intervento il filosofo Ludovico Geymonat. Il dibattito, semmai, si fa aspro su alcune scelte di fondo di politica culturale, come quella per esempio che contrappone Concetto Marchesi ad Antonio Banfi, che avrà non poche conseguenze sulla vita culturale italiana. Il primo è fautore di un umanesimo classicista, per cui la scuola stessa deve formare l'uomo di tutti tempi[27]. Ma, dice Banfi, cosa è l'uomo di tutti i tempi se non un'astrazione di una classe privilegiata che «crea a sé stessa come giustificazione o come rifugio questo mondo ideale e vi pone a custodi una classe di clerici pontificanti»[28]? Rodari elaborerà in tutta la sua opera questo dibattito scegliendo sempre, con l'ottimismo della volontà e il pessimismo della ragione, di abbracciare il presente per immaginare il futuro. La parte di Banfi, insomma.

Tornato a Varese si impegna per le prime elezioni libere, quelle del 2 giugno 1946. Come testimonia Vaghi

> Penso però che un punto alto dell'invenzione rodariana sia stato raggiunto preparando le prime elezioni politiche generali per la nomina dell'Assemblea Costituente. Creammo un manifesto, come dire, didattico-politico. Si trattava di insegnare a votare e ovviamente di invitare al voto per il proprio partito. Vi lavorarono per la parte grafica gli amici architetti Ezio Moalli e Bruno Ravasi e per il testo Gianni Rodari. Ne uscì un manifesto dal titolo: Marchetto elettore perfetto. Era composto da otto formelle rettangolari a fondo giallo-ocra su carta bianca; in ogni formella un disegno con sotto una quartina didascalica in rima baciata. Direi, per chi se lo ricorda, una reimpostazione in grande formato della classica prima pagina del «Corriere dei Piccoli»[29].

Marchetto è un tipo con volto simpatico e baffi che va a votare e vota comunista. «Attenzione: soprattutto non dimenticate di restituire la matita! L'ultima vignetta trasmetteva un messaggio tanto poetico. Il Marchetto, dopo aver compiuto il suo dovere di cittadino-elettore, torna felice al suo lavoro e soltanto qui scopriamo che di mestiere fa il fabbro. Lo vediamo sorridente davanti ad un'incudine: tiene nella sinistra una lunga margherita dal gambo piegato e con la mano destra alza un martello. Che stupendo e piacevole lavoro raddrizzare margherite!»[30].

Rodari riprende a scrivere racconti, come aveva fatto da ragazzo: ne pubblica nove con uno pseudonimo, Francesco

Aricocchi, cognome della madre, sul quotidiano di Varese «Corriere Prealpino». Racconti nei quali gli appunti del suo quaderno di Fantastica tornano utili. È importante ricordarli perché sono la prova del debito di Rodari nei confronti del surrealismo, debito che Argilli ha considerato una «deliziosa bugia», frutto di una certa civetteria autobiografica[31]. *Il celebre scrittore* inizia con la frase: «Signora, la birra è scappata con l'autista». Potrebbe essere un buon inizio per un racconto, continua il celebre scrittore, perché gli uomini sono stufi di vedere le case piantate nella terra col tetto in alto: cominceranno ad interessarsi di quel che succede nel mondo solo il giorno in cui vedranno un campanile ficcarsi a testa in giù nel terreno e girare sul parafulmine come una trottola. «E quanto alle sere ed alle albe, quanto alle albe per esempio, esse possono interessare le giurie solo se voi dite, per esempio: Quella mattina il sole nacque a occidente, dal punto stesso in cui era tramontato. Questo è interessante. Tocca a voi dire perché il sole torni sui suoi passi, e che cosa può succedere in questo caso ai personaggi del vostro racconto»[32].

Lo scontro di parole dei surrealisti, il binomio fantastico, per dirla con Rodari, diventa qui l'applicazione della legge di inerzia: prendete due parole qualunque, imprimete un movimento qualsiasi, descrivetelo. Con due parole qualsiasi. Pane, pascolo; fiore, pista. Poi c'è il metodo del 'che cosa succederebbe se...': se la legge di gravità cessasse di funzionare all'improvviso; se vostra nonna si cambiasse in un pesce spada. O dell'incontro fra due animali agli antipodi, o di un sindaco con un aquilone. «Il celebre scrittore socchiuse ancora gli occhi, si alzò e fece qualche passo per la stanza, fregandosi le mani: 'Sono contento di questo sindaco che va per le strade di sera, coi ragazzi, col suo aquilone. Mi pare di conoscerlo'. Certo un simile racconto offenderebbe una giuria letteraria composta di persone serie, le obbligherebbe ad assumere delle responsabilità. Un buon racconto deve alla fine rassicurare, chi lo legge deve riconoscersi al punto da credere di averlo scritto lui»[33].

Quale insieme, quanti insiemi racchiudono, allora, il Rodari di questi anni? Il geniale scrittore in erba, surrealista e irriverente, il cronista e funzionario di partito, l'intellettuale che traduce *La linea politica* di Brecht, e mentre cerca le parole esatte per restituire l'ideologia, si cimenta con la forma poetica e di Brecht assimila la forma, oltreché lo sguardo.

La fine della guerra segna una rinascita della parola parlata: si parla nelle piazze, nei circoli operai, negli oratori. Gianni Rodari è tra i comizianti più richiesti. «Perché 'parlava bene', perché entusiasmava. Io dico, perché parlava 'diverso'. A quel tempo si cimentavano in pubblico gente onesta e per bene, ma con un modo di esprimersi da predicatori, alla ricerca delle parolone ad effetto condite da abbondante demagogia». Rodari invece scherza, rovescia il senso dei proverbi, dei modi di dire, sa parlare la lingua di chi lo ascolta, per questo arriva dritto al cuore. Rodari lascia «L'Ordine nuovo» l'8 marzo del 1947 chiamato al giornale «l'Unità» di Milano. «Lo salutava un comunicato ufficiale della Federazione del Pci: 'Non possiamo fare a meno di rimpiangere fin d'ora la collaborazione diuturna che egli prestava a tutti senza distinzione, prodigandosi per gli operai e per i contadini, per chiunque avesse bisogno di aiuto o fosse colpito dall'ingiustizia della sorte'. E concludeva con la prosopopea del tempo: 'Noi perdiamo un ottimo compagno: il Partito avanza grazie a forze nuove verso nuove conquiste'». A Varese ritornò per un paio di mesi durante la campagna elettorale del 1953 e scrisse, tra le altre cose, sul suo giornale «L'Ordine nuovo» un bellissimo articolo dal titolo *Perché mia madre vota comunista*. Un ricordo delle sofferenze e delle durezze della vita dell'amata madre. «Ci saranno state tante ragioni, ma io credo che la più importante sia stata la gioventù povera, umiliata, faticata, di mia madre e di mio padre, la loro fanciullezza di bambini operai. La mamma, una donna cattolica, credente e praticante, aveva compreso che la sua fede religiosa non le impediva di impegnarsi per il riscatto dei più poveri e derelitti nella società. Si era anche iscritta a settant'anni al Pci alla sezione di Gavirate»[34].

3.
Il giornalista comunista

Io seppi che cosa fosse il nostro Partito
da come vidi che erano i comunisti.
Erano i migliori tra tutti coloro che avessi mai
conosciuto, e migliori anche nella vita di ogni
giorno, i più onesti, i più seri, i più sensibili, i più
decisi e nello stesso tempo i più allegri e i più vivi.

Elio Vittorini

La generazione che il Pci ha rastrellato durante
la Resistenza è quella che meno
si è preoccupata di vocazioni personali.

Gianni Rodari

«Da anni ormai Gianni Rodari primeggia nelle biblioteche scolastiche, nei testi di lettura, nelle librerie, entra come angelo amico e fantasioso in tante aule e in tante case. È il Rodari famoso, e accettato da tutti, il poeta-amico-dei-bambini celebrato dalla stampa e dalla televisione degli anni Sessanta e Settanta. Ma per capire veramente Rodari, e la sua importanza nella letteratura italiana per l'infanzia, occorre conoscere anche quello che operava negli anni Cinquanta, noto soltanto in un ristretto ambito della sinistra»[1]. L'ambito dei comunisti italiani.

Torniamo allora ai primi anni del dopoguerra ed entriamo in una casa comunista, una qualsiasi, perché le famiglie comuniste sono come le famiglie felici, si assomigliano tutte, almeno in una cosa: in ognuna, nessuna esclusa, negli anni Cinquanta si legge «l'Unità», la parola scritta entra a far parte della vita di tutti gli iscritti al partito, spesso per la prima volta in modo quotidiano: in questo caso l'«infanzia storica» di cui parla Gianni Rodari si tinge di un colore nuovo, il rosso; i bambini e le bambine a cui si rivolgerà presto sono infatti bambini e bambine comunisti[2]. «Non scrivevo per bambini qualunque, racconta Rodari, ma per bambini che avevano tra le mani un quotidiano politico. Era quasi obbligatorio trattarli diversamente da come prescrivevano le regole della letteratura per l'infanzia, parlare con loro delle cose d'ogni giorno, del disoccupato, dei morti di Modena, del mondo vero, non di un mondo, anzi, di un mini-mondo di convenzione»[3].

A Milano «l'Unità» rinasce nei mesi della Liberazione. Franco Fortini, quei mesi, li ricorda così:

era l'inverno 1945-46, uno dei più tetri inverni di quegli anni. Milano pareva risentisse di tutta la tensione e la stanchezza del tempo di guerra. Chi veniva da Roma, già avvezzo ad un dopoguerra diverso, faceva fatica a capire come si potesse vivere in quella città di macerie e fango dove, sul far della sera, le strade si spopolavano, dove si leggeva e si scriveva a lume di candela con guanti, cappotto e passamontagna, dove la gente faceva ancora la coda per il pane e il riso e tutte le notti suonavano i colpi di mitra e di rivoltella degli «spiombatori» e dei banditi, da scali merci, depositi ferroviari, fabbriche. All'alba i giornali erano neri di titoli e di grida. L'inverno pareva un'unica lunga notte; e la città sentiva intorno a sé il vuoto aspro della campagna, si ripiegava su sé stessa per non perdere il poco tepore del suo alito[4].

Ricorda Fidia Gambetti, vicedirettore dell'«Unità»: «il mio capo servizio ha 19 anni; ha fatto la Resistenza in Liguria, è stato il primo redattore capo de 'l'Unità' di Genova, fa il secondo anno di filosofia. Si chiama Aldo Tortorella»[5]. Aldo Tortorella è un allievo di Banfi, diventerà un importante dirigente del Pci. La redazione milanese si trova in piazza Cavour, nello stesso palazzo dove un tempo Mussolini ha sistemato «Il Popolo d'Italia»: bombardato nel 1944, ora nel 1946 ha ancora dei muri crollati e solo in pochi hanno il privilegio di lavorare in locali con pavimenti, porte e finestre. Gli altri, i redattori ordinari, sono sistemati nell'ala aperta e puntellata, in un «enorme salone senza porte con le finestre murate, sul pavimento di cemento sconnesso e polveroso»[6]. I tipografi raccontano delle «drammatiche notti subito dopo il 25 aprile, quando Elio Vittorini, redattore capo de 'l'Unità', impaginava la prima pagina assolutamente astratto da ogni cognizione di luogo, tempo, spazio»[7]. Cambiato radicalmente, nel giro di due anni, lo scenario nazionale e internazionale, il Pci, dapprima nell'area di governo dei partiti del Cln, viene espulso a partire dal 1947 da ogni coalizione in seguito all'inizio della guerra fredda[8].

«l'Unità» milanese, edizione dell'Italia settentrionale, è diffusa in Lombardia, Veneto, Emilia-Romagna e metà delle Marche. Ha una tiratura che varia dalle 250.000 alle 300.000 copie: la domenica, a volte, grazie all'impegno dei militanti che la diffondono, arriva addirittura a raddoppiare e «le malandate e lente rotative d'anteguerra girano ore e ore traballando»[9]. In redazione ci sono Franco De Poli, poeta e traduttore di poeti, Giansiro Ferrata, già critico di «Solaria», Saverio Tutino – «giovane commissario partigiano sui monti del biellese, simpatico nonostante le arie di 'inventore' della Resistenza, figlio di papà, alto borghese» – e Giuseppe Boffa[10]. E poi Amleto Boccaccini, Tommaso Giglio, Aldo Palumbo, Alfonso Gatto, poeta che ha da poco pubblicato un libro di liriche edito da Bompiani dal titolo *Il sigaro di fuoco*: «Ogni uomo è stato un bambino – pensate – un bel bambino./ Ora ha i baffi, la barba,/ il naso rosso, si sgarba/ per nulla... Ed era grazioso/ ridente arioso/ come una nube nel cielo turchino./ Ogni uomo è stato un monello/ – pensate – un libero uccello/ tra alberi case colori./ Ora è solo un signore/ fra tanti signori,/ e non vola,/ e non bigia la scuola./ Sa tutto e si consola/ con una vecchia parola: 'Io sono'./ Chi è?/ Ditelo voi, bambini ignari/ che camminate con un sol piede sui binari,/ che scrivete 'abbasso tutti/ gli uomini brutti'/ col gesso e col carbone/ sul muro del cantone./ Ditelo voi, bambini. Egli è.../ ... un gallo chioccio che fa coccodè!»[11].

Il redattore capo dell'«Unità», detto anche 'redattore cupo', è Michele Rago, mentre il Direttore, quello con la maiuscola, è Gian Carlo Pajetta che nessuno, però, vede mai, visto che dal V congresso è entrato nella direzione del Pci e sta sempre a Roma. Lo stipendio di un redattore è quello dei metalmeccanici[12].

Carmine De Luca, lo studioso che meglio di tutti ha raccontato il Rodari giornalista, ha scritto: «nell'immediato dopoguerra tocca, più che ad altri, alla stampa dei partiti di sinistra rinnovare, per quanto a quei tempi fosse possibile, i criteri di selezione delle notizie, le tecniche espositive, il linguaggio politico»[13]. Ma, se per molti è così nelle intenzioni, nella realtà la cosiddetta stampa borghese stabilisce standard che la stampa comunista insegue con fatica, come racconta la storia di rotocalchi comunisti («Vie nuove») o anche di quotidiani (il «Paese», poi «Paese Sera»)[14].

Certo, lo spirito dei giornalisti comunisti è senz'altro diverso: si lavora a «l'Unità» così come si lavorerebbe in qualsiasi altro luogo legato al partito, per puro spirito di militanza; i giornalisti, l'abbiamo visto, sono pagati pochissimo, e i margini di scelta sono scarsissimi, come scrive lo stesso Rodari: per lui accettare incarichi di responsabilità piovuti dall'alto «è stato quasi un compito di Partito. In principio non ne volevo proprio sapere. Ma a quei tempi eravamo tutti molto disponibili: se ci fosse stato bisogno di un quadro nuovo nella cooperazione e mi fosse stata fatta la proposta di diventarlo, penso che avrei accettato»[15].

C'è un problema di uomini non compromessi con il passato che sappiano fare un giornale, e non è un problema semplice da risolvere: chi sa scrivere deve averlo imparato in qualche periodico fascista, impossibile, o quasi, trovare redattori che abbiano attraversato il ventennio rimanendone indenni; un'onorificenza, una divisa, un sabato fascista, li hanno tutti nel curriculum come racconta, fra gli altri, Marcello Argilli che entrerà al quotidiano grazie all'attestato di Gianni Rodari: «Né posso dimenticare, conoscendo i miei precedenti adolescenti fascisti, fu uno dei due presentatori, come usava allora, che garantirono per me quando feci domanda di iscrizione al Pci»[16].

Ci sono alcuni redattori dell'«Unità» che nel 1941 sono partiti volontari per la Russia, come Fidia Gambetti, che, abbiamo visto, della redazione milanese diventa il vicedirettore. La generazione cresciuta durante il fascismo converge nel quotidiano comunista elaborando, in forme diverse, il tempo sbagliato e perduto.

Le diffidenze non sono poche fra compagni: fra il 1947 e il 1952 il Pci stila un elenco di 6.000 iscritti da valutare attentamente al fine di testarne l'affidabilità politica. I motivi non sono soltanto di ordine politico, ma anche psicologico o professionale. C'è anche un fascicolo su «Rodari, Gianni»: nel suo caso, è in questione la sua abilità come giornalista. La prima nota che lo riguarda risale al 29 gennaio 1947. Viene dalla federazione provinciale di Varese ed è indirizzata alla Direzione del Pci, Commissione centrale quadri: «dopo ricevuta la vostra lettera abbiamo discusso la cosa in Segreteria e abbiamo deciso di mettere a vostra disposizione il compagno Rodari», una decisione sofferta dato il lavoro svolto a «L'Ordine nuovo». «Trattasi di un compagno giovane (ha ventisette anni), fornito di una buona cultura politica, letteraria e filosofica; è nel partito da dopo la sua liberazione, ma già da anni era in contatto con elementi locali. Al suo paese, Gavirate, ha contribuito a portare al Partito un buon gruppetto di intellettuali, alcuni dei quali già utilizzati. Ha già un discreto attaccamento al Partito e politicamente è ben orientato»[17]. La Direzione risponde invitando dunque Rodari, sempre tramite Federazione, a partire subito per Roma per frequentare «il breve corso della scuola pratica per giornalisti»[18]. La Federazione di Varese tuttavia risponde a breve giro con una lettera che consiglia vivamente di non far fare a Rodari il corso per poi rimandarlo a Varese poiché la giovane leva si aspetta di venire spostato all'«Unità» e sarebbe davvero rischioso, non tanto in quanto a preparazione politica, ma bensì per la fiducia in sé stesso. «In sostanza temiamo che, se una simile eventualità dovesse verificarsi, lo perderemmo come quadro di partito» perché, malgrado tutte le buone qualità già elencate, «in quanto quadro politico è ancora sul farsi e crediamo che non si possa continuare a chiedergli quei sacrifici che finora gli abbiamo chiesto noi». Inoltre Rodari è preoccupato per la questione economica, è giunta al suo orecchio la voce che il giornalista che va a sostituire «si sia allontanato dall''Unità' anche per il trattamento economico e questo l'ha messo un po' in crisi»[19]. Il 26 febbraio la commissione quadri di Roma scrive al segretario di Varese ribadendo il già detto: la scuola è inevitabile, Rodari deve andare a Roma, poi sarà destinato a un quotidiano di partito con condizioni economiche in grado di renderlo autosufficiente.

Il 14 marzo Michele Rago, il 'redattore cupo', scrive in vece di Renato Mieli, direttore dell''Unità' milanese, per comunicare alla Commissione centrale quadri del Pci «l'arrivo presso il nostro giornale del compagno Gianni Rodari di Varese», assegnato alla redazione milanese dell'«Unità» per il «corso pratico di giornalismo»[20]. Stipendi da fame, lavoro duro, un editore, Amerigo Terenzi, «il più spiantato» possibile in quel momento in Italia, tira la corda sugli stipendi come racconta Sibilla Aleramo nel suo *Diario di una donna* con tutti i collaboratori. «Bisogna rifarsi anche a cosa significava in quegli anni essere, e considerarsi, funzionario di Partito, votarsi cioè a una sorta di missionariato politico e, anche, affrontare condizioni di lavoro e di vita economica particolarmente disagiate»[21].

Così nel 1947 Rodari, Giovanni, sbarca a Milano. Scrive Quinto Bonazzola:

divenuto io frattanto redattore dell'«Unità» di Milano, mi fu annunciato il suo "arrivo per fare il cronista". Più che contento, ricordo che fui preoccupato: un ragazzo così simpatico, pensavo, ma così paesano come mi era sembrato, se la sarebbe cavata in un mestiere tanto cittadino come quello? Lo vedemmo arrivare col suo passo caratteristico, a ginocchio mai teso (o forse a calzoni mai stirati). Vestito di blu come i contadini che vengono in città. Sempre quell'abito. Solo quello, seppi poi. Quando consegnò il primo pezzo, poiché lo consideravo un mio protetto chiesi al capo cronista Boccaccini come se la fosse cavata e «Benissimo!» fu la risposta, e mi sentii sollevato. Così in pochi giorni tutti in redazione si accorsero che Rodari era stato un acquisto prezioso per il giornale. Per le sue capacità di scrittura, ma non meno per la curiosità che aveva della vita, per il legame con la cultura del popolo, per l'umorismo disincantato assorbito dai muratori, dai contadini, dagli operai tra i quali era vissuto. Nelle notti di redazione ci insegnava i proverbi, le canzoni che aveva imparato dai carrettieri, nelle osterie: quelle che vent'anni dopo sarebbero state riscoperte dagli intellettuali alla moda[22].

E Fidia Gambetti: «Ultimamente sono arrivati in redazione colleghi giovani e meno giovani. Dalle varie province della Lombardia, dell'Emilia, del Veneto; da altri giornali; dall'attività politica. Fra i nuovi, è Gianni Rodari [...]. Lavora in cronaca, allegro, pronto alla battuta, con quel viso da ragazzo, un ciuffo di capelli renitenti al pettine, sempre sugli occhi pungenti e arguti. Quando lui è presente, in cronaca è spettacolo: fa discorsi o recita in vari dialetti, imita o fa il verso a questo o a quello; improvvisa originali e divertenti filastrocche che talvolta si ritrovano scritte qua e là sui tavoli e sui muri»[23].

A «l'Unità» Rodari incontra alcuni degli amici ai quali rimarrà legato tutta la vita. Come Giuseppe Boffa e Paolo Spriano, primo storico del Pci («viva viva Paolo Spriano che mi porta in palmo di mano», gli scriverà in una lettera del 1964). Si conoscono, i due, nella stanza della terza pagina «tra Pancaldi, Venturi, il povero Amleto Boccaccini, e Ulisse (Davide Lajolo) che veniva a chiacchierare in mezzo ai letterati».

Gianni era uno dei primi 'inviati speciali' del giornale: bravo, schietto, con quel tratto che non lo ha mai abbandonato: di limpidezza di racconto, di serenità, di malinconia, come le sponde del lago su cui era nato. Mi aspettavo un tipo grande e grosso e invece quasi scompariva piccolo e timido, dietro la scrivania. Quanti servizi, quanti giri d'Italia (anche, al seguito dei ciclisti), quante inchieste! Rodari sapeva, anche in tempi manichei di profonde rotture, essere lontano dalla retorica, ironico, fermo. Era già quel grande giornalista che rimase, un giornalista comunista[24].

Il giornalista comunista Rodari vive poveramente in una stanza in affitto, pedina della macchina informativa del partito al punto che, contro la sua volontà, nel dicembre 1948 rischia seriamente di essere chiamato a Roma nella redazione di «Nuova terra», come riporta un documento della segreteria comunista. La sua lettera di risposta è conservata all'Archivio Gramsci: Rodari si dice lusingato, ma l'attaccamento all'«Unità» è assai cresciuto da quando, due mesi prima, se ne è andato Renato Mieli ed è arrivato a dirigerla il compagno Ulisse, Davide Lajolo: «due mesi fa almeno metà della redazione avrebbe voluto andarsene», ma adesso no[25]. Il 13 dicembre Massimo Caprara è però perentorio: Rodari deve immediatamente trasferirsi a Roma poiché troppo grande è la necessità di un quadro capace nella redazione di «Nuova Terra». Ma Rodari non va.

Scrive di vita in fabbrica, mondo del lavoro, di politica. «Promosso [...] inviato speciale l'estate scorsa [1947] in occasione di un tragico fatto di cronaca [...]: decine di bambini di una colonia di Albenga annegati nell'affondamento di un barcone. Poiché il servizio di Alfonso Gatto, inviato sul posto, tardava, incaricammo Rodari di scrivere un pezzo di maniera in redazione, utilizzando le notizie dell'Ansa. Il servizio fu il migliore, il più informato e il più 'scritto' fra tutti quelli della stampa milanese»[26].

Molti dei temi incontrati in questi anni diventano materia prima di future filastrocche: in una conferenza del 1962 Rodari svelerà che «un servizio giornalistico su uno sciopero dei ferrovieri m'aveva dato lo spunto per una serie di filastrocche, dirò così, ferroviarie. Uscì infatti un libretto intitolato: *Il treno delle filastrocche* dove erano messi in rilievo accelerati, diretti, treni-merci, tradotte, stazioni, gallerie, ecc.»[27].

Ha una fidanzata, frequenta i colleghi ma non i cenacoli intellettuali legati al partito. Suona l'armonica a bocca.

Un giorno – racconta Gambetti –, a casa di sua mamma, a Gavirate mi fece vedere in un armadio un violino. Mi raccontò che da bambino riusciva bene a scuola e i suoi, per farlo studiare, lo avevano mandato in seminario. Naturalmente venne via verso i quindici anni; e per pagarsi la possibilità di arrivare almeno al diploma di maestro, aveva suonato molte volte nelle trattorie, ai pranzi di nozze e alle feste. A Milano incontrò il primo grande amore. Si erano conosciuti su un otto volante. Un giorno che desideravano fare un viaggio erano andati alla stazione e avevano preso due biglietti per Rho. Poi avevano passeggiato per i campi[28].

Dai pezzi di cronaca Rodari era frattanto passato a scrivere anche servizi nazionali ed elzeviri per la terza pagina, e a raccontare Milano. Lidia De Grada Treccani, nella sua autobiografia racconta di serate a casa sua dove passa tutto il Pci milanese, ma non il giovane Gianni, troppo timido e anche troppo povero. In una di queste serate si scatena una lite furibonda fra Alfonso Gatto e Fabrizio Onofri sul rapporto fra gli intellettuali e la politica: Gatto rivendica piena autonomia, fare il proprio mestiere senza condizionamenti e partecipare alla vita politica da normali cittadini. Onofri invece sostiene che l'intellettuale comunista debba essere graniticamente sempre e soltanto dedito al lavoro politico. Questa appare a noi oggi anche la posizione di Rodari allora. Poi cambierà. Per adesso è quel missionariato politico, di cui parla Marcello Argilli, non privo a volte di retorica, e paternalismo. Scrive Sibilla Aleramo, dopo un incontro con gli operai:

sembra che scorgano nel poeta, nello scrittore, nell'intellettuale il ponte che li avvicina a quell'avvenire per cui lottano tanto fermamente. E ci chiedono, taciti, che si vada più spesso a trovarli, di non esser così timidi di fronte ad essi, come se pensassero che noi si dubiti della prontezza e freschezza meravigliose che caratterizzano la loro sensibilità. Chiedono, con lo sguardo, che li si incoraggi sempre di più nella conquista della cultura, li si aiuti con conferenze, con letture, con liste di libri, che ben sanno il beneficio grande che essi ricevono da tutto questo[29].

Un'esagerazione? Eppure, scrive Franco Fortini, «ricordo una sera, verso piazzale Corvetto, una specie di hangar mal illuminato, pieno di operai, di donne con i bambini sulle ginocchia; e ascoltavano parlare del 'Politecnico' come di una cosa loro, come si trattasse del loro lavoro e della loro salute, e interrogavano, volevano sapere»[30].

Questo ricordo di Fortini illumina l'articolo che il 25 febbraio 1950 Rodari pubblica su «l'Unità»; si intitola: *Voltaire in Romagna*. L'occasione è andare a vedere che fine hanno fatto i libri dell''Universale Economica', la collana nata l'anno prima per volontà del Pci: «mi è capitato spesso, entrando nelle case dei braccianti emiliani o dei mezzadri romagnoli, di vedere allineati in bell'ordine su una mensola i libri del 'Canguro', ossia della 'Universale Economica' che ha cominciato lo scorso anno le sue fortunate pubblicazioni»[31]. Disposti in ordine di pubblicazione e di numero, dall'uno al venti, al trenta.

Una volta l'italiano che viaggiava in Olanda o in Boemia, stupiva di incontrare contadini letterati, di scoprire nelle loro modeste case librerie e biblioteche, con tutti i classici in fila. In questo dopoguerra, per merito del Partito Comunista, milioni di libri sono entrati nelle case degli operai, dei braccianti, dei contadini italiani: opere di Marx, di Lenin, di Stalin e di Gramsci, ed hanno creato il terreno propizio al successo di un'iniziativa di cultura popolare come quella del 'Canguro'. Si spiegano così quelle mensole e quei libri in fila senza ricorrere alla psicanalisi e all'Olanda.

Poi il registro dell'articolo cambia, cambia la luce che illumina le mensole un tempo spoglie, prende forma il fantastico mentre il buio e il sonno «fasciavano la casa, sprofondata nella notte come un sottomarino negli abissi subacquei»[32], e i libri iniziano a parlare fra di loro. La conversazione coinvolge Feuerbach e Voltaire, uno accanto all'altro nella collana e quindi sullo scaffale: «"Ditemi allora di grazia, proseguì il filosofo tedesco, chi è che mi si stringe addosso alla mia sinistra, e puzza di fagioli e di aglio da mozzarmi il respiro?". "È Bertoldo, rispose cortesemente Voltaire, un saggio buffone. Abita nel volume numero sette, voi nel nove, e io nell'otto, Herr Feuerbach!"». Voltaire tesse al perplesso collega le lodi di questo tipo nuovo di lettore, l'uomo nuovo che «"comincia adesso ad aprire gli occhi, a scoprirsi un'intelligenza e un posto in casa per una libreria, accanto alla zappa e alla vanga. Quando la sera, toltosi il fango dalle scarpe, egli mi prende in mano per leggermi, sento un brivido irresistibile. Le sue mani callose, collinose, montagnose, mi trattano con tanta umiltà e con tale amore che il mio proverbiale cinismo va a farsi benedire". "Sono d'accordo con voi, signor di Voltaire, ammise Feuerbach, spiegare, com'io faccio, l'essenza del Cristianesimo a un bracciante romagnolo, ecco un'esperienza interessante"»[33].

La riunione mano a mano si arricchisce di altre voci, tutte quelle presenti nella collana, da Lazzarillo de Tormes a Spinoza a Renan e Pascal, a Gogol': «Voi fareste derivare l'uomo da un tronco di ciliegio», osservava bonariamente il vecchio Darwin a Collodi, mentre Pinocchio, dal canto suo, già sta meditando un tiro da giocare al burbero Javert, il poliziotto di ferro dei *Miserabili*: è nota l'antipatia del celebre burattino per la forza pubblica.

Teorie, argomenti, fatti; letterati, filosofi, scienziati; avventurieri, donne celebri, creature della fantasia o della storia: tutto un mondo insolito si agitava su quella mensola di pochi decimetri, proprio sopra la madia del pane. L'incontro con il bracciante romagnolo era per loro un'esperienza così interessante e nuova che non finivano di discuterne. Anzi, io credo che non abbiano finito affatto quella notte, che ogni notte la conversazione riprenda, e che riprenda di giorno, di sera, ogni volta che il bracciante toglie un libro dallo scaffale e si rinnova il miracolo dell'incontro tra la cultura e la sua mente giovanile ed entusiasta. È un miracolo che comincia appena e si compie contemporaneamente in migliaia di case. La notizia di questo miracolo meriterebbe ben altri commenti e considerazioni.

Bertoldo accanto a Voltaire, Pinocchio sulla mensola vicino a Darwin fanno venire in mente quello che scriverà Gianni Rodari a Giulio Einaudi tanti anni dopo, commentando l'analoga scelta operata da Einaudi con la collana 'Gli Struzzi' che nascerà nel 1970, ovvero quella di affiancare, di nuovo, scrittori tanto diversi fra di loro, alto e basso, infanzia e età adulta: «Il coraggio di infilare il mio nome tra Lee Masters e Brecht, io, non l'avrei mai avuto»[34].

4.
Tutto il mondo in filastrocca

Dentro la bocca ha tutte le vocali
il bambino che canta.
Alfonso Gatto

Quasi subito incominciarono ad arrivare lettere
di bambini che chiedevano filastrocche
per il padre tramviere, per il padre vigile urbano,
per il padre impiegato e così via.
Gianni Rodari

Poi una sera, quasi per scherzo, compose una filastrocca per una bambina che conosceva, Susanna. Sempre quasi per caso, venne pubblicata sull'«Unità» nell'"angolo del bambino" della "pagina della donna", di cui si stava ancora definendo la struttura. Una mamma allora scrisse al giornale perché anche al suo bambino malato venisse dedicata una filastrocca. Poi ne scrisse un'altra con un altro pretesto. E Rodari fu quasi costretto a continuare per quella strada. Non avevamo saputo quella sera, noi lì presenti e neanche lui, di avere assistito all'inizio di un cammino che avrebbe arricchito la cultura di tutti i ragazzi del mondo[1].

«A scrivere per i bambini (non «per i ragazzi», dice ancora lui: i ragazzi, è giusto che leggano Tolstoj, Primo Levi o Ho Chi Minh; che nuotino nel mare grande, senza salvagente...) Rodari ha cominciato per caso»[2]. All'«Unità» serve infatti una rubrica umoristica domenicale: chi meglio di Rodari, già autore di dialoghi umoristici? Ma quello che il giovane cronista scrive non convince, sembrano cose per bambini[3]. Il progetto iniziale cambia rotta, invece di una rubrica umoristica nasce la prima rubrica domenicale per i bambini. La prima filastrocca è per la figlia di Aldo Tortorella e si intitola *Susanna*: «Filastrocca per Susanna/ le piace il latte con la panna/ le piace lo zucchero nel caffè...» e così via. Iniziano ad arrivare lettere, una mamma chiede una filastrocca per il suo bambino. «Ricordo molto bene quella lettera anche se non l'ho conservata. La mamma descriveva la sua abitazione, uno squallido scantinato in città, e mi diceva che l'unico divertimento del suo Ciccio era quello di stare affacciato ad una finestrella all'altezza dei marciapiedi per tentare di guardare i passanti, dei quali, peraltro, riusciva a vedere solo le scarpe». Ed ecco: «Ciccio, Ciccio che sta in cantina/ al posto del letto c'è una brandina...». Poi una filastrocca per un bimbo malato. «'Filastrocca del bimbo malato/ con il decotto, con il citrato/ con l'arancia sul comodino/ tagliata a picchi su di un piattino./ Per tutti i malati di testa e di pancia/ sul comodino c'è sempre un'arancia/ tra un confetto ed un mentino/ per consolare il malatino'. L'arancia sul comodino, naturalmente, era un ricordo d'infanzia. Ai nostri tempi il colore dorato dell'arancia aveva ancora per noi qualcosa di favoloso»[4].

Rodari si serve delle sue ricette di Fantastica.

Insomma avevo le mie formule e le usavo per le mie storie e sempre erano storie che dovevano piacere a un pubblico doppio perché il quotidiano doveva pubblicare cose che dovessero piacere ai bambini ma anche ai genitori. E comunque io potevo tener conto dei genitori ad un livello più semplice: contadini, operai, insomma non dovevo pensare a genitori sofisticati che mi avrebbero detto, come in pieno 1948/49, erano allora quegli anni, ti metti a scrivere filastrocchine con la rima quando la poesia... Va bene, la poesia si farà in un altro modo, ma io non voglio fare la poesia, voglio fare queste filastrocche perché questo pubblico le chiede[5].

Nessuna vocazione, dunque, ma un impegno nato per caso: «bisogna concluderne che le vocazioni si trovano anche per la strada, per caso, o per senso del dovere. Basta poi prenderle sul serio. Pare che Charles Dickens tenesse bene in vista sulla sua scrivania un 'motto' che gli diceva: 'Fa' bene quello che ti danno da fare'. Se le cose stanno come dice Rodari, questo potrebbe essere, prese tutte le misure, il suo motto»[6].

È il 1949, sono testi firmati, anonimi o firmati con pseudonimi, come Lino Picco su «l'Unità», o Giampiccolo su «Vie nuove»: «e per un paio di anni andai avanti così, senza pensarci troppo. Però quel lavoro mi piaceva sempre di più. Tra l'altro, con la scusa che erano 'cose per bambini', potevo farle come mi piacevano, potevo dire quel che avevo in mente nella maniera che più mi piaceva, potevo giocare con la fantasia»[7].

Mi racconta Laurana Lajolo: «avevo sette anni quando mio padre, Davide Lajolo, diventò il direttore dell''Unità' a Milano. Io a volte lo accompagnavo in redazione e mi inorgoglivo a portare veline o aiutare la centralinista: tutti erano molto educati con me, ma solo Rodari mi faceva sedere e molto seriamente mi leggeva una delle sue filastrocche che appuntava su un taccuino bianco che teneva accanto alla macchina da scrivere in un ufficio che ricordo spoglio, come lo era tutta 'l'Unità', del resto»[8]. Un Rodari che non stupisce, certo, come ce lo immaginiamo a chiedere alla bambina un parere e prenderla sul serio. Ma poi Laurana aggiunge: «vede, mio padre stava sempre in redazione dunque nei momenti che passava con noi cercava di comunicarci tutto quello che amava di più, soprattutto la poesia: ci leggeva Montale e García Lorca e per me essere presa sul serio da un poeta come Rodari era una cosa importantissima»[9]. Un poeta come Rodari.

Rodari i bambini li conosce poco, inizia, dunque, a mettere a punto una sua idea originale dell'infanzia a partire dalle lettere al giornale, perché i bambini scrivono moltissimo, al punto che le diverse edizioni dell'«Unità» si inventano addirittura una associazione di corrispondenti detta del Novellino: «Si è aggiunta una nuova categoria di scrittori dell''Unità', ve ne siete accorti? Parlo dei bambini»[10]. Nasce la rubrica il *Libro dei perché*: perché il cinema si muove, perché la chiocciola non esce mai da casa sua, perché non sentiamo la terra girare. Scopriamo da una recensione, pubblicata anni dopo su «Paese Sera», che l'idea del *Libro dei perché* nasce dal confronto con Tolstoj che, «parlando ai ragazzi con la lingua di Gogol' e Puškin» (e Rodari usa quella di Leopardi e Montale) insegna favola e scienza: perché il gelo spacca gli alberi? Perché il fiato appanna i vetri? Che cos'è il calore[11]?

«Vorrei sapere da te perché la mia mamma deve andare a lavorare tutti i giorni invece di restare a casa come piacerebbe a me ed ai miei fratellini – Carla, Milano». Ho un po' idea, risponde Rodari, che ti piacerebbe tanto se la mamma restasse sempre a casa a fare la domestica a tutta la famiglia. «Non so che lavoro faccia la tua mamma, ma sarà certo un lavoro utile: utile a voi per i soldi che può guadagnare e utile a tutta la società. E voi dovreste ammirarla ancora di più. Non soltanto perché è la vostra mamma, ma perché è una donna che lavora: una donna importante, e brava. Le scarpe le potete lucidare da soli, i fazzoletti li potete dare alla lavandaia, poi vi potete mettere alla finestra ad aspettare che la mamma torni per domandarle: – Che cos'hai fatto oggi? Parlaci del tuo lavoro e insegnaci a diventare bravi come te»[12].

Contemporaneamente Rodari inizia anche la collaborazione con la rivista «Vie nuove» dove già esiste una rubrica per bambini dal titolo *Piccolo mondo nuovo*, col sottotitolo *Bambini di tutti i paesi unitevi!*[13]; vi scrivono Corrado Alvaro, Romano Bilenchi, Aldo Palazzeschi. «Vie nuove» è un esperimento molto interessante, un rotocalco vero e proprio dove, come ha scritto Stephen Gundle, Hollywood e Mosca convivono pienamente: fotografie, moda, racconti, cinema, anche quello americano, soprattutto quello americano[14].

Rodari continua comunque a fare il cronista e dalla prima pagina del quotidiano dei comunisti racconta la storia delle lotte contadine dei braccianti emiliani, spesso infatti viene inviato a Modena, dove denuncia i metodi violenti del Questore Salvatore, «che viene chiamato Verboten». La frase che lui ama ripetere più spesso è questa: «Per Modena ho pronti fiumi di legnate». Infatti egli tratta Modena come una città «fuori legge»[15]. E a Rodari verrà affidata la cronaca della più terribile di queste "legnate".

Nel gennaio 1950 la città è in sciopero perché Alfredo Orsi, proprietario delle Fonderie Riunite, ha licenziato tutti i dipendenti con l'obiettivo di assumerne altri non sindacalizzati. Poi ha chiuso le fabbriche: una 'serrata' che dura da un mese quando i lavoratori indicono per il 9 gennaio 1950 uno sciopero generale. Le forze di sicurezza si mobilitano. Scrive Rodari:

> A Modena oggi c'erano, già prima dell'eccidio: tutto il battaglione dei carabinieri di Bologna, con 13 autoblindo, i reparti corazzati di Cesena, la compagnia di carabinieri di Modena e la Celere, sembra inoltre che altri rinforzi siano stati fatti affluire da Ferrara, da Parma, da Forlì e da Reggio Emilia. In complesso più di tremila uomini in assetto di guerra. Tutto ciò e gli sbarramenti dinanzi alla fabbrica dimostrano incontestabilmente la premeditazione dell'eccidio. Quando 500 operai sono giunti presso uno degli sbarramenti, essi sono stati accolti dal lancio di bombe lacrimogene senza alcun preavviso. Gli operai si stavano dirigendo verso la fabbrica per manifestare la loro volontà di lottare per la totale ripresa del lavoro.

La polizia spara ad altezza d'uomo, ne ferisce centinaia, uccide sei operai. Si chiamano Angelo Appiani di 30 anni, Renzo Bersani di 21 anni, Arturo Chiappelli di 43 anni, Ennio Garagnani di 21 anni, Arturo Malagoli di 21 anni, Roberto Rovatti di 36 anni[16]. «Tutta la città è ferma. Non un negozio, non un ristorante, non un cinema è aperto. Questa è stata la tremenda giornata che Modena ha vissuto oggi. Centinaia di cittadini hanno visto carabinieri ed agenti inginocchiarsi per meglio prendere la mira. Ma dietro di loro essi hanno visto il volto dell'industriale Orsi a cui risale la responsabilità per i tragici avvenimenti: hanno visto il volto delle autorità che da due anni svolgono in questa provincia una politica di provocazione e di arbitri e che oggi hanno voluto portare il lutto nelle case dei lavoratori. Due ragazze si sono ricordate di quanto avevano udito dire alcuni giorni fa da un agente della celere mentre conversavano della preparazione della Befana dell'Udi per i bimbi. "La Befana, avrebbe esclamato il celerino, l'avrete voi il nove gennaio"»[17].

Colpito profondamente da questa strage Gianni Rodari scrive *Il bimbo di Modena*: «Perché in silenzio,/ bambino di Modena,/ e il gioco di ieri/ non hai continuato?/ Non è più ieri:/ ho visto la Celere/ quando sui nostri babbi ha sparato./ Non è più ieri, non è più lo stesso:/ ho visto, e so tante cose, adesso./ So che si muore una mattina/ sui cancelli dell'officina,/ e sulla macchina di chi muore/ gli operai stendono il tricolore»[18].

Il bimbo di Modena è scomparsa dalle raccolte degli anni Sessanta; ricordata dai biografi come inattuale o datata, e dallo stesso Rodari come non necessaria nella prima raccolta Einaudi, pone comunque una domanda alla quale Rodari non smetterà mai di cercare una risposta: quella del rapporto fra scrittura per l'infanzia e impegno politico. «Quando è, dunque, il momento di renderli non solo testimoni attenti (a questo ci pensano loro, anche se si fingono distratti) ma partecipi delle cose di questo mondo? E in che modo, partecipi? Con quali atteggiamenti di fondo? Ecco il punto. Ho ricopiato una volta, e non so più dove, e non ricordo nemmeno il nome del loro autore, certi versi che dicevano: 'So che soffrirai/ perché non vuoi/ che ci sia chi soffre;/ so che piangerai/ perché non vuoi/ far piangere,/ ma non posso farci niente,/ se non insegnarti a soffrire/ senza cessar di capire,/ se non insegnarti a piangere/ a ciglio asciutto'».

Non sono le lacrime che educano, scrive Rodari, non il dolore, ma le emozioni e la commozione che la realtà, a volte, suscita. Davanti all'operaio che sciopera, o al mendicante che tende la mano, come reagisce un bambino di fronte a problemi

che sollecitano una riflessione lunga e magari faticosa, invece che con scenette da 'buona azione' quotidiana. Ricordo un lontano, drammatico sciopero delle 'Reggiane', a Reggio Emilia: duro, costellato di scontri durissimi, di privazioni, di grandiose iniziative di solidarietà popolare. E ricordo, in quella circostanza, d'esser andato a Reggio e d'aver parlato con numerosi gruppi di ragazzi, dagli otto ai dodici-tredici anni, che nelle iniziative di solidarietà popolare avevano avuto la loro parte. Lì per lì mi colpì la violenza delle loro reazioni, la passionalità dei loro atteggiamenti. Ero sconvolto. Mi domandavo se fosse giusto gettarli a quel modo, per così dire, nel bel mezzo di una lotta tanto più grande di loro. A distanza di anni ho ritrovato uno di quei ragazzi, fatto ormai giovane adulto. Seppi da lui quanto fosse stata decisiva, per il bambino che era stato, la partecipazione al forte movimento popolare di allora: quanto determinanti le emozioni allora provate. La sua 'educazione dei sentimenti' si era fatta in quei giorni, per sempre. Gli anni dell'addormentamento erano passati su di lui senza corrompere la sua generosità, spegnere il suo slancio[19].

Come ha scritto Giorgio Bini, «oggi una parte delle filastrocche più esplicitamente politiche possono apparire datate; certo non molte, la maggior parte sono leggibili e godibili (comprensibili) anche oggi. Quelle pacifiste e antimilitariste lo saranno sempre, finché il sole risplenderà sulle sciagure umane (e finché ci sarà bisogno di trasgredire)»[20].

Dato il successo dei primi interventi per l'infanzia il Pci torna a decidere del futuro di Rodari, senza chiedergli un parere: viene trasferito a Roma a dirigere «Il Pioniere» e questa volta accetta senza discutere le direttive del partito. Sul fatto che la direzione del nuovo periodico debba essere affidata a lui non ci sono dubbi. La segreteria del Pci ne discute il 12 settembre 1950. All'ordine del giorno, 'Stipendi Rodari Rinaldi' che vengono stabiliti in 55.000 lire per Rodari e 39.000 per Rinaldi[21]. All'inizio vive in una pensione e, con alcuni colleghi che diventeranno amici cari come Michele Lalli e Sergio Perucchi, frequenta la trattoria dei Fratelli Menghi in via Flaminia, ritrovo di intellettuali e artisti squattrinati.

Ecco come Rodari stesso ricorda questo passaggio: «Nel 1950 fui praticamente costretto, anche se non del tutto convinto, a dirigere un settimanale per bambini e ragazzi e per caratterizzarlo inventai una serie di personaggi che conoscevo bene dai tempi in cui, da cronista, avevo frequentato quotidianamente i grandi mercati di Milano per studiare i prezzi delle patate, del pesce, della carne, per occuparmi dei problemi della spesa delle famiglie. Così nacquero dei personaggi come Cipollino, Pomodoro, le contesse del Ciliegio, Pero Pero, mastro Uvetta ecc.»[22].

A guardarla oggi, la nascita del «Pioniere», appare come un piccolo miracolo: il fumetto è infatti considerato dalla maggior parte dei dirigenti del Pci e da molti militanti come la tipica espressione dell'‘americanismo' che, dopo il 1947, sembra essere il peggiore di tutti i mali[23]. Lo dice Enrico Berlinguer nel 1948 a Torino, lo scrive Gian Carlo Pajetta su «Gioventù nuova», lo ribadisce Lucio Lombardo Radice nel 1951 dopo un viaggio a Mosca dove, rileva, i fumetti non esistono e quindi, ne consegue, neanche noi dobbiamo averne. «Neppure un esemplare di quei racconti di foschi e atroci delitti di criminali raffinati e di poliziotti astuti, che eccitano e rimbecilliscono i nostri ragazzi. Non c'è neppure una copia di quei giornalacci che abituano alla fantasticheria malsana, di quel ‘veleno americano' che circola liberamente da noi»[24]. Sarebbe troppo facile affiancare a questo intervento del 1951 un'accorata difesa dei programmi televisivi americani che il matematico scrive nel 1980, a margine di una analoga condanna da parte di genitori e stampa della violenza ‘connaturata' ai cartoni animati giapponesi.

Per fortuna i punti di vista cambiano, e le persone, nel caso di Lombardo Radice, anche, grazie all'amicizia con Rodari che inizia adesso a demolire questo enorme edificio di retorica e paure[25], a partire da un articolo nel quale risponde a numerose lettere giunte alla redazione dell'«Unità» dopo la pubblicazione della notizia dell'imminente uscita del «Pioniere»: i lettori si lamentano del fatto che i fumetti sono in sé una forma deteriore di espressione, diseducativa, fomentatrice di analfabetismo, roba da selvaggi, abbrutente, umiliante e così via[26]. Rodari non ci sta, dice che questo è un atteggiamento formalista, se si condanna il fumetto perché non insegna a leggere allora perché non condannare ogni altra forma di discorso che non sia scritto? Il cinema, per esempio, o la radio o la televisione, che ancora in Italia non c'è ma di cui già si parla con una certa apprensione. Non c'è nessuno studio serio, niente che possa dimostrare che andare al cinema abbia diminuito il numero dei lettori. Rodari pone una questione di metodo che ritornerà sempre fino al suo ultimo intervento sui cartoni animati giapponesi nel 1980, poco prima di morire. Si parla molto spesso a vanvera delle novità quando si è adulti, si rimpiangono sempre invece quelle di quando eravamo bambini. «Chi ha passato la sua infanzia prima dell'epoca del fumetto può trovare difficile leggere un cineromanzo, e forse amerebbe meglio leggersi con comodo la storia e guardarsi di tanto in tanto una vignetta. Il ragazzo d'oggi trova molto più facile 'leggere' i fumetti: avere cioè le battute del dialogo o le didascalie descrittive accanto o addirittura nel mezzo della scena rappresentata dal disegno»[27].

Ma prima del «Pioniere» ci sono i Pionieri, ovvero l'Associazione pionieri d'Italia (Api), nata nel 1948, e che recupera in chiave laica e democratica l'associazionismo giovanile sovietico in un tentativo (nel lungo periodo fallito) di creare un'alternativa alle associazioni cattoliche per i lavoratori comunisti e i loro figli.

Gianni Rodari scrive per i Pionieri il *Manuale*, una delle sue opere meno note e sicuramente più datate e neppure Argilli, che tende a rivalutare il Rodari di 'quando era il diavolo', gli dedica alcuna attenzione, «solo qualche accenno. Infatti è un'opera imbarazzante e inquietante, che fuoriesce del tutto dall'orizzonte del Rodari consueto e ci mostra in atto soltanto o soprattutto l'ideologo»[28]. Un giudizio di Franco Cambi, che ha studiato la pedagogia di Gianni Rodari e che io non condivido affatto. Il *Manuale* non è imbarazzante, né inquietante, è invece una fonte preziosa per riflettere sul modello educativo comunista che nei primi anni Cinquanta Gianni

Rodari contribuisce a diffondere contaminandolo con preziosi spunti della sua Fantastica. «Si parla tanto della scuola attiva, dell'autoeducazione attraverso l'azione: sono proprio questi principi che guidano i pionieri d'Italia»[29].

Non dimentichiamo, infatti, che nel 1950 la scuola italiana non è stata ancora investita da alcuna riforma ed è la stessa, per insegnanti, metodi e libri di testo, degli anni del fascismo. Qualcosa, dunque, deve essere inventato, in molti si stanno impegnando in questo senso: fra questi, per delega di partito, Gianni Rodari che prende spunto dal *Poema pedagogico* di Anton Semënovič Makarenko come dai diari di San Gersolè e scrive il *Manuale*[30].

Nel *Manuale* Rodari enuncia, innanzitutto, un metodo di lavoro: compiti dell'associazione sono la lotta alla menzogna e la ricerca della verità attraverso l'inchiesta. Patria, repubblica e democrazia, gioco: «l'Api si propone di dare una maggiore felicità ai ragazzi d'Italia, una gioia maggiore e migliore» e questo è un dato su cui riflettere perché mai nessuno si è prefisso, fra i compiti di un'attività di questo tipo, la felicità dei ragazzi. Il dirigente Api non è un gerarca, non è un militare, ma un educatore che deve conoscere bene l'associazione e i ragazzi e dare costantemente l'esempio; ma come fare a educare divertendo, ad andare oltre l'impostazione scolastica fondata sull'autorità, sui castighi che fra i pionieri non esistono, dove si parla solo se interrogati?[31]

«Facciamo subito un esempio. Il dirigente di un reparto di pionieri suggerisce ai ragazzi l'osservazione di un oggetto: il tavolo. Si può studiare il tavolo? A prima vista la cosa può sembrare buffa ai ragazzi, o almeno divertente. Si osserva innanzitutto la materia di cui è composto il tavolo: il legno». Il reparto, prosegue Rodari, si recherà in gita nel bosco, e si domanderanno di chi è, e che vita fanno i boscaioli e come il legno viene tagliato e portato in fabbrica. Così non solo impareranno qualcosa in più sul mondo che li circonda ma anche «un metodo nuovo per imparare»[32]. Per fare un tavolo dunque ci vuole il legno, per fare il legno ci vuole un albero...

L'inchiesta può avere come oggetto un tavolo, una fabbrica, ma anche le favole: «quali favole raccontano ai bambini più piccoli le nonne (le mamme) del nostro villaggio? La domanda sembra ingenua: bisogna però ricordarsi che il patrimonio favolistico popolare è ingente e in gran parte inesplorato», quindi fogli e matita alla mano i ragazzi possono andare a cercare storie, trascriverle e illustrarle. Come scriverà Italo Calvino nella prefazione alle *Fiabe italiane*, «Ci vollero i diligenti studiosi di folklore della generazione positivista, perché ci si mettesse a scrivere sotto dettatura delle nonne»[33]. Ecco che Rodari suggerisce questo, nel *Manuale del Pioniere*: mettersi a scrivere sotto dettatura delle nonne: l'ha visto fare, per esempio, in Kazakistan, ad Alma Ata dove i «ragazzi erano stati invitati a raccogliere le fiabe popolari, a trascriverle essi stessi» ricopiando i canti dei pastori erranti della steppa ai quali anche il «nostro grande Leopardi aveva pensato, pensando a sé stesso»[34].

Alle favole si affianca il tema del gioco: «il gioco, scrive un grande pedagogo contemporaneo, riveste una grande importanza nella vita di un ragazzo: esso riveste la stessa importanza che riveste per l'adulto l'attività, il lavoro, l'impiego», grazie al gioco riuscirà a stabilire le prime relazioni sociali[35].

Il pioniere deve scoprire i luoghi in cui vive, andarli a visitare perché ci sono molti romani che in tutta la loro vita non hanno mai messo piede in San Pietro, milanesi che non sono mai saliti sul Duomo e napoletani che non sono mai andati sul Vesuvio. È quello che Rodari chiama il «metodo della ricerca», mai neutro, mai soltanto descrittivo ma cuore della costruzione fantastica: la fantasia si appoggia sul reale, «ci saremo ritrovati sulla terra, nel cuore della terra. E nel calco saranno precipitati contenuti politici e ideologici di un certo segno, perché io sono io, non una dama di San Vincenzo. Tutto questo accade inevitabilmente»[36].

Il pioniere deve, infine, creare una biblioteca per tutti: oltre ai libri indicati dal centro del libro popolare e dal centro del libro infantile, è fondamentale che la biblioteca rechi traccia delle esperienze dei ragazzi affinché sia cosa viva e non un mobile buttato in un angolo, per leggere insieme, leggere ad alta voce, leggere in cerchio uno per volta. Scrive Argilli: «era un costume, un modo d'essere, la militanza dell'epoca della guerra fredda, della contrapposizione frontale interna ed internazionale e, anche, dello stalinismo, di molto dogmatismo. Eppure, quanto poco dogmatico fosse Rodari lo dimostra l'impostazione del 'Pioniere', che pure nasce proprio in piena guerra fredda»[37].

L'Api nel frattempo è diventata oggetto di attacchi durissimi da parte dell'Azione cattolica e dell'«Osservatore romano» fin dalla primavera del 1949 ed è finita sotto l'occhio attento della Pubblica sicurezza[38]. L'Api è un'associazione che, a detta di un'anonima informatrice che scrive alla moglie del ministro Scelba, istruisce i bambini a bestemmiare il Signore e le bambine a vestirsi di velo e ballare nude[39]. «Nei programmi della API si raccomanda l'organizzazione di balli e di feste tra bambini e bambine. Durante queste feste si incitano i bambini a baciarsi. Si sa della esistenza di case di corruzione dove i bambini vengono iniziati alle pratiche sessuali ed al mistero della procreazione con sconce esemplificazioni e così via»[40].

Carlo Pagliarini, a capo dei pionieri, scrive al quotidiano chiedendo a quali episodi facciano riferimento le accuse di immoralità. Da Milano il cardinale Schuster tuona contro l'Api e minaccia una scomunica per i genitori che iscrivano i propri figli all'Udi, di cui l'Api è una emanazione[41]. Non certo parole vuote; non dimentichiamo che nel 1949 la scomunica ha colpito tutti i comunisti italiani[42].

Enrico Berlinguer, segretario della Fgci, il 16 maggio 1950 denuncia la campagna denigratoria:

I dirigenti clericali proclamano la necessità della «difesa» dell'infanzia. Ma non una parola essi dicono sulle condizioni dell'Infanzia in Italia. Eppure è noto quanto le malattie, la miseria, la denutrizione colpiscono milioni di bambini, è noto che quasi il 70%

dei bambini sono in Italia predisposti al rachitismo, è noto che su 7 milioni e 423 mila ragazzi in età scolastica, ben 2.231.374 non frequentano la scuola elementare. Come si può parlare di difesa dell'infanzia senza affrontare questi problemi, senza condannare e lottare contro i responsabili di questa situazione?[43]

Il 20 giugno 1950 interviene Rodari, che torna in Emilia-Romagna per un'inchiesta: due giornali cattolici, infatti, avrebbero pubblicato alcune dichiarazioni di quattro scolari di Borgo Panigale su "impressionanti segreti dell'API": «Sono andata dai pionieri e delle bimbe mi hanno detto che Gesù non c'era e che ci ha creato Stalin». «Si (ci) ha fatto imparare le bestemmie contro Dio. Si (ci) ha imparato (sic) la dottrina di Stalin!»[44]. Scrive Rodari:

ci interessava di sapere come erano state ottenute quelle dichiarazioni. Abbiamo così saputo che da tempo le suore, ubbidendo alle parole d'ordine della campagna scatenata contro l'API dall'Azione Cattolica, andavano dedicando parte del loro insegnamento a minacciare l'inferno ai bambini che appartenessero o avessero intenzione di iscriversi ai pionieri. 'Chi è un pioniere alzi la mano', esclama in classe Suor Natalina, girando attorno uno sguardo severo. Anche i genitori degli scolari venivano intrattenuti, anziché sul progresso in aritmetica o in ortografia dei loro figli, sul carattere diabolico dell'Associazione dei pionieri. La tessera del «pioniere» diventa, per le indomite suore di Borgo Panigale, il lasciapassare per l'inferno: niente cresima per i pionieri![45]

Rodari va dunque a parlare con bambini intervistati:

Fiorini Alfonso dice: «Mi hanno chiamato una sola volta, c'era presente un carabiniere, la madre Superiora e suor Nicolina. Mi hanno detto: quante volte sei andato dai pionieri? Una volta l'anno scorso. Quello che c'è sul giornale io non l'ho detto: l'hanno scritto loro ed io ho scritto il mio nome. Sotti Natalina racconta: «Mi hanno chiamato due volte. La prima volta c'era la madre superiora, mi ha fatto scrivere un biglietto che diceva che ero stata dai pionieri. Io ci ero andata a vedere una commedia. La seconda volta c'erano due uomini e suor Caterina. Un uomo mi ha chiesto se sono andata dai pionieri. Io ho detto di sì, e lui mi ha chiesto che cosa avevo visto, io ho risposto un quadro di Stalin, che l'avevo visto a una festa». Leoni Graziella dice di non essere mai andata dai pionieri. La madre e la nonna confermano. Il padre della piccola Lenzi ha dichiarato che sua figlia, dopo molte insistenze, ha raccontato cose che aveva sentito dire e poi ha firmato[46].

Il 20 settembre 1950 su «Il Pioniere»» viene pubblicata una lettera di una bambina, Gabriella M. di Firenze, che racconta di come la maestra le abbia impedito di leggere il periodico. Certo! Se hai letto «Il Pioniere» in classe hai fatto male, dice Rodari, a scuola si va per studiare. Ma se lo hai letto fuori allora è la maestra che sbaglia. «Siamo in un paese libero, grazie ai partigiani che hanno conquistato la libertà e grazie al popolo che la difende: il babbo tuo, e tutti i papà d'Italia faranno bene a non lasciarsi intimidire da nessuno». Quelli che «non hanno il cervello a posto», continua Rodari, sono invece i prepotenti, che credono che gli altri siano disposti a tollerare le loro angherie.

Che cosa mi consigliate? Di sfidarli tutti a duello? Alla pistola, alla sciabola o alla fionda? O al braccio di ferro? A quei nemici, così pochini, poverini, che non basterebbero nemmeno a popolare un villaggetto di montagna, scriviamo una lettera e non se ne parli più. Eccola: «Cari nemici, vi chiamiamo cari perché non si deve voler male a nessuno. Avete mai letto il 'Pioniere'? Ma tutto, dalla prima pagina all'ultima? Siamo sicuri che non lo avete mai letto, e forse per questo pensate che il 'Pioniere' è un giornale scritto per insegnare ai bambini a strappare le zampine ai grilli, o ad attaccare barattoli di conserva alla coda dei gatti o a prendere a sassate le lampadine. Perdinci e quindici! – direbbe Bambolo: non fatevi venire tanta rabbia, altrimenti vi ammalate, diventate verdi, gialli, e dovete consumare i vostri risparmi in medicine. Leggete il 'Pioniere': se qualcosa non vi piace, ditecelo, e vi ringrazieremo dei vostri consigli. Ma lasciate stare i bambini! Se volete proibire loro qualcosa, se proprio non potete stare senza proibire niente, allora proibite ai bambini di aver fame (ce ne sono che non mangiano abbastanza...), proibite loro di andar scalzi (e ce ne sono tanti, che non vanno a scuola perché non hanno scarpe), proibite ai bambini di essere poveri, e fateli diventare tutti ricchi e felici»[47].

Scrive Lidia De Grada, nel 1950 a capo dei Pionieri di Milano, che anche grazie all'impronta di Rodari «si sarebbero avvicinati all'API scrittori e pedagogisti come Ada Gobetti che pubblicava la rivista 'Educazione Democratica', e Loris Malaguzzi, che in Emilia promosse la sperimentazione per dare ai bambini dai 3 ai 6 anni le moderne scuole per l'infanzia aperte a tutti»[48]. Il primo numero della rivista «Il Pioniere» esce il 3 settembre 1950 ed è pieno zeppo di immagini e fumetti. Possiamo dire che è la risposta comunista al «Giornalino», periodico cattolico per l'infanzia[49]. Il vero scrittore per ragazzi negli anni Cinquanta deve operare per l'Arte e la Moralità, come scrive Pino Boero, ma questo spirito stravolge completamente il senso di questa letteratura che si alimenta «e cresce proprio grazie alla possibilità di non conoscere confini, di attingere al mondo popolare come alla tradizione colta, ai grandi ideali come alla più trita quotidianità», ma è una stagione che più che l'analisi dei testi preferisce l'intervento della magistratura[50]. Neanche il Pci è del tutto a suo agio con alcuni contenuti del «Pioniere», soprattutto con i fumetti. Marisa Musu, nella direzione del partito comunista, interviene su «Gioventù nuova» dicendo che i fumetti, i rotocalchi, i fotoromanzi, pur essendo strumenti della borghesia, potrebbero tuttavia essere usati per veicolare contenuti più utili.

No, risponde Gian Carlo Pajetta, nei fumetti non è possibile separare la forma dal contenuto. Impossibile persino pensare che possa esistere un «fumetto comunista». Il genere è intrinsecamente cattivo. Il fumetto non è la semplice illustrazione di una storia, è «un racconto abbreviato, impoverito, fatto solo di stupido e arido dialogo, la sua stessa forma corrisponde al miserabile contenuto che ha la letteratura borghese decadente di oggi, la 'cultura' che la borghesia è disposta a dare ai giovani ai quali non assicura né un serio studio né una seria istruzione professionale, ai quali non può dare nessun ideale nazionale e sociale»[51].

Una preoccupazione condivisa: Maria Federici Agamben, deputata democristiana, propone in parlamento una legge sulla *Vigilanza e controllo della stampa destinata all'infanzia e all'adolescenza*. Serve maggiore censura preventiva perché troppi episodi di violenza dimostrano che c'è un legame diretto tra fumetti e criminalità. E malgrado nessun comunista sia d'accordo con il principio della censura, anche Lucio Lombardo Radice si schiera contro i fumetti. Nilde Jotti interviene sul numero di dicembre di «Rinascita»: il fumetto è frutto di una cultura sottosviluppata, come le pitture primitive, e piace ai bambini perché anch'essi hanno una mente primitiva. Leggere i fumetti è come non leggere[52].

Rodari risponde nel gennaio del 1952: «Caro Direttore, ho letto sull'ultimo numero di 'Rinascita' un articolo di Nilde Jotti sulla *Questione dei fumetti*, e desidero esprimere la mia opinione dicendo subito che l'articolo della Jotti non mi convince». Jotti, dice Rodari, fa dell'accademia. «Chi voglia parlare ai ragazzi e ai giovanetti, deve tener conto del linguaggio a cui sono abituati, e che è diventato uno dei più importanti mezzi per comunicare con loro: e se farà dei 'fumetti', il giudizio su questi dovrà essere dato non già in base alle sue intenzioni, ma nemmeno in base a preconcetti, piuttosto in base ai risultati»[53]. Ma Togliatti respinge il punto di vista di Rodari in una postilla, rifiuta l'impostazione metalinguistica: «Quante stramberie e assurdità non si è cercato di mettere in circolazione con questa faccenda delle nuove lingue o delle "ricerche di linguaggio" [...] il fumetto soffoca, strozza nel suo sviluppo ciò che potrebbe venir fuori di positivo da questa ricerca, cioè impedisce che da essa germogli una più diffusa cultura del popolo. O vogliamo chiamare cultura la conoscenza del calibro necessario per assassinare a sei o a sessanta metri, del modo come si rincorrono a 120 all'ora ladri e poliziotti, delle stolte peripezie della vamp e così via. Certo, il fondo della questione è molto complesso perché si tratta di riuscire a creare una letteratura e una pubblicistica per bambini e ragazzi che attirino, piacciano, educhino, e non ostante i buoni tentativi già fatti, si è ancora indietro assai»[54].

Sulla questione dei fumetti Gianni Rodari tornerà spesso: nel 1966 «il fumetto è una specie di cinematografo tascabile, essenziale, assai economico. È tutto azione, gesto, rapidità. Tanto nel genere comico quanto in quello avventuroso presenta personaggi già ampiamente reclamizzati dal cinema, miti-chiave del folklore mondiale contemporaneo. Il suo linguaggio per immagini (anche quando scade a una stenografia per analfabeti) è perfettamente integrato (anche quando ne rappresenta solo la caricatura) alla moderna 'civiltà per immagini'. Ha dunque una sua razionalità, e perciò una sua realtà che sfugge alle deprecazioni»[55].

Nel 1972: «inventare e disegnare un fumetto è un esercizio di gran lunga più utile, a tutti i fini, che svolgere un tema sulla festa della mamma o su quella degli alberi. Esso comporta: l'ideazione di una storia, il suo 'trattamento', la sua strutturazione e organizzazione in vignette, l'invenzione dei dialoghi, la caratterizzazione fisica e morale dei personaggi, eccetera. Cose che i bambini qualche volta, essendo intelligenti, si divertono a fare da soli. E intanto a scuola prendono quattro in italiano»[56]. Attraverso la scrittura per l'infanzia, così, il poeta Rodari esplora i confini del discorso politico e culturale del suo tempo e ne disegna di nuovi[57].

Rodari, in breve tempo e per caso, diventa una stella nel firmamento dell'infanzia comunista italiana: «ricordo quando, nel 1950, si presentarono davanti alle officine reggiane, occupate dai lavoratori, migliaia di bambini. Offrirono agli operai stracci per pulire le macchine, scenette, canzoni e, soprattutto, le poesie di Rodari»[58].

Per l'Api Rodari scrive testi teatrali, filastrocche per le feste di carnevale e di capodanno,

> compose la ballata di 'Cappuccetto rosso'. Ricordo quando ascoltava i ragazzi che recitavano le sue filastrocche. Lo divertivano

soprattutto le inflessioni dialettali, allora assai spiccate, di cui si serviva poi per divertire i ragazzi e immergersi nel loro mondo. Era un gioco a lui caro, come il piccolo organetto a bocca che soleva spesso accostare alle labbra per fare un po' di musica. Un giorno andò a Prato ad una festa dei pionieri. Si informò delle abitudini, delle condizioni di vita dei ragazzi, molti lavoravano ai telai, e improvvisò la storia di *Benvenuto mai seduto*: un ragazzo attivo e generoso che viveva in una famiglia alle prese con un rumoroso telaio collocato proprio in casa. Parlava ai ragazzi con il supporto di scarsi, minuti appunti. A noi, stupiti ed ammirati, rispondeva sempre che non aveva improvvisato nulla, che i suoi interventi erano stati pensati prima, riflettuti ed infine 'provati' direttamente con i ragazzi: se andavano bene era perché erano stati pensati bene[59].

È ancora Carlo Pagliarini a ricordare il compagno Gianni Rodari:

in quegli anni i rapporti delle organizzazioni dei giovani, delle donne, dei lavoratori con i bambini erano intensi e continui. Si esprimevano anche in forme discutibili e quindi poi abbandonate: grandi cortei e assemblee composte anche di centinaia e migliaia di bambini. C'era la consapevolezza che fosse utile e necessario offrire a questi cittadini più giovani delle occasioni e dei modi per farsi sentire dagli adulti. Lo strumento più alto di comunicazione dei ragazzi agli adulti e dagli adulti ai ragazzi in queste occasioni era comunque e sempre l'opera di Gianni Rodari[60].

E ancora: «Rodari offrì a tutti strumenti di comunicazione straordinari. Diede riferimenti fantastici per interpretare la realtà; portò la realtà del lavoro a livelli poetici con una tensione continua composta di speranza, fiducia, giustizia»[61].

E Lidia De Grada: «Sempre tutti ascoltavano in silenzio, anzi, lo seguivano rapiti perché, ora che non aveva più bisogno di presentare l'Associazione, raccontava una fiaba. Durante la rappresentazione del Nuovo anno raccontò le avventure di un cucchiaio che si era messo a volare. Il pubblico seguiva il volo mimato dal gesto di Rodari spostando la testa e alzando gli occhi al soffitto»[62]. «Quando Rodari veniva a

Milano per le manifestazioni passava sempre da casa nostra, divenne grande amico dei miei bambini. Giulio gli raccontò del loro paese immaginario, la Saponia, abitata dai Saponesi che erano uomini blu. Rodari pubblicò sul 'Pioniere' un pezzettino sulla Saponia, il paese dei fratellini Treccani. I fratellini Treccani recitavano con impegno le sue filastrocche... 'Io so i colori dei mestieri/ sono bianchi i panettieri', oppure: 'Prima classe, il passeggero/ è un miliardario forestiero/ Italia bella: io comperare/ quanti dollari costare?/ ma il ferroviere pronto e cortese/ Noi non vendiamo il nostro paese'»[63].

È Dina Rinaldi a suggerire a Rodari di raccogliere le filastrocche che non ha nemmeno ritagliato dal giornale. È il 19 gennaio 1951 quando, su «l'Unità», appare la notizia dell'uscita del *Libro delle filastrocche*, edizioni del «Pioniere», con la prefazione, una lettera aperta, dell'amico e collega Davide Lajolo. Filastrocche uscite di mano quasi per scherzo, nei pomeriggi piovosi, tra un viaggio e l'altro, filastrocche sui suoi compagni al lavoro, sul suo mestiere di inviato speciale e sul mestiere degli altri, sugli uomini che incontrava in treno, sulla gente che conosceva durante i suoi viaggi, versetti che

circolavano nella redazione su minuscoli foglietti di carta, ci si rideva sopra e non se ne parlava più. Cominciò con i mestieri: una filastrocca sullo spazzacamino, un'altra sull'arrotino, un'altra sul vigile urbano, un'altra sullo spazzino e così via, su tutti i personaggi umili che ci capitano davanti nella nostra vita quotidiana e che Lino Picco, trattava con affettuosa ed allegra cordialità. [...] Allo stesso modo nacque la filastrocca del primo giorno di scuola. *Suona suona la campanella, scopa scopa la bidella, viene il bidello ed apre il portone, viene il maestro dalla stazione, viene la mamma, scolaretto, a tirarti giù dal letto. Viene il sole nella stanza, su, è finita la vacanza. Metti la penna nell'astuccio, l'assorbente nel quadernuccio, fa la punta della matita e corri a scrivere la tua vita. Scrivi bene, senza fretta, ogni giorno una paginetta. Scrivi parole dritte e chiare: 'amare, lottare, lavorare'*[64].

Quarantasei filastrocche divise in quattro capitoli: *I colori dei mestieri*, *L'albero dei poveri*, *Buffonate* e le *Fiabe*. Filastrocche sui vigili urbani, sui gruisti, sui ragionieri, sui portinai, sui dentisti e via dicendo. «Lo spunto – dirà Rodari –mi veniva sempre da una richiesta precisa; ma poi si capisce che nella fabbricazione della filastrocca intervenivano altri elementi dei quali mi rendevo conto solo via via che il lavoro procedeva: ricordi d'infanzia, sentimenti personali, simpatie e antipatie occasionali, osservazioni che mi capitava di fare leggendo un fatto di cronaca o girando l'Italia per il mio giornale»[65].

Inventa il personaggio di Cipollino, disegnato da Raul Verdini, che diventa *Il romanzo di Cipollino* ed esce un anno dopo, nel 1951[66].

Presi un mese di vacanza, trovai ospitalità in casa di un bravo contadino di Gaggio di Piano, presso Modena, che sgombrò una stanza granaio per mettermi un letto, la sezione del Pci mi prestò la sua macchina da scrivere e cominciai a scrivere *Le avventure di Cipollino*. Fu un mese bellissimo. Le figlie di Armando Malagoli, il contadino che mi ospitava, mi chiamavano la mattina presto: «Su, Gianni, che sei qua per lavorare, mica per dormire». Scrivevo quasi tutto il giorno, in camera, in cortile o in cucina, con la macchina su una sedia e intorno sempre un po' di bambini a guardare quello che facevo. Quando arrivai a pagina cento la moglie di Armando fece la 'crescente' (la chiamano anche il gnocco fritto), Armando stappò delle belle bottiglie, insomma festa per tutti. Se ero stufo di Cipollino, o non sapevo come andare avanti, cambiavo mano e facevo qualche pezzo di una lunga filastrocca sui personaggi delle carte, che poi si chiamò *Le carte parlanti*. Dopo *Cipollino* venne *Gelsomino nel paese dei bugiardi* e poi tutti gli altri miei libri[67].

Scrive Laura Lombardo Radice, moglie di Pietro Ingrao, che lo recensisce, «le mie bambine hanno già imparato a memoria tutto il *Libro delle filastrocche*»:

Da un bel po' di tempo siamo amici di Cipollino e di Ciliegino, noi mamme e babbi di piccoli lettori del «Pioniere»; conosciamo a fondo, anche noi, le maligne alzate d'ingegno del tronfio Pomodoro, le svagate agitazioni delle contesse del Ciliegio e i vivacissimi e sempre vittoriosi piani di lotta dei loro minuscoli competitori. Ci accadde così di essere perfettamente d'accordo con la nostra bambina che trova 'bellissimo' il faccino punteggiato della sparuta Fragoletta, e tanto carino il berretto di buccia di Cipollino: ci accade di dimenticare, insieme a lei e alle sorelline, il buffo gioco fantasioso dell'orto animato e di guardare Patatina, Ravanella, Pirro Porro, proprio come li guardano i bimbi: immagini appena stilizzate di un loro immediato facile mondo[68].

Ho chiesto a Celeste Ingrao, figlia di Laura e di Pietro, di ricordare come Rodari, scrittore per bambini, sia entrato in casa loro, una famiglia di intellettuali comunisti[69]. «*Le avventure di Cipollino* lo trovai tornando a casa, posato sopra il mio piatto con una dedica di papà: 'A una bambina che è andata oggi per il primo giorno a scuola' (più o meno, vado a memoria perché il libro è andato perso da tempo immemorabile). Un regalo importante, una specie di investitura per un momento di passaggio. Non era scelto a caso. Era la storia di una rivolta contro l'oppressione. Ce lo lesse poi mamma, un capitolo al giorno, e lo ho poi riletto non so quante volte». Cipollino, ricorda Celeste, e con lei tante bambine e bambini 'comunisti', è il libro che prima di ogni altro ha offerto a quell'«infanzia storica» una chiave di lettura 'politica' del mondo.

In Cipollino c'era la lotta di classe (le contesse del Ciliegio), c'era la prepotenza del potere (i Limoni), c'era l'odiosità dei servi dei padroni (Pomodoro), c'erano gli umili con tutte le loro debolezze e la loro forza. E c'era l'eroe Cipollino, il giovane che guidava la ribellione e organizzava i poveri portandoli alla vittoria. E c'era anche Ciliegino, che nonostante la sua classe sociale era oppresso anche lui perché gli si negava la libertà di vivere la spensieratezza e l'amicizia. Il tutto raccontato mirabilmente, in maniera lieve, senza mai violenza e intolleranza, mischiando avventura, ideali e sentimenti. *Il libro delle filastrocche* non so come entrò a casa nostra. Per me c'è sempre stato e alcune di quelle filastrocche ancora le so a memoria. In quelle filastrocche c'era tutto. C'era la vita quotidiana («Filastrocca del bimbo malato/ con il decotto e con il citrato»), c'era la miseria («Pescatore che vai nel mare/ quanti pesci puoi pescare»), c'era il lavoro con la sua dignità e la sua forza («Chi è più forte del vigile urbano»), c'erano le lotte e le proteste («Fattorino in bicicletta/ dove corri tanto in fretta»). E c'erano i valori fondanti di una coscienza democratica e di sinistra: la pace, l'uguaglianza, l'opposizione alla prepotenza dei ricconi («Prima classe, il passeggero/ è un miliardario forestiero: – 'Italia bella, io comperare./ Quanti dollari costare?'/ Ma il ferroviere, pronto e cortese:/ 'Noi non vendiamo il nostro paese'). E c'erano i bambini con il loro diritto a giocare, a vivere una vita libera e lieta. Alcune erano esplicitamente politiche, prima fra tutte il «Bambino di Modena». La mia impressione (tutta da verificare) è che alcune di queste filastrocche più apertamente politiche siano state espunte dalle edizioni successive. Poi c'era il «Pioniere». Quant'era bello il «Pioniere»! C'erano le storie illustrate magistralmente da Raul Verdini. Ci ritrovavo Cipollino, ma anche l'amatissimo Chiodino di Marcello Argilli. E i grandi romanzi di avventura di Verne illustrati. Ancora ricordo un romanzo a puntate sull'India che purtroppo non sono più riuscita a identificare, con un bambino che fuggiva a cavallo di una tigre. E poi la pagina dei lettori, con le risposte di Rodari. Il giorno in cui arrivava il «Pioniere» era per me un giorno di gran festa[70].

«Il Pioniere» è davvero in gran parte qui, in questo ricordo di una bambina figlia di comunisti che ricostruisce l'educazione sentimentale della sua generazione, la prima a crescere, da lettrice, nella Repubblica. Sulle filastrocche più politiche l'impressione di Celeste Ingrao è corretta; come abbiamo detto, le filastrocche più legate a precisi fatti di cronaca saranno eliminate dall'edizione Einaudi destinata a rendere Rodari il più noto fra gli scrittori italiani per l'infanzia. Ma per ora, nei primi anni Cinquanta, *Il libro delle filastrocche* e *Il treno delle filastrocche* sono una rivoluzione:

questi testi, al di là del loro valore letterario, sono importantissimi perché si tratta dei primi strumenti con cui la cultura di sinistra si rivolge organicamente e con sistematicità ai bambini, immettendo nella produzione per l'infanzia la lotta di classe, la realtà sociale, la storia. Precedentemente c'erano stati soltanto libri isolati, come *Totò il buono* di Zavattini, del '43, ambientato in una città industriale e in cui il 'cattivo' è un padrone di fabbrica, e le poesie antiautoritarie e libertarie di Alfonso Gatto pubblicate da Bompiani nel '45 con il titolo *Il sigaro di fuoco* («Non date retta al re,/ non date retta a me/ [...] Non date retta al saggio/ al maestro del villaggio/ al maestro della città / a chi vi dice che sa./ Sbagliate soltanto da voi»)[71].

Per la letteratura giovanile del secondo dopoguerra costituiscono «la prima sistemazione organica di quella che fu, già nel '43, in *Totò il buono*, un'intuizione di Zavattini: l'antagonista è un antagonista di classe, la violenza è una violenza determinata da ragioni economiche, l'ambiente delle descrizioni è quello ben delineato e preciso della società industriale[72].

Rodari, dunque, si avvicina al mondo della scrittura per l'infanzia per caso. Chiamato a un compito imprevisto che prende molto seriamente. «Intanto avevo preso sempre più sul serio il mio lavoro. Non l'avevo scelto, mi era capitato, aveva un po' buttato per aria i miei programmi: ma giacché mi ci trovavo, valeva la pena di farlo bene, il meglio possibile»[73].

5.

Il lavoro culturale

Dedicherò la prima conferenza all'opposizione
leggerezza-peso, e sosterrò le ragioni della
leggerezza. Questo non vuol dire che io consideri
le ragioni del peso meno valide, ma solo che sulla
leggerezza penso d'aver più cose da dire.

Italo Calvino

Filastrocca corta e matta:
il porto vuole sposare la porta;
la viola studia il violino;
il mulo dice: "Mio figlio è il mulino";
la mela dice: "Mio nonno è il melone";
il matto vuole essere un mattone.

Gianni Rodari

Racconta Bruno Munari che a lungo, nei primi anni del dopoguerra, il suo nome continuava a venire affiancato a quelle 'macchine inutili' costruite nel 1933, durante il fascismo.

A quei tempi imperava il 'novecento italiano' con tutti i suoi serissimi maestri, tutte le riviste d'arte non parlavano d'altro che di queste granitiche manifestazioni artistiche e io, con le mie macchine inutili facevo proprio ridere; tanto più che questi oggetti erano costruiti con sagome di cartoncino dipinto a tinte piatte e qualche volta una palla di vetro soffiato; il tutto tenuto insieme da bastoncini di legno fragilissimo e fili di seta. L'insieme doveva essere molto leggero per poter girare con l'aria e il filo di seta andava benissimo per disperdere la torsione. Ma come ridevano i miei amici, anche quelli che stimavo di più per l'impegno che mettevano nel loro lavoro. Quasi tutti ebbero in casa una mia macchina inutile che tenevano però in camera dei bambini, proprio perché era una cosa ridicola e da poco, mentre in soggiorno tenevano sculture di Marino Marini e pitture di Carrà e di Sironi[1].

Anche i libri di Rodari, negli anni Cinquanta, stanno in camera dei bambini, la critica letteraria non ne parla, le filastrocche fanno sorridere i grandi, ma, in salotto, i libri sugli scaffali sono altri. Rodari è consapevole di questa gerarchia che all'inizio della sua carriera, in qualche modo, condivide anche: quel famoso coraggio di infilare il suo nome tra Lee Masters e Brecht, neanche Rodari stesso, in effetti, l'avrebbe avuto[2]. Il suo mestiere è quello di 'fabbricante di giocattoli', non di letterato[3].

Rodari non è neppure un intellettuale (comunista), attributo che in questi primi anni Cinquanta ha contorni nitidi, una sua autoevidenza, un'investitura data dalla politica: racconta Paolo Spriano che al VI congresso del partito comunista, quello del gennaio 1948, pochissimi sono i membri del Comitato centrale che meritano l'attributo di 'intellettuale': nemmeno Mario Alicata, che sarà il responsabile del lavoro culturale dal 1955 al 1963 e che indirizzerà gran parte delle battaglie di idee di questi anni, dall'*affaire* Vittorini in poi[4]. Normale, dunque, che Rodari non riceva alcuna investitura da intellettuale, pur essendo anch'egli attivamente impiegato nel lavoro culturale dal Pci[5].

Rodari, dal canto suo, tiene per anni separati i due ambiti di scrittura, quello del giornalista che si rivolge ai lettori dell'«Unità» e quello dello scrittore che scrive per i loro figli (o per i lettori stessi ma in quanto genitori). In questo modo, tuttavia, per una singolare eterogenesi dei fini, Rodari costruisce un nuovo tipo di uomo di lettere, unico nel panorama italiano, capace di parlare allo stesso tempo a grandi e piccoli.

Nei primi anni Cinquanta la sua figura è unica anche se non isolata: Elsa Morante, Alfonso Gatto, Italo Calvino, Giovanni Arpino, hanno scritto per i bambini e per i ragazzi e, soprattutto Calvino, scrivono sui quotidiani occupandosi di cronaca[6]. Ma Rodari non fa parte del loro mondo, forse solo perché di carattere schivo, forse perché il fatto di essere autodidatta e povero, per giunta, lo fa sentire un estraneo rispetto ai circoli letterari e intellettuali che si muovono intorno alle riviste, alle case editrici[7]. «Benché famoso agli antipodi, e rinomato tra kirghisi e kabardini del Caucaso, che cos'ero io nella repubblica delle lettere italiane se non un intruso, un clandestino, uno che l'ultimo mozzo d'equipaggio avrebbe potuto afferrare per un orecchio e gettare nell'oceano, sottovento perché le mie scarpe non gli ricadessero sul naso?»[8].

Se dunque nei primi anni Cinquanta è affatto normale che lo scrittore di Omegna non goda di uno status che lo distingua dai tanti militanti che 'fanno cultura', non lo è per niente il fatto che ancora oggi continui a essere assente, come lo sono i registi, per esempio, dalle storie culturali del partito comunista, segno di una persistenza acritica dello sguardo di allora, come se, appunto, cosa sia un intellettuale si fosse deciso, una volta e per sempre, in quel lontano gennaio del 1948[9].

Normale allora che sia stato dimenticato nella storia di questi anni, anche da chi, con lui, ha condiviso più di un'occasione di riflessione: mi riferisco a Paolo Spriano, che in *Le passioni di un decennio* dedica solo un breve accenno alla figura di Rodari; o a Italo Calvino, che nelle *Lezioni americane* racconterà gli anni che seguono la guerra: un momento segnato dal dovere di rappresentare il proprio tempo in termini realistici. Un imperativo categorico per ogni giovane scrittore:

pieno di buona volontà, cercavo d'immedesimarmi nell'energia spietata che muove la storia del nostro secolo, nelle sue vicende collettive e individuali. Cercavo di cogliere una sintonia tra il movimentato spettacolo del mondo, ora drammatico ora grottesco, e il ritmo interiore picaresco e avventuroso che mi spingeva a scrivere. [...] Forse stavo scoprendo solo allora la pesantezza, l'inerzia, l'opacità del mondo: qualità che s'attaccano subito alla scrittura, se non si trova il modo di sfuggirle. In certi momenti mi sembrava che il mondo stesse diventando tutto di pietra: una lenta pietrificazione più o meno avanzata a seconda delle persone e dei luoghi, ma che non risparmiava nessun aspetto della vita. Era come se nessuno potesse sfuggire allo sguardo inesorabile della Medusa[10].

Rodari lo fa, sfugge a gambe levate dallo sguardo di Medusa, Calvino lo sa. Ma il suo nome nella genealogia della *Leggerezza* non c'è[11].

Tornando al Rodari dei primi anni Cinquanta, è indispensabile ricordare come faccia parte di un fronte culturale, ancora, compatto almeno fino al 1956. Si ispira, l'abbiamo visto, alla posizione gramsciana di 'cultura integrale' che Antonio Banfi definisce molto chiaramente come una «aspirazione verso tutta la civiltà contemporanea». Non, dunque, una divulgazione popolare della cultura aulica, quanto una cultura radicalmente progressiva, in grado di cogliere nuova arte, nuova scienza, nuova filosofia, in relazione alla trasformazione sociale e politica in atto[12]. Voi siete quelli che andranno nello spazio, parliamo di voi, del vostro tempo. Naturale dunque pensare all'infanzia, il bambino è un essere rivolto naturalmente al futuro, una profezia, un'utopia concreta[13].

Tenetevi pronti, allenatevi: l'era dei voli interplanetari è aperta, io sono forse troppo vecchio per questo, ma mi fa piacere pensare che tra i lettori che sfogliano questo numero del «Pioniere» ce ne saranno di quelli che sbarcheranno sulla Luna, su Marte, su Giove, sul pianeta Chissadove. Sta parlando di voi alle stelle, il razzo: di un mio lettore che gioca alla palla a Milano, o a Pisa, o a Crotone, o a Nuoro. Perché un ragazzo che in questo momento bada alle pecore in Sardegna, o alle mucche in Valtellina, tra dieci o vent'anni non dovrebbe essere il capitano di un'astronave, o il radiotelegrafista di bordo, o magari il cuoco, il medico, il giornalista di bordo?[14]

La «trasformazione sociale e politica in atto», auspicata, se non vissuta, dai comunisti italiani fra il 1945 e il 1947, subisce prestissimo, però, un brusco arresto in seguito all'estromissione del Pci dal governo e alle elezioni politiche del 1948. Il profilo dell'intellettuale comunista si delinea, così, nuovamente, negli anni della guerra fredda, in opposizione all'anticomunismo dilagante: «quattro cialtroni di pseudo intellettuali, residuati dell'anticlericalismo di cui il popolo italiano ha fatto giustizia sommaria nelle elezioni, che ritenevano di avere il monopolio della cultura, delle tradizioni del popolo italiano», sono le parole di Mario Scelba sugli intellettuali comunisti[15]. Del resto la guerra fredda investe concretamente le istituzioni repubblicane: riprendono le schedature dei cittadini considerati degni di osservazione (anche Gianni Rodari riceverà presto le 'attenzioni' del ministero dell'Interno) e iniziano le destituzioni di importanti e illustri nomi di docenti universitari, come quello di Luigi Russo allontanato dalla Normale di Pisa dal ministro Gonnella nel 1949[16]. La risposta di Russo al provvedimento ministeriale pubblicata su «l'Unità» ricorda troppo da vicino lo spirito del *Libro degli errori* di Gianni Rodari per pensare che il nostro poeta non l'abbia notato. Scrive Russo, infatti, riferendosi a un novellatore del Trecento: mi riferisco al Gonnella con due enne, non il Gonella scempio, ministro dell'Istruzione[17]. A volte una doppia può cambiare il destino.

«La Resistenza e il dopoguerra ci avevano fin troppo persuasi della interdipendenza fra attività «culturale» e «attività politica», scrive Franco Fortini, «ci avevano avvezzi a tradurre continuamente un comportamento politico in termini di storia, di filosofia, di sociologia, di metodologia letteraria, e viceversa; la guerra fredda invece voleva pretendere che no, che quel 'viceversa' non era lecito»[18].

Avere chiaro questo contesto è essenziale per capire il Gianni Rodari giornalista, militante, a volte interprete di sollecitazioni ortodosse negli anni dello zdanovismo che sopravvive al suo stesso ideatore, visto che Andrej Aleksandrovič Ždanov muore nel 1948, ma in Italia continuano a ispirarsi al suo realismo socialista intellettuali come Emilio Sereni o Mario Alicata che danno la linea dentro il Pci. Dall'Urss, tuttavia, arrivano anche autori meno ufficiali, magari tacciati di occidentalismo in patria, come, per esempio, Vladimir Propp o le teorie linguistiche dei formalisti, gli studi sul folklore indagato da Yuri Sokolov nell'Urss degli anni Venti, il gruppo dei folkloristi di Leningrado, punto di riferimento per le inchieste che lo stesso Gianni Rodari conduce in questo periodo: del tutto dimenticata, per esempio, è quella sulla musica popolare che scrive sull'«Unità» e sul settimanale «Vie nuove». Secondo Cesare Bermani, Rodari ha gettato le basi della ricerca sulla canzone popolare in Italia[19].

Rodari è profondamente influenzato dallo sguardo di Ernesto De Martino[20], che nel 1949 pubblica sulla rivista «Società» il saggio *Intorno a una storia del mondo popolare subalterno*, un attacco nei confronti dell'etnografia classica e degli studi sul folklore che classificano e giudicano il 'primitivo', il mondo popolare subalterno, come espressione di un mistero di cui non vale la pena trovare la chiave.

Per capire il bersaglio pensate a Carlo Levi, al suo *Cristo si è fermato a Eboli*, a una cultura che si arresta anche geograficamente di fronte a un confine oltre il quale c'è l'incomprensibile, il magico, il primitivo appunto. È caratteristica di questa cultura borghese, scrive De Martino, che Cristo non vada oltre Eboli. E ora pensate a quell'immensa rivoluzione che è l'emigrazione interna nell'Italia degli anni Cinquanta, e riti e storie e superstizioni passano da Sud a Nord e diventano parte di una cultura tutta nuova da conoscere. «La cultura tradizionale non può più contentarsi di una semplice scienza naturale del mondo popolare e della sua cultura. Queste masse, irrompendo nella storia, portano con sé le loro abitudini culturali, il loro modo di contrapporsi al mondo, la loro ingenua fede millenaristica e il loro mitologismo, e persino certi atteggiamenti magici. In una certa misura, questo imbarbarimento della cultura e del costume è un fenomeno inevitabile e concerne lo stesso marxismo»[21].

Questo fa Rodari, che indaga il folklore contadino e inizia a raccogliere «tiritere, cantilene, piene di parole bislacche, in dialetto o in italiano», che, come scriverà tanti anni dopo, sfuggono all'analisi logica, grammaticale, filosofica, ma sono ricche di relitti di scongiuri dimenticati, aneddoti nascosti e personaggi, memorie collettive ridotte a giochi di parole e audacie verbali, sentimenti popolari espressi con forza, protesta, rassegnazione. Denuncia, umorismo. Il mondo contadino nella sua ricchezza. Allegre e misteriose piacciono ai bambini perché rappresentano il primo incontro con la lingua usata solo per sé stessa, non per comunicare ma per ridere, giocare. Vicine alla poesia che è un atto autoriflessivo sulla lingua, la poesia non serve per dare informazioni: oggi è sabato, domani è domenica e tutti saranno malinconici.

Chiaro che tutto questo vada letto alla luce della pubblicazione degli scritti di Antonio Gramsci che, come ha notato Pino Boero, sono anche per Rodari un momento di confronto e crescita fondamentale, soprattutto nel mettere a punto il rapporto tra teoria e prassi[22]. Franco Fortini ha scritto: «I libri di Gramsci davano, intanto, nome ad alcuni dei nostri problemi. Molto più facile, naturalmente, scrivere o recensire qualche romanzetto neorealista. Si accendeva, scoppiettava un po', si spegneva e fumigava a lungo, per riprendere qualche tempo dopo (unica larva di una opposizione interna che i 'politici' preferivano di regola ignorare) la polemica sui rapporti fra intellettuali e partiti politici, fra politica e cultura; questione, se mai ve ne fu una, pratica, e nella quale confluirono e fecero nodo tutti gli equivoci della situazione»[23].

Tra il 1950 e il 1953, oltre a dirigere «Il Pioniere», Gianni Rodari collabora con il periodico dei giovani comunisti «Pattuglia», nato nel 1945 sotto la direzione di Gillo Pontecorvo e di Dino Valori, ora diretto da Ugo Pecchioli[24]. A Cesare Pavese dedica il suo primo articolo, il 10 settembre 1950: lo scrittore si è suicidato e Rodari ne ricorda la scrittura, lo sguardo attento a scrutare con «affetto ostinato» i luoghi, i movimenti, il linguaggio delle Langhe. «Ad un certo punto, tuttavia, se non fu il cronista di quel paesaggio, Pavese non riusciva tuttavia ad esserne nemmeno lo storico: la strada del suo realismo non era ancora una strada verso l'esterno, era ancora un modo di introspezione, un modo di essere solo»[25]. Il progetto collettivo viene prima di qualsiasi progetto individuale[26].

A Roma Rodari frequenta, soprattutto, i colleghi del giornale. Scrive Marcello Argilli, che con Antonio Ghirelli e Giulio Crosti partecipa alla creazione del nuovo periodico «Avanguardia»: «Le sere, ad esempio, in cui finito il lavoro ad 'Avanguardia', si scendeva in quattro o cinque in una bottiglieria di via Po, a mangiare qualcosa e a bere, abbondantemente, vino chinato, Rodari era il solo a controllarsi nel bere e, quando dagli argomenti politico-culturali si passava ai discorsi intimi, di donne, amore e progetti personali, il solo a non abbandonarsi a quel clima di fraterne confessioni»[27]. Giulio Crosti fra i suoi amici è uno dei più cari. Roberto Renga, che entrerà a «Paese Sera» nel 1974 come giornalista sportivo, li ricorda ancora insieme a cercare di istruirlo sui suoi primi servizi in un'osteria accanto a via dei Taurini, nel popolare quartiere romano di San Lorenzo.

Rodari vive a Roma con la madre, che ha fatto venire e che vivrà con lui fino alla sua morte nel 1968. Si è sposato il 25 aprile del 1953 con Maria Teresa Ferretti conosciuta a Modena nel 1948, anche lei militante comunista. Rodari le dedica un racconto che la descrive mentre attacca, con dei compagni, manifesti elettorali del Pci sui muri dei Parioli, quartiere borghese di Roma.

Il quartiere dei Parioli, a Roma, ha certe stradine tranquille e silenziose dove anche il tram, se vi passa, sembra fare meno rumore, o comunque un rumore meno fastidioso. Come nelle piccole città di provincia, in queste stradine basta poco a fare un avvenimento: due persone che discutano a voce alta, una macchina che si fermi, un gruppo di attacchini [...]. Il signore si affaccia nel momento piú critico, mentre la ragazza sta porgendo il manifesto ai suoi compagni. Se l'è spiegato sul petto, e il signore non può vedere che una superficie bianca. – Che manifesto è? La sua voce è piuttosto brusca. La ragazza si scuote i capelli, nerissimi, e volta il manifesto:

falce, martello e stella d'Italia, e sotto tre lettere senza equivoci: Pci. Il signore non commenta. Si ritira. Il manifesto viene attaccato con la massima gentilezza possibile, con dignità e discrezione, come la situazione esige. Ecco, il signore si è riaffacciato e getta una rosa alla ragazza: una rosa rossa, non del tutto sbocciata, tanto fresca che sembra viva. Così la ragazza ebbe la sua prima rosa[28].

6.
Dalla parte delle fate

I lettori seri bramavano 'fatti', 'sentimenti veri'
e 'interesse per l'uomo',
proprio come fanno ora, povere anime.
Vladimir Nabokov

Le belle fate dove saranno andate?
Non se ne sente più parlare.
Io dico che sono scappate.
Gianni Rodari

Proviamo a guardare a questi primi anni Cinquanta, usando uno spunto rodariano. Prendiamo il binomio fantastico, e accostiamo, per esempio, la parola *fiaba* e la parola *Repubblica*. Forse più difficile di "tavolo anatomico e macchina da cucire", "mela e funerale", "sindaco e aquilone". La fiaba è assimilata alla novellina edificante, il neorealismo di Cesare Zavattini, che fa volare i poveri a Milano, sembra una parentesi in un mondo fatto di pietra, di macerie, dominato dallo sguardo di Medusa, appunto, dal realismo[1].

Dobbiamo, davvero, fare uno sforzo di immaginazione per riuscire a comprendere, oggi, quanto il fantastico sia considerato, dopo la seconda guerra mondiale, negli anni del realismo socialista, un genere riprovevole. Quando, nel 1948, l'editore Einaudi, sotto la spinta di Natalia Ginzburg, pubblica il romanzo di Elsa Morante *Menzogna e sortilegio*, un generale coro di disapprovazione accoglie questa 'fuga dalla realtà', piena zeppa di arcana magia e gusto decadente per i sentimenti umani. L'invito di Vittorini a rendere «i problemi degli affetti e dei rapporti tra gli uomini [...] accessibili a tutti gli uomini» non passa attraverso il fantastico ma semmai attraverso un'introspezione che lascia poco spazio al surrealismo e a tutte le tecniche della Fantastica. Questo non riguarda soltanto la repubblica delle lettere, ma la repubblica democratica nella sua interezza, perché agli scrittori la Repubblica chiede una presenza politica nel mondo, in grado di fornire una chiara *linea di condotta*. Chiara e facilmente comprensibile.

Nel novembre del 1948, su «Letteratura e società» prende avvio il dibattito sul realismo. Una risposta alle sollecitazioni di Emilio Sereni, fra i comunisti il più fedele alla linea culturale sovietica: «L'istanza fondamentale che la classe operaia pone di fronte all'arte e agli artisti è quella del realismo. [...] La nostra critica si appunta contro il vuoto formalismo ma anche contro il naturalismo, contro ogni concezione fotografica dell'arte»[2]. Alfonso Gatto, che poi vedremo rivendicare aspramente l'autonomia del letterato dalla politica, scrive: «si può dire che noi dobbiamo iniziare a pagare i debiti verso l'ideologia che diciamo di professare e smetterla di provocare nel nostro partito assurde situazioni di credito verso noi stessi. [...] Dobbiamo rivedere tutta la cultura che ci ha preceduto e della quale siamo stati spesso attori e responsabili: non possiamo abbandonarla credendo d'esserne scampati»[3]. Un ripiegamento che Luciano Bianciardi, nella sua *Vita agra*, descriverà ironicamente così: «E ora invece noi ci stiamo battendo per il passaggio dal neorealismo al realismo. Dalla cronaca alla storia»; persino il neorealismo è troppo poetico, quasi decadente.

Per questo è così importante, per la storia culturale del nostro paese, l'opera editoriale di Einaudi che nel 1949 riporta, dopo la lunga e tragica guerra, le fate in Italia grazie alla traduzione del saggio di Vladimir Propp, *Le radici storiche dei racconti di fate*.

«C'era una volta...» cominciano le fiabe – scrive Italo Calvino nella recensione al libro di Propp –, ma a quanti secoli fa rimonta questa «volta»? Se riandiamo con la memoria alle letture dell'infanzia ricordiamo immagini che oggi definiremmo d'ambiente medievale: cavalieri in armature che vanno a liberare belle castellane. Ma il *Gatto con gli stivali* lo immaginiamo in una corte del Seicento, e certi orchi li vediamo con cappellacci e ferraioli da masnadieri del secolo scorso. È chiaro che nella nostra immaginazione ha buon gioco la fantasia dei disegnatori che illustrarono a proprio estro i libri da noi letti da bambini, e, prima ancora, quella degli scrittori che raccolsero i racconti tradizionali e diedero loro forma letteraria. Le fiabe, si sa, son molto più vecchie di Perrault e dei Grimm[4].

Le fiabe affondano le loro radici nella preistoria, anzi, sfrondate di ogni accessorio, sono l'unico racconto vivo che conserviamo di tempi tanto remoti.

L'etnografia di Propp, dunque, rimette in gioco il fantastico anche in una prospettiva adulta ed è, per Gianni Rodari, militante comunista, giornalista dell'«Unità», scrittore per bambini per caso, un momento di confronto e di crescita ma anche di conferma: un buon marxista non solo può ma deve occuparsi dell'assurdo, del fantastico, della fiaba. «Tirato dentro per i capelli» alla letteratura per l'infanzia riscopre «la fiaba popolare, l'etnologia, Propp, *Le radici storiche dei racconti di fate*» ecc.[5].

Persino il più didascalico fra i generi popolari comunisti, il dramma didattico, o teatro di massa, viene popolato, grazie a Rodari, dalle fate[6]. Nel 1951, a Genova, mette in scena un'opera teatrale, *Stanotte non dorme il cortile*: la storia di cento bambini che rappresentano tutti i bambini del mondo di fronte a tutte le guerre che si sono abbattute su tutti i cortili. Attraverso uno spettacolo di marionette una bambina entra nel bosco delle fate ma lì arrivano mostri a distruggere l'incanto, mentre la guerra distrugge il cortile. Sulle macerie i bambini che già lavorano raccontano i loro sogni, le loro paure. Garzoni, aiutanti di caffè, sciuscià, ormai piccoli uomini, non rinnegano il mondo fatato, sono le fate, ora, a chiedere il loro aiuto, di fronte a un mondo dove miseria e fame le vorrebbero esiliare per sempre[7]. Un tema questo che tornerà sempre nel suo lavoro, nel racconto pubblicato nel 1951 su «l'Unità» *La capra Penelope*: «Povere fatine, erano davvero spaurite! Ci volle una settimana perché riprendessero fiato, e alla fine della settimana venne un bombardamento e Laura dovette portarle in cantina. Le fate piangevano forte forte, ma per fortuna le sentì solo Lauretta: difatti i grandi non possono sentire le fate, né quando piangono né quando ridono»[8]. Nella più nota filastrocca *Le belle fate*: «Le belle fate/ dove saranno andate?/ Non se ne sente più parlare./ Io dico che sono scappate:/ si nascondono in fondo al mare,/ oppure sono in viaggio per la luna/ in cerca di fortuna./ Ma che cosa potevano fare?/ Erano disoccupate!/ Nessuno le voleva ascoltare»[9].

Nei primi anni Cinquanta, la questione del rapporto fra fiaba e realismo diventa il cuore della poetica rodariana, e, l'abbiamo visto, il senso di questo confronto oltreché poetico è politico. Il rovesciamento, l'assurdo, il fantastico sono utili strumenti per immaginare un mondo nuovo anche con fiabe e favole antiche che, offrendo tutti i tipi (le funzioni) dell'umano, semmai possono essere rivisitate, diventando materia prima su cui costruire storie nuove.

La fiaba serve per scrutare ogni possibilità, è rivolta al futuro e non al passato: è questo rovesciamento di prospettiva temporale che rende l'operazione culturale di Gianni Rodari davvero rivoluzionaria nel panorama italiano, comunista e non solo. Fin dai comandamenti dei catechismi socialisti rivolti ai fanciulli si raccomanda, dai primi del Novecento, di non dare credito al fantastico, di non farsi «impaurire dai racconti straordinari». I racconti della tradizione cattolica, ma anche quelli borghesi, di favole e fate e gnomi. Una diffidenza che passa attraverso il pensiero socialista e poi sovietico e giunge fino alle pagine del «Pioniere». Nel corso del 1955 una bambina di Genova si rivolge al periodico comunista con una lettera nella quale descrive i rimedi della madre nei confronti di una sorellina capricciosa: «la mia mamma per farla stare buona le dice ogni volta che un uomo nero e cattivo la porterà lontano se non sarà buona. Oppure le dice che un orso rosso la porterà in una caverna». Ecco la risposta di Dina Rinaldi: «sono ancora tanti i genitori che intimoriscono i loro bambini, che li spaventano inutilmente inventando personaggi e storie tenebrose». Per questo invita la piccola lettrice a raccomandare alla mamma di non raccontare più quelle storie[10].

Ma, scriverà Rodari, il problema non è l'uomo nero o l'orso rosso, bensì la mamma che usa la fiaba per ricattare. Non sono le fate, gli orchi, le streghe, il problema per l'infanzia ma gli adulti che li usano per ribadire un buon senso ammantato di verità, astorico e consolatorio. «I casi son tanti..., come ripete per ben tre volte nella stessa pagina Geppetto a Pinocchio, nel dargli da mangiare prima le pere, poi le bucce e infine i torsoli, conditi con la normale dose di quella filosofia rinunciataria che viene chiamata saggezza popolare che è così ammirata da coloro cui i poveri piacciono tanto quando citano proverbi e un po' meno quando si organizzano in sindacati»[11].

Il 4 agosto 1952 Gianni Rodari prende carta e penna e scrive a Italo Calvino, in questo momento ancora redattore della casa editrice Einaudi, per mettere insieme i suoi ragionamenti in un saggio su *Pinocchio. Pinocchio*, quando esce nel 1881, piace molto ai bambini, quelli che leggono si intende, che non sono molti ma ne decretano il successo, un successo reso tangibile dalle vendite del «Giornale dei bambini» dove il romanzo appare a puntate. Scriverà Rodari, infatti, molti anni dopo: «Il caso più curioso capitato al Collodi mi sembra però sia quello di avere scritto uno dei più bei libri per bambini di ogni tempo in un paese, e in un'epoca in cui la maggioranza dei bambini, anzi degli italiani non sapeva leggere né scrivere e neppure parlare o capire la lingua nazionale. Nel 1906, cioè 25 anni dopo l'apparizione della prima puntata di *Pinocchio* sul 'Giornale per i bambini', ancora 47 fanciulli su cento fra i sei e gli undici anni non si iscrivevano alle scuole elementari»[12].

Di Pinocchio, a Rodari, già piacciono moltissime cose: intanto il fatto che si comporta in modo contrario alla morale del suo tempo, degli adulti, mettendosi sempre in situazioni inopportune, compiendo il contrario di ogni pensiero da bambino buono che comunque ha. Quella di Collodi è "un'idea dell'infanzia" che mette insieme, come scrive Rodari, il meraviglioso fiabesco e il realismo del quotidiano. La miseria di una Toscana rurale, e la metamorfosi, che è un tema classico di ogni tradizione di fiaba che si rispetti. *Pinocchio* è anche il romanzo di formazione:

> Ci sono divieti e violazioni di divieti, metamorfosi, prove difficili, viaggi avventurosi e la promozione finale a membro integrato della tribù. Ma i bambini vi hanno ritrovato dell'altro: il loro bisogno di libertà e il loro senso di colpa, la loro necessità di sfuggire all'adulto e la loro paura di perdersi, di essere abbandonati e distrutti (mangiati dal pescecane), il tumulto anarchico di speranze e di paure che accompagna il loro adattamento alla realtà; in una continua dialettica di ribellione e di accettazione. Noi possiamo pensare che l'anarchismo non è una soluzione: se non lo è quello di Bakunin, tanto meno quello di Pinocchio. Però sembra un punto di passaggio obbligato. E da adulti, rileggendo riviviamo quella nostra lontana fase anarchica, la vagheggiamo. *Pinocchio* parla agli adulti della loro infanzia, gliela spiega, non come fa la psicologia coi suoi trattati, ma come fa il linguaggio della poesia con le sue immagini, con la sua pienezza e pluralità di significati. Ai bambini le immagini di *Pinocchio* hanno parlato direttamente, conquistando la loro fantasia. Negli adulti, le stesse immagini funzionano come detonatori della reminiscenza e della riflessione[13].

C'è tutto in *Pinocchio*, anche la denuncia della violenza insita in ogni idea di educazione «che impone la rinuncia al desiderio originario di libertà assoluta per garantire la sopravvivenza in questo mondo»[14]. Per dirla con Benedetto Croce, «il legno, in cui è intagliato Pinocchio, è l'umanità»[15].

La guerra fredda ha poi trasformato anche la favola di Collodi in un campo di battaglia politico; in realtà, Pinocchio «veste la camicia nera e la divisa da balilla fra gli anni Venti e Trenta; nel dopoguerra diviene un personaggio che piega i suoi ammonimenti ora a favore dei comunisti, ora dei socialisti. E perfino dei democristiani»[16].

Chiodino, il personaggio creato da Marcello Argilli e Gabriella Parca sul «Pioniere», è ispirato a Pinocchio; e sulla trasposizione in chiave socialista si innesca l'ennesima polemica con i cattolici che vede Rodari intervenire in un articolo dell'11 agosto 1954 dal titolo *Le avventure di un Pinocchio bolscevico*, a sua volta riferimento al fumetto scritto da lui stesso[17]. Così, tornando alla lettera che Rodari scrive il 4 agosto 1952 a Calvino (che ha appena pubblicato *Il visconte dimezzato*):

> Commenti a *Pinocchio* se ne sono scritti di molti, e anche di strampalati: nessuno, a mia conoscenza, che abbia studiato la genesi di *Pinocchio* del suo autore e nella storia della nostra letteratura infantile con un minimo di serietà storica e critica; nessuno che abbia visto il reale segreto di *Pinocchio*, la sua adesione così completa e viva ad una morale popolare ed ai suoi elementi (allora, nell'80) costitutivi: un laicismo che è buon senso, e non anticlericalismo – un realismo etico così relativistico che ha scandalizzato i cattolici –, un senso della giustizia così partigiano (che non a torto qualcuno vi ha visto per ischerzo e non così andrebbe visto), un influsso delle idee socialiste che erano nell'aria. Queste solo alcune idee. Altre: sfatare la stupida leggenda dell'improvvisazione di *Pinocchio* per pagare i debiti; ritrovare in *Pinocchio* la vita così movimentata e risorgimentale di Carlo Collodi. E infine, *last but not least*, studiare il segreto formale di *Pinocchio*, la fusione perfetta di realtà e fantasia, con occhio critico esercitato, diciamolo pure, dal marxismo – anche senza metterlo in causa, che sarebbe eccessivo. *Pinocchio* mi sembra un esempio perfetto di favola e un esempio perfetto di realismo: vedo in esso, personalmente, una strada della narrativa non solo infantile. È legittima? È ripetibile? Credo che la questione interessi anche te da vicino[18].

L'11 settembre Calvino risponde: «Sono contentissimo che tu lavori e che ti occupi di *Pinocchio*». Purtroppo, però, la casa editrice non pubblica libri di questo tipo: un'edizione critica su Pinocchio, questo sì, dice Calvino, o anche una bella storia della letteratura per l'infanzia. «Nei saggi ora cerchiamo il più possibile di fare volumi che possano intitolarsi 'Storia di...' cioè che esauriscano un problema; perché di questi libri soprattutto s'ha oggi bisogno. Tienimi informato di quello che fai; seguo sempre con interesse tutte le tue cose»[19]. Manca, se mai c'è stata, la lettera di risposta di Rodari: probabilmente il giudizio del più illustre collega lo inibisce e non insiste oltre. «Pinocchio, un archetipo, un classico, un interrogativo posto tra due autori che in Pinocchio ravvisavano un altro da sé. Rodari dice più avanti che scriverebbe un saggio di cento, centoventi cartelle. Sono quelle che oggi noi vorremmo, perché è nei programmi di Einaudi porre la *Storia di un burattino* nei Millenni in un prossimo futuro. Lì sarebbe in quella sezione delle 'fiabe' accanto a Grimm, Andersen, Calvino, Rodari, Perodi, Yeats e Briggs e altri che sono il corpus più alto e completo di cui dispone l'editoria italiana»[20]: parole di Roberto Cerati, tardive, certo, perché quell'edizione non si fa né nel 1952, né mai.

Rodari, tuttavia, il suo saggio lo scriverà lo stesso, a pezzi, tornando su *Pinocchio* ancora e ancora; ormai affermato scrittore, scriverà sul burattino pagine bellissime. Per ora vale la pena riportare due appunti nei quali, parlando di Collodi, lo scrittore di Omegna si guarda allo specchio e si racconta. Se le sue filastrocche sono giocattoli, frutto di appunti, di anni di raccolta di materia prima così lo è anche *Pinocchio*: «*Pinocchio*, per l'autore, è un gioco: assolutamente libero. Ci butta dentro senza pensare quel che ha dentro, quel che gli viene in mente: ma per avere in mente quella parola, quel ghiribizzo della fantasia, ha vissuto cinquanta e più anni, ha letto, discusso, scritto tanta brutta roba, per i bambini e per i grandi, in prosa, per il teatro, eccetera; quando si è liberato della volontà, quando di tanti fiori diversi ha fatto il suo miele, eccolo partire senza tanti pensieri dietro il suo burattino e scappare via dal reale, però tirandoselo dietro tutto intero, anzi, trovando sulle nuvole, per così dire, la chiave di casa»[21]. E ancora:

Pinocchio è il primo libro per ragazzi scritto in Italia (e uno dei primi in Europa) in presa diretta con i ragazzi, liberati dalla loro uniforme di scolari. Lo è perché il Collodi, scrivendolo, mette tra parentesi la sua esperienza precedente di scrittore al servizio della didattica: esperienza che gli è stata utile ma che ora sostanzialmente rifiuta. Lo è perché egli segue, come già dicevo, in piena libertà il suo oggetto fantastico, dunque anche in piena obbedienza a quell'oggetto, anziché alle esigenze della scuola, così come bambini e ragazzi, mentre giocano, obbediscono soltanto alle regole del gioco, impegnandovi la loro intera fantasia. Lo è, ancora, perché il Collodi non si pone di fronte ai ragazzi come un maestro, ma come un adulto, così com'è: un adulto che accetta le regole del gioco, ma come può accettarle un adulto quando gioca con i bambini, impegnando nel gioco la sua più vasta esperienza, la sua immaginazione che vede più lontano, ogni tanto giocando anche da solo. Un adulto di quel tempo, di quegli anni, con quella esperienza, con quelle idee, con le contraddizioni di cui lo ha caricato la vita, quella vita[22].

7.
Quella vita (o sul mito dell'Urss)

E che cosa avrebbero avuto da proporci
in cambio, quelli che lo avevano sempre saputo?
Franco Fortini

Amico, ti conosco, sei di quelli
che bisogna far vivere a spintoni,
cacciare avanti a calci,
sempre in cerca d'una spalla, d'una giacca
per piangervi sopra lacrime troppo dolci,
sempre in crisi come uno che ha perso l'ombrello
in un giorno di nubifragi.
Gianni Rodari

Che Gianni Rodari sia ancora oggi lo scrittore italiano più noto nei paesi dell'ex blocco sovietico è qualcosa che sorprende. Ogni russo, ogni ucraino adulto conosce *Cipollino*: film, cartone animato, fumetto e libro, l'eroe rodariano è stato anche l'eroe di generazioni di bambini e bambine sovietici. Recentemente un editoriale su «Isvestia» l'ha citato, perché Rodari è un luogo della memoria un po' come da noi Sandokan per una certa generazione, e c'è chi l'ha persino censurato[1].

La storia della cultura non si fa mai seguendo soltanto la traiettoria di chi scrive: chi legge, infatti, e Rodari non ha mai mancato di ricordarlo, non è mai passivo, neppure in anni di propaganda o di dittatura. Il lettore russo che si entusiasma per *Cipollino* è cresciuto con in mente la letteratura umoristica degli anni Venti e Trenta, i personaggi di Daniil Charms o *Il mistero delle dodici sedie*, pubblicato nel 1928 da

Il'ja Arnol'dovič Il'f ed Evgenij Petrovič Petrov: una storia esilarante, i cui protagonisti sono due truffatori, censurata negli anni dello stalinismo e tornata in auge dopo la morte di Stalin, nel 1953[2].

Gianni Rodari è d'altro canto uno scrittore perfetto per i russi dell'epoca: il suo profilo di intellettuale progressivo, votato alla pedagogia, attento all'educazione, risponde alle esigenze della mobilitazione permanente che l'Urss staliniana conosce dopo la fine della seconda guerra mondiale. Rodari diventa addirittura una firma della «Pravda», e ogni suo viaggio in Urss è raccontato dalla Tass come un piccolo evento[3].

Scrive Marcello Argilli: «Quando Rodari cominciò a scrivere su 'l'Unità' e sul 'Pioniere', e poi quando uscirono le prime raccolte di filastrocche in volume, per conoscerlo bisognava essere di sinistra e avere il cervello buttato alla letteratura giovanile. Era più conosciuto all'estero, nei Paesi socialisti, che da noi»[4]. E anche se non è vero che la fama di Rodari in Italia è, in qualche modo, una conseguenza dello straordinario successo che i suoi libri incontrano in Urss, come scrive Argilli, e come riportano molti siti in russo, è vero che quando il favoloso Gianni andava oltre cortina, a Mosca, a Leningrado i tassisti lo riconoscevano e non gli facevano pagare la corsa. È il periodo in cui «le delegazioni di politici e intellettuali, visitando l'Urss, si sentono chiedere notizie del 'più noto scrittore italiano', un certo Gianni Rodari, che naturalmente non hanno mai sentito nominare»[5].

La fortuna di Rodari in Unione Sovietica, così come negli altri paesi dell'Europa orientale e comunista, è veicolata dalla politica culturale di scambio fra i partiti del Cominform, nato nel 1947[6]. Con il concorso del partito comunista italiano nasce nel 1944 l'associazione Italia-Urss che organizza delegazioni di politici intellettuali e scrittori che viaggiano oltre cortina per poi divulgare in Italia le magnifiche sorti e progressive della patria del socialismo tramite conferenze, incontri, dibattiti. Italia-Urss è seguita fin dai suoi primi vagiti dal ministero dell'Interno, che invia solerti funzionari ad ascoltare ogni, seppur minima, iniziativa e a prendere appunti, e così è seguito Rodari. Valga come indicazione di un tema che merita ben altro approfondimento che l'ultima segnalazione di Rodari come 'divulgatore dell'ideologia sovietica' è del 1968 ed è relativa a una conferenza sulla letteratura per l'infanzia interamente conservata dal fascicolo del ministero dell'Interno fra i documenti 'sovversivi'[7].

Il mito dell'Urss è fra le questioni di storia culturale del secolo scorso una di quelle più complicate da raccontare: i crimini dello stalinismo, la caduta dei regimi comunisti da un lato, dall'altro la totale assenza di un pensiero critico post comunista in Occidente, hanno fatto sì che ogni tentativo di ricostruire confini e contenuti di una storia che ha riguardato migliaia di intellettuali occidentali (per non dire milioni di comuni cittadini) sia sfociato in una generale condanna di malafede o al meglio di miopia[8]. «Di cosa esattamente sono documento i reportage di viaggio degli anni Cinquanta? Cecità ingenua, inguaribile provincialismo, o peggio, di malafede palese, esibita da gruppi davvero ingenti e variegati di intellettuali e quadri di partito politicamente interessati?», questa la domanda più frequente[9].

In Urss è l'Unione degli scrittori (1935-91) a organizzare le visite come veri e propri pellegrinaggi laici, e infatti pellegrini politici ha definito Paul Hollander questi scrittori in viaggio, in un classico della storiografia datato 1981, che per la prima volta ha cercato di comprendere cosa spingesse intellettuali spesso raffinati, altamente selettivi, ferocemente analitici a farsi tramite di propaganda quando in gioco c'erano l'Urss e la sua vita quotidiana[10]. Lo sguardo degli scrittori stranieri (Calvino, Rodari, Carlo Levi, Sibilla Aleramo) è indispensabile per riportare in Occidente l'immagine di un paese moderno e vitale; d'altra parte gli stessi scrittori vengono tradotti anche in Urss fino alla fine degli anni Ottanta[11].

Ancora una volta, dunque, dobbiamo chiederci cosa si aspetta Gianni Rodari che nel 1951 compie il suo primo viaggio nella terra dei Soviet: i resoconti di André Gide che, negli anni Trenta, ha denunciato le prime violente purghe staliniane, appartengono a un'epoca che sembra ormai spazzata via dalla vittoria di Stalingrado, dalle speranze che essa ha suscitato nell'antifascismo europeo e italiano in particolare. L'ingiustizia della spartizione del mondo in due blocchi, la convinzione di essere dalla parte giusta, non solo dei blocchi, ma della storia, la violenza dell'anticomunismo nostrano che si manifesta nella repressione sanguinosa del movimento operaio, sono lo sfondo a cui è indispensabile guardare per comprendere storiograficamente le corrispondenze su «l'Unità», e la vasta letteratura pubblicata non solo da case editrici comuniste che racconta l'Urss, innanzitutto, come un paese giusto e 'moderno'[12]: l'orizzonte di fatica che gli appartiene è pieno di esistenziale entusiasmo, e anche, paradossalmente, di un benessere generale: la televisione, in Italia in sperimentazione, appare diffusissima (circa un milione di apparecchi prodotti ogni anno fino al 1955). Così le automobili.

L'antiamericanismo è comico, prima di essere stupido, scrive Antonio Gramsci sui *Quaderni* da poco pubblicati in Italia, ma il giudizio del sardo non basta certo a evitarlo negli anni della guerra fredda[13]. Né bastano Italo Calvino, Cesare Pavese, Elio Vittorini e la loro scoperta dell'America della povertà e della ribellione attraverso la letteratura: il *new deal* è finito da tempo e ora gli Stati Uniti sono, per la maggior parte degli intellettuali di sinistra, solo il maccartismo. Anche Gianni Rodari scrive alcune filastrocche esplicitamente antiamericane e mobilita i bambini a favore degli orfani dei Rosenberg, i coniugi accusati di spionaggio e uccisi sulla sedia elettrica[14].

La modernità americana è considerata ingiusta, ferocemente individualista, piegata a tal punto allo sviluppo capitalistico da non concepire nemmeno lontanamente la possibilità di una società solidale. Il collettivismo sovietico, invece, è percepito come qualcosa di progettato, partecipato e rispettoso di tradizioni, luoghi e persone. Persino la prima atomica sovietica è vista come necessaria: se gli Stati Uniti non vogliono il disarmo, l'Urss non ha davvero alcuna scelta per difendere la pace, che è la parola d'ordine del Comintern almeno fino al XX congresso del Pcus.

«L'America? L'America è diventata una nazione dove persone di spirito liberale possono essere messe all'indice e perseguitate», dice Charlie Chaplin e lo riporta «l'Unità» nel 1953[15]. «Si continua ad arrivare a New York carichi di grandi ambizioni da ogni parte del mondo. Nessuno ha il tempo di essere umano e in una rapida conversazione si dimentica il nostro migliore amico due secondi dopo che ci è giunti l'annuncio della sua morte»[16].

Anche perché, come scrive Antonio Banfi, si parla di qualcosa che si conosce, e il visto per gli Usa ai comunisti italiani è sistematicamente negato: «negli Usa non posso mettere piede. A nulla mi giova essere professore universitario e accademico di varie Accademie, né di aver laggiù estimatori del mio lavoro scientifico; a nulla mi giova essere senatore della Repubblica italiana, a nulla essere un galantuomo. Sono comunista, sono fiero d'esserlo, sono rappresentante di operai e contadini: e ciò basta per chiudermi le porte in faccia del mondo libero»[17]. La guerra è finita da soli sei anni e l'Unione Sovietica è anche il paese aggredito, nel quale si è compiuto il sacrificio di molti giovani mandati a morire dal fascismo: fra questi l'amico più caro di Rodari, Amedeo Marvelli che ha

> tutte le Russie per cimitero
> una tomba grande come il mondo,
> se c'è un mondo grande come una tomba,
> una steppa sotto la neve
> sotto la neve sotto la steppa
> una steppa intera per un ragazzo[18].

Quello che Rodari trova in Urss è, invece, un mondo nel quale educazione alla lettura, attenzione all'infanzia, rinnovamento della scuola e del ruolo degli intellettuali, concorrono alla creazione di un mondo nuovo. Chiamato a parlare di quello che ha visto nel paese dei Soviet a Siena, nel 1951, racconta:

Io sono stato recentemente in Unione Sovietica. A Mosca ho visitato la biblioteca Lenin. Ho visitato particolarmente le sale dedicate ai ragazzi: sono due grandi sale decorate con disegni di ragazzi dove oltre che i libri sono conservati dei grandi album dove i ragazzi scrivono i giudizi sui libri che leggono. Quando io ci sono entrato, ed erano le 6 di sera, tutte e due le sale erano piene. [...] In ogni rione c'è una casa di cultura e in queste case di cultura ci sono sale di lettura per ragazzi. E anche nelle scuole che noi abbiamo visitato non ci sono solo biblioteche, ma vaste e comode sale di lettura. Io ho fatto il maestro, e ricordo con molta tristezza un armadietto che c'era in classe, dove avevamo circa una ventina di libri e ricordo anche che la nostra scuola non aveva neppure una sala di lettura per gli insegnanti[19].

A Mosca Rodari sente parlare di scrittori che frequentano abitualmente le scuole: sono scrittori importanti come Li Ilin, Sergej Vladimirovič Michalkov e Samuel Maršak. In Italia nessuno scrittore lo fa. Si riuniscono insieme a ragazzi che hanno già letto le loro opere e questi esprimono il loro giudizio, «oppure si riuniscono ragazzi qualunque e l'autore legge un brano delle sue opere, delle poesie, ascolta il giudizio e con i ragazzi ne discute, discute le sue opere con i ragazzi stessi»[20].

Nell'ottobre 1951, in Urss c'è anche Italo Calvino in qualità di rappresentante della delegazione italiana alla conferenza su *Gli scrittori di tutto il mondo nella lotta per la pace*[21].

A Calvino, ben più noto di Rodari in questo momento, è affidato da «l'Unità» il resoconto del viaggio. Il tono è ironico: «i compagni che vogliono già capire il socialismo dai finestrini del treno (Un trattore! Là un silos! Una casetta con le bandiere e i quadri di Lenin e Stalin) sono troppo impazienti. Siamo ancora nelle terre da poco ricongiunte all'Urss. Quel che m'interessa di vedere è il socialismo adulto, il socialismo che compie trentaquattro anni»[22]. Anche Calvino all'inizio è carico di aspettative, per la prima volta nella patria del socialismo, ma anche per la prima volta nel paese che ha dato i natali ad alcuni fra gli scrittori più amati latori di un immaginario che trova conferma nei volti, nei suoni, persino negli odori che ha immaginato leggendo i classici della letteratura russa.

A Mosca si domanda quale sia la differenza fra le persone che passeggiano per Roma e Milano e quelle di fronte a lui: «alla prima occhiata, capisco subito che qui c'è una società diversa, sento la presenza d'un elemento nuovo: l'eguaglianza. Non l'uniformità, sono tipi molto diversi uno dall'altro; ma l'uguaglianza: non siamo nella via dei poveri né nella via dei ricchi... non posso fare i conti in tasca alla gente vedendola passare»[23]. Perfino le automobili hanno un'aria più seria, meno tronfia di quelle americane, questo perché nelle città russe governano i pedoni. Non c'è alcuna ironia ma una adesione totale. Calvino alloggia all'Hotel Mosca e dalle sue finestre guarda la città ai suoi piedi, una distesa che muta sotto gli occhi, dove i grandi palazzi di acciaio e cemento prendono il posto di casette di legno a un piano, le stesse che rendono somigliante una cittadina russa a una cittadina di provincia americana.

Queste casette di legno non sono mica brutte, però. Ci sono tra loro anche molte villette civettuole, con la veranda davanti, con cornici di legno traforato alle finestre. Sul davanzale, tra i doppi vetri, ma questo quasi sempre, in tutte, piante da fiori in vaso. Qualcosa tra lo chalet e il cottage; dello chalet hanno l'aria nordica e nevosa, mentre il giardinetto intorno, cintato da un basso steccato, accentua il ricordo anglosassone. Ma ecco che a poco a poco mi vengono in mente riferimenti di vecchia Russia, specie nei punti di Mosca più rustici e paesani: una suggestione di atmosfera alla Gor'kij. Ed è pure da tetti di casette come queste che prendono il volo gli evasivi folletti di Chagall. Sorprendo in me stesso un nostalgico attaccamento alle casette di legno. Ecco che mi scopro reazionario; ecco che preferisco il vecchio al nuovo, ecco in me stesso il turista che cerca solo il 'pittoresco'. Ritrovo un punto d'equilibrio pensando all'amore dei sovietici per tutto quello che è tradizione[24].

Calvino spiega anche le file di fronte ai negozi, non segno di fame e miseria, ma di un normale avvicendamento che fa sì che la mattina fino alle 12 siano gli abitanti delle campagne (colcosiani), venuti a Mosca a vendere i prodotti, a fare compere per poi lasciare il posto ai moscoviti[25]. Narrazioni aneddotiche, suggestioni, cose viste che diventano paradigmatiche, fiducia nel fatto che quello che si ha davanti (quello che viene mostrato) effettivamente è.

Il pellegrino politico Calvino trova quello che si aspetta di trovare. In un ricordo Lisa Foa attribuisce la "cecità volontaria" dei pellegrini politici alla tensione emotiva che essi sperimentavano in quelle occasioni e che metteva a dura prova la loro razionalità[26]. «In verità io sapevo quel che avrei trovato lì: ma una cosa è sapere, altra è constatare con i propri sensi, col proprio respiro, ciò che si conosceva da letture, anche dalle più entusiaste e sicure», scrive Sibilla Aleramo[27].

Nelle scuole – scrive Calvino – il ritratto di Puškin è frequente quasi quanto quelli di Lenin e Stalin. C'è pieno di Tolstoj, e poi di Gogol', di Turgenev, di Krilov, di Lermontov, di Nekrassov, e anche di Dostoevskij, malgrado che in Occidente vi sia chi dica che l'Urss l'ha dimenticato e condannato senza appello. Moltissimi Gor'kij, naturalmente, e anche moltissimi Majakovskij. Scruto l'inquieto sguardo del poeta, così crudamente contemporaneo, come a chiedergli se per caso non si trovi a disagio, incorniciato solennemente in mezzo a tanti classici, ma mi pare che mi risponda di no, perché non c'è cosa più grande cui un poeta d'avanguardia possa aspirare, che di diventare un grande classico popolare[28].

Calvino e la delegazione italiana visitano quelle che sono le tappe obbligate: l'Opera, il parlamento dove ascoltano una relazione sullo stato dell'istruzione pubblica, una casa editrice, l'Associazione Pionieri, il Teatro popolare. Poi Leningrado, carica di reminiscenze letterarie: eppure Calvino si commuove di fronte alla nave arenata che ha sparato il primo colpo della Rivoluzione d'Ottobre; quindi Baku capitale dell'Azerbaigian, Napoli del Caucaso, dove accanto ai minareti spiccano le ciminiere che raccontano del suo 'nuovo oro', il petrolio. «Al commiato, i dirigenti della gioventù comunista azerbaigiana, che erano diventati cari amici nostri, ci hanno detto: 'Se una notte v'accadrà di sognare Bakù voltate il cuscino, e noi sogneremo voi'. È una vecchia credenza di laggiù: quando si sogna una persona e si vuole che essa ci sogni si volta il cuscino. Ma i compagni azerbaigiani aggiungono: 'Però, se voi sognerete noi vorrà dire che noi abbiamo già voltato il cuscino'»[29].

La delegazione di Rodari, composta, fra gli altri, da Mario Alicata e Elvira Pajetta, vola fino in Kazakistan: «in una piazza di Alma Ata, davanti al teatro dell'Opera, c'è un monumento a Stalin, piuttosto brutto in verità. Il nostro accompagnatore, un architetto kazakho, ci dice ridendo: 'questo monumento dovrà essere cambiato, perché è mal riuscito'»[30]. Descrive la città che cresce 'come un fungo', le scuole, che sono gli edifici più belli, i vigili urbani, che sono donne. «Del resto, il Vicepresidente del Consiglio dei ministri è pure una donna»[31].

Scrive Vladimir Glotser, segretario di Maršak, autore di libri per l'infanzia: «soltanto poco prima di partire Rodari ci consegnò alcune copie dei suoi libri»[32], nessuno, infatti, pensava che fosse uno scrittore. I libri arrivano a Maršak ed è così che nasce la prima traduzione di Rodari in russo. Perché ho tradotto le poesie di Gianni Rodari? Si domanda, appunto, Maršak sulla «Literaturnaja Gazeta» del 22 novembre 1952:

> i versi, rapidi, vivaci, pieni di fuoco e di slancio, esaltano il lavoro onesto, la libertà, la pace. Il tema serio e importante in queste strofe si combina con un umore vivo e originale. Esse rispondono in modo insuperabile alla mentalità dei ragazzi, alla loro voce. In esse troviamo quel gioco bizzarro senza il quale sono inconcepibili versi che entrino nelle abitudini dei ragazzi [...]. Sanno comporre versi degni di stare a fianco delle canzoni popolari solo quei poeti che vivono la vita comune del popolo e parlano la sua lingua. Un simile poeta mi sembra Gianni Rodari. Nei suoi versi io odo le squillanti voci dei ragazzi che giocano per le vie di Roma, di Bologna, di Napoli[33].

«Gianni aveva trovato un traduttore eccelso nel poeta Samuel Maršak non per nulla anche traduttore di Shakespeare»[34], scrive l'amico Giuseppe Boffa che, dal 1953, sarà inviato per «l'Unità» in Unione sovietica, ma le traduzioni non sono letterali, come ammette lo stesso poeta russo: «In alcune delle mie traduzioni, mi sono allontanato dall'accuratezza letterale, cercando di trasmettere l'essenza stessa dei versi freschi e immediati del poeta italiano. Ma per il resto, penso, è impossibile tradurre versi liberi e bizzarri, spesso basati su rime divertenti, per bambini»[35].

Prima le filastrocche, poi Cipollino che compare a puntate nel «Pioniere» edizione russa[36]. Quindi il libro Cipollino che diventa un vero best-seller: i bambini russi scrivono centinaia di lettere all'autore e alla rivista[37]. Zlata Potapova, dell'Istituto di letteratura mondiale di Mosca, nel suo articolo *Primi successi di Cipollino* scrive del «legame vivo del poeta col popolo, così come scaturisce sia dal racconto che dalle filastrocche, l'amore per la pace e per la causa del progresso che egli insegna ai ragazzi con la sua opera»; e conclude l'articolo con queste parole: «la letteratura infantile che stanno creando gli scrittori progressivi italiani entra nella vita del popolo come partecipe della grande lotta per la pace e l'indipendenza nazionale».

Fra Rodari e Maršak nascerà una vera amicizia, anche se i due si incontreranno per la prima volta solo nel 1964, tredici anni dopo, quando Rodari sarà davvero il più famoso degli scrittori per bambini tradotti in Urss ma molti dei suoi entusiasmi saranno venuti meno: «Caro Ponchiriele, la tua del 14 c. mi trova di ritorno dalle Russie, dove ho soggiornato a lungo e con profitto morale (cioè con finanziaria rabbia, se mi dessero una lira per ogni volta che stampano il mio nome sarei ricco, ma la lira ciccia)»[38].

8.
Guerre fredde, inverni caldi

Venne il XX congresso,
lesse e sentì parlare di errori
e contro il culto della personalità, contro il culto
della personalità era d'accordo, il sospetto
che si alludesse a Stalin non gli veniva.

Leonardo Sciascia

Filastrocca della bandiera,
i briganti ce l'hanno nera,
di briganti la gente è stanca,
chi ha paura ce l'ha bianca.

Gianni Rodari

C'è un racconto di Leonardo Sciascia che si intitola *La morte di Stalin*, scritto nel 1957, a un anno dal XX congresso del Pcus: racconta la parabola politica e sentimentale di un comunista di Regalpetra, Calogero Schirò, di mestiere ciabattino, che dopo aver parlato in sogno con Stalin per vent'anni ripercorre il suo rapporto privato con lui, le sue domande, i suoi sogni, le sue incazzature, sempre superate grazie alla fiducia verso quell'uomo «che vedeva in foto e in quella testa ogni giorno di più vedeva una radiografia di pensieri, come una mappa che in punti diversi continuamente si illuminasse, ora l'Italia ora l'India ora l'America, ogni pensiero di Stalin era un fatto nel mondo»[1].

A Stalin lo legano ricordi e speranze, come in un rapporto personale tenace ed esclusivo, come in un'amicizia. Un sentimento unico, finché non si rende conto che tutti i compagni sentono la stessa cosa, perché Togliatti, alla camera, dà forma ai suoi pensieri, nel discorso in occasione della morte del condottiero comunista. Poi il XX congresso del Pcus e la condanna del culto della personalità e degli errori; ma quali errori, si domanda Calogero: «uno sterminato paese come la Russia, tante regioni e tante razze, un paese senza industrie, pieno di analfabeti: ed era diventato un grande paese industriale, fitto di officine e di scuole, un popolo unito, un popolo grande e eroico» che aveva resistito a Stalingrado e sconfitto Hitler. Infine il rapporto Chruščëv pubblicato dall'«Espresso»[2]. Che lo porta a dubitare, a vacillare, che lo porta a un passo dal dimettersi ma poi, ancora una volta, resiste perché Stalin è morto ma il comunismo è vivo.

La parabola di Schirò è la stessa vissuta da molti militanti comunisti, che rimangono nel Pci anche dopo le rivelazioni su Stalin, anzi proprio in funzione di quelle: morto l'uomo vivono l'idea e il grande paese che ne è l'incarnazione. Perché il partito comunista è il partito della storia, una necessità. Ma il deputato romagnolo Pietro Reali, in parlamento, giovedì 22 marzo 1956 afferma: «per anni ho detto a tutti che non avevo che un solo desiderio prima di morire: quello di poter andare in Russia a vedere Stalin. Adesso voi mi dite che Stalin era un tiranno, che ha compiuto gravi errori, abusi, persino delitti. Tutta la mia vita allora è stata sbagliata. E i colpevoli siete voi che sapendo come stavano veramente le cose non ce lo avete mai rivelato»[3].

E Franco Fortini: «'Non bisogna aver paura della storia', mi diceva un giorno uno di coloro che nell'ottobre scorso hanno esaltato l'intervento sovietico a Budapest. E noi invece volevamo anche interpretare coloro che, della storia, avevano tutte le ragioni di aver paura; coloro che non si riconoscevano nelle vignette dell'eroismo proletario»[4]. Coloro che avevano paura del comunismo.

Fra il 1953 e il 1956, fra Poznań e Budapest, tra la morte di Stalin e il rapporto Chruščëv, per i comunisti italiani è un alternarsi di sentimenti drammatici e contrastanti. Tutto inizia con la repressione dei moti operai di Berlino Est il 17 giugno

1953 terminati con 150 morti e 5.000 arresti, pochi giorni dopo. Per Aldo Tortorella, ancora oggi, quello rimane un ricordo drammatico, autentico spartiacque nella coscienza di molti comunisti italiani. È lui che mi racconta che «l'Ungheria sarà soltanto il punto di arrivo di qualcosa che sapevamo già fin dal 1953. Anche se la morte di Stalin faceva pensare che presto le cose sarebbero cambiate»[5].

«Quando, la mattina del 25 febbraio 1956, Chruščëv aveva dato lettura del rapporto segreto davanti ai delegati riuniti in una seduta a porte chiuse, convocata il giorno dopo la fine ufficiale dei lavori del congresso, erano passati ormai quasi tre anni dal giorno in cui, il 5 marzo 1953, era morto Stalin. Tre lunghi anni, durante i quali il gruppo dirigente aveva smontato il sistema dittatoriale e operato un'inversione di rotta, sia in politica estera che in politica interna, avviando un nuovo corso riformatore, ma senza fare i conti con la pesante eredità del terrore»[6].

Italo Calvino uscirà dal Pci nel 1956, Rodari non lo farà mai, ma questo ricordo dello scrittore ligure è utile anche per capire la fermezza che conservò Rodari pur non condividendo molte scelte:

gli elementi per capire che c'erano molte zone oscure non mancavano. Si poteva prenderli in considerazione o no: cosa diversa dal crederci o non crederci. Per esempio, io ero amico di Franco Venturi, che di cose successe laggiù ne sapeva parecchie e me le raccontava con tutto il suo sarcasmo illuminista. Non gli credevo? Ma certo che gli credevo. Solo che pensavo che io, essendo comunista, dovevo vedere quei fatti in un'altra prospettiva dalla sua, in un altro bilancio del positivo e del negativo. Questa non trasmissibilità dell'esperienza, o diciamo scarsa efficacia della trasmissibilità dell'esperienza, continua ad essere una delle realtà più scoraggianti nel meccanismo storico e sociale, non c'è modo d'impedire ad una generazione di tapparsi gli occhi, la storia continua ad essere mossa da spinte non completamente dominate, da convinzioni parziali e non chiare, da scelte che non sono scelte e da necessità che non sono necessità[7].

In questi anni, oltre a raccogliere le filastrocche e a scriverne di nuove, Gianni Rodari passa ad «Avanguardia», l'organo politico della Fgci che in quel momento conta mezzo milione di iscritti, e ha come segretario Enrico Berlinguer: i temi su cui interviene più spesso sono la battaglia contro il riarmo della Germania e la pace. Scrive Rodari, presentandola: «Ogni giornale, se non vuol essere uno specchio passivo, un passatempo contemplativo, nasce per dividere il mondo in amici e nemici. Nostri amici sono i giovani, tutti i giovani, in qualsiasi classe sociale, in qualsiasi partito od organizzazione si compia in questo momento la loro esperienza di giovani. Nostri nemici sono i difensori del 'vecchio', del capitalismo, dell'imperialismo, del fascismo, della guerra. 'Avanguardia' nasce per aiutare i giovani nella scelta decisiva tra nuovo e vecchio»[8].

Ma gli articoli di Rodari su «Avanguardia» sono noiosi, grigi, retorici. A un lettore che nel 1954 chiede consigli di lettura per avvicinarsi al marxismo, Rodari consiglia quattro libri: due di Stalin, uno di Engels e il *Manifesto del partito comunista*. Eppure «risale probabilmente agli anni intorno al 1955 un certo affinamento degli strumenti umoristici e satirici: esso si rivela dapprima occasionalmente non sulle pagine del periodico, che a quei tempi male avrebbe sopportato 'esercizi' di satira, ma in sedi affatto private e, come dire, conviviali quali le riunioni post redazionali. In queste occasioni tra i redattori di 'Avanguardia' era consuetudine divertirsi a inventare, componendo un verso ciascuno, epigrammi del genere: 'Paese Sera/ palese pera./ Pavese c'era.../ or non c'è più'»[9].

L'8 maggio 1955 al Teatro Municipale di Reggio Emilia Gianni Rodari legge il suo *Compagni fratelli Cervi*. L'occasione è data dall'ottantesimo compleanno di papà Cervi: sono passati vent'anni dalla fine della guerra, la Resistenza è già un ricordo sbiadito per le istituzioni repubblicane governate dalla Dc. Quella di Rodari è, nei fatti, una risposta al tentativo di rimuovere l'antifascismo dalla storia d'Italia: «Bella

Emilia, splendeva la polvere delle tue strade che si aprono il passo fino al mare verde della pianura ora immobile al sole, ora smarrite nel labirinto delle vigne, dove il campanello di una bicicletta sembra squillare in cielo con le allodole o sugli olmi affollati di cicale, come splendeva, Emilia, la tua pace il giorno che Aldo Cervi guidò il trattore nuovo verso casa e bastava la mano sul volante a domare il puledro di ferro dal muso fiammante e il cuore prestava le sue parole alla cieca canzone del motore: trattore passa e va!»[10].

Scrive Carlo Pagliarini: «Era vivissima ancora l'emozione suscitata dal sacrificio dei sette fratelli Cervi del 28 dicembre 1943, e il vecchio Alcide Cervi era il simbolo vivente dell'antifascismo, il patriarca di intere generazioni di giovani democratici»[11].

Nel 1954 Pier Paolo Pasolini ha pubblicato la raccolta di poesie *La meglio gioventù*. Rodari riprende il suo verso, «la meglio gioventù che va sotto terra». Secondo Carlo Pagliarini il poema rodariano non è debitore soltanto verso Pasolini ma anche verso Calvino, che su «Patria indipendente» del 20 dicembre 1953 anticipa alcuni passaggi. Ad esempio, l'episodio iniziale del trattore di Aldo Cervi. Scrive Calvino: «Un giorno famoso quello in cui Aldo andò a Reggio a comperare un trattore. Fece la strada del ritorno guidando il trattore nuovo fiammante, e i contadini lungo la strada venivano a vederlo passare, il terzo dei fratelli Cervi al volante di quella macchina, sopra la quale troneggiava uno strano oggetto che non ci si sarebbe mai aspettato di trovare là sopra: un mappamondo, un grosso mappamondo, nuovo fiammante anche esso. Era un'altra compera fatta in città da Aldo quel mattino». Quel mappamondo che, «solenne goffo re da biblioteca», nel poema di Rodari riassume il senso della geografia e della storia, del mito e della politica; quel mappamondo che, «fragile giocattolo/ fatto per un festoso girotondo», diventa protagonista e pretesto di evocazioni: il gigante Atlante; la ricerca di «un mondo senza fame/ senza guerra, senza paura»; l'utopia del «colore» della felicità»[12].

Con il poema *Compagni fratelli Cervi* si chiude, in un certo senso, una fase nella scrittura e nella biografia di Rodari, la fase che potremmo definire della piena adesione alla linea di condotta del partito, che conoscerà l'anno successivo il suo epilogo più drammatico nei fatti di Ungheria. Una crisi che nasce anche dal complicato rapporto con la stampa di partito. Pochi mesi prima, il 3 marzo del 1955, la segreteria del Pci discute della grave situazione di passivo del «Pioniere», che dal 1952 ha perso circa 14 milioni di lire all'anno[13]. Lo stesso anno anche «Vie nuove» finisce nell'occhio del ciclone della segreteria del Pci, anche in questo caso per un calo di vendite. La competizione con i giornali borghesi, e soprattutto i rotocalchi, contro i quali «Vie nuove» si colloca, appare insormontabile.

Ci sono poi anche problemi di concorrenza interna: «il compagno Terenzi» (l'editore di «l'Unità», «Paese Sera» e di tutta la stampa comunista), ad esempio, si oppone a che tutti i redattori e collaboratori di «Paese Sera» continuino a lavorare e a firmare per «Vie nuove». D'altra parte, scrive Fidia Gambetti, «mancandoci per esiguità di quadri la possibilità di far viaggiare permanentemente un redattore, la collaborazione diciamo a mezzadria dei suddetti giornalisti viaggiatori rimaneva una delle nostre poche risorse. Altra difficoltà le continue limitazioni di borderò che ci impediscono di utilizzare firme di scrittori e giornalisti non comunisti i quali lavorerebbero volentieri per noi»[14].

In questa revisione della stampa periodica si decide per la chiusura di «Avanguardia». In tale frangente Rodari, rimasto disoccupato, viene chiamato da Pietro Ingrao all'«Unità» come capo cronista dell'edizione romana, nel novembre del 1956[15]. Da pochi giorni è iniziata la rivoluzione ungherese che si chiuderà tragicamente il 4 novembre con la repressione dei carri armati sovietici e migliaia di morti. Un momento che Argilli descrive, sinteticamente, così: «È durante quest'esperienza, non felice, come quella successiva di capo-cronista a 'l'Unità' di Roma (novembre 1956-novembre 1958), che matura in lui un ripensamento: in sostanza comincia a sentirsi a disagio nello svolgere attività politico-giornalistica nei modi propri degli organi di partito, e non lo interessa più essere anche dirigente politico, come lo era stato del Pci, dell'Api e della Fgci. Non si tratta di un ripensamento politico, ma di difficoltà, soggettive e oggettive, inerenti al non sempre facile rapporto intellettuali-Pci»[16].

In margine a un evento secondario come il congresso del Pci di Livorno Rodari scrive (ed è una delle poche testimonianze dirette della sua posizione in questo momento): «C'è una storia nazionale del Partito, rinato nel dopoguerra come partito nuovo, di massa, attorno ad un gruppo ristretto che proviene dalla lotta clandestina: il vecchio che aiuta il nuovo a nascere ma nello stesso tempo gli crea dei limiti. In questa storia hanno un peso decisivo gli anni della guerra fredda, che determinano le forme dello sviluppo organizzativo attorno ad un nucleo di quadri fedeli, solidi, sperimentati», ma anche autoritari, chiusi, non disposti al confronto[17]. Rodari si muove sulla linea espressa anche dallo storico Roberto Battaglia qualche giorno prima: la dialettica interna fra torto e ragioni non riguarda soltanto il capitalismo ma anche il movimento operaio, però è indispensabile non rinunciare al legame con i paesi dell'Est comunista in nome di una via italiana che va comunque difesa[18].

Non ci sono altri articoli di Rodari sull'Ungheria, sappiamo però che quando, con maggiore libertà, potrà su «Paese Sera» bollare come una pagina nera l'invasione di Praga da parte dei carri armati sovietici nel 1968 lo farà: «non abbiamo mai creduto, e non possiamo cominciare a credere adesso, che i carri armati siano lo strumento più adatto a risolvere le controversie ideologiche circa le vie di sviluppo del socialismo»[19]. E ancora: «Dell'Unione Sovietica, di tutti gli Stati socialisti, siamo e resteremo amici, ma non per avallare ciecamente i loro atti, non per tacere di fronte a un'aggressione ingiusta, immotivata, com'è quella di cui sono vittima il partito comunista, lo stato socialista, il popolo cecoslovacco.

Abbiamo sempre giudicato gli avvenimenti liberamente e responsabilmente. Continueremo a farlo senza confondere la nostra voce con quella di chi, schierato dall'altra parte, non tanto vuole libertà per la Cecoslovacchia, quanto vorrebbe la disfatta del socialismo»[20]. «Per noi il socialismo vuol dire più libertà, o non vuol dire niente»[21].

Tornando sullo stesso tema qualche anno dopo, Argilli aggiunge: tutto era diventato più difficile «con le rivelazioni del XX congresso del Pcus (le discussioni nella redazione di 'Avanguardia' furono drammatiche, accoratissime). Convinto 'ventesimo congressista', Rodari acquisisce una immediata e piena consapevolezza antistalinista e, pure se non scriverà mai sulle degenerazioni avvenute nell'Urss, le sue opinioni al riguardo saranno sempre ferme, come rivelano anche alcune sue poesie inedite»[22].

A Michele Lalli, compagno giornalista di «Avanguardia», morto alcolizzato, dedica questa poesia: «Da morto M. L. era disteso/ le mani ripiegate sul doppiopetto blu/ le mani con cui aveva tanto parlato/ e una volta a Natale/ disossato un pollo intero/ discorrendo di molti libri/ da vivo beveva vino cattivo/ nelle più zozze osterie/ dal tavolo dei ladri/ in segno di rispetto/ gli mandarono una bottiglia/ con un discreto inchino/ ma al suo funerale/ eravamo già tutti persone perbene/ troppo perbene/ troppo perbene»[23].

Scriverà a Paolo Spriano: «Per il povero Lalli: è vero, un po' lo abbiamo ammazzato anche noi. Ma devi tener presente che il povero paga sempre. Lalli ha avuto l'ingenuità di nascere da un guardaboschi invece che da un genitore piazzato in commercio, politica o belletristica; di nascere su per un bricco del Molise, invece che a Roma o Milano; di conservare tutte le virtù della provincia, comprese le più letali, lavorava a Pattuglia [...] e ci credeva tanto che ci giocò tutte le sue carte. Così è arrivato presso i 40 completamente esaurito dagli sforzi iniziali, dagli errori del povero, eccetera. Il bere è solo la crosta del fenomeno»[24]. E ancora, in un'altra poesia pubblicata da Argilli: «La scrittura è nata per servire il potere/

per registrare esattamente il numero degli schiavi/ per numerare le pietre che ognuno di essi/ ogni giorno doveva recare alla costruzione della piramide/ per raccogliere le leggi a cui essi dovevano obbedire/ per eternare le lodi del faraone/ per scrivere il nome del padrone sulle fatiche del servo/ il nome del generale con il sangue del soldato /il nome della ditta sul plus valore/ il nome di Stalin sulla rivoluzione di Lenin/ ma anche Lenin sapeva scrivere e non scriveva per addormentare i popoli»[25]. Brecht, che è fin dalla giovinezza termine di confronto fondamentale, torna qui a interrogarlo sul suo ruolo, su quello degli intellettuali in generale.

Parco di ricordi personali su questo periodo, Rodari lo riassume così:

a Roma ho diretto un settimanale per ragazzi, poi un settimanale per i giovani. Poi sono tornato a lavorare in un quotidiano. Ora facevo il «capocronista», cioè dirigevo il lavoro degli altri cronisti, quelli che si occupavano di «cronaca bianca», di «cronaca nera» (i delitti, i furti, gli incidenti stradali), di «cronaca giudiziaria» (i processi), di «cronaca sindacale» (le questioni dei lavoratori, gli scioperi). Era molto bello, ma faticoso. Andavo a lavorare alle quattro del pomeriggio e lavoravo fino alle cinque della mattina. Però non potevo rincasare subito, perché mia figlia – che allora era molto piccola – si svegliava al minimo rumore: dovevo aspettare le sei, l'ora della prima poppata. Per far venire le sei andavo al Gianicolo a fumare una sigaretta, o restavo a chiacchierare con i tipografi.

Paola è nata nel 1957. A lei Rodari dedica *La stella Paola*: «Se un giorno alle stelle/ si daranno nomi nuovi/ io ne prenoto uno/ una vispa stellina/ a destra della luna,/ per darle il nome della mia bambina./ Astronauti e scienziati,/ poeti e scolari/ saranno obbligati/ a dire: com'è bella/ Paola la stella».

Ha scritto Italo Calvino: «Bisogna ricordare che i giornali in cui Rodari lavorò erano la stampa comunista di questi trentacinque anni di guerre fredde e inverni caldi; questo per dire che lo humour e la leggerezza ha sempre dovuto metterceli lui di suo, doni del suo temperamento e del suo garbo e della sua testa sempre limpida»[26]. Il lascito maggiore di questi anni di «guerre fredde e inverni caldi», per riprendere la bella espressione di Italo Calvino, è senza dubbio quello che l'amico Marcello Argilli ha definito il «vero grande romanzo» di Rodari, un romanzo che si legge «attraverso lo stupefacente caleidoscopio delle poesie», «la più fantasiosa rappresentazione lirico-sociale dell'Italia apparsa nella nostra letteratura infantile»[27]. E forse non solo in quella[28]. Rodari infatti continua a pubblicare storie e filastrocche sul «Pioniere», sull'«Unità» di Roma con le rubriche *Il novellino del giovedì* e *Il libro dei perché*, che inizia il 18 agosto 1955. *Il viaggio della freccia azzurra* esce nel 1954, *La gondola fantasma* nel 1955. *Gelsomino nel paese dei bugiardi* nel 1958.

Opere che lette accanto agli articoli di «Avanguardia» per l'appunto confermano quanto Rodari stesso pensa di sé: «io finora sono riuscito a parlare solo per favole, anche, per così dire, moralmente robuste; ma la presa diretta con la realtà mi scappa sotto i piedi»[29]. Non sarà sempre così ma certo è che di questa prima parte degli anni Cinquanta restano, più degli articoli, le favole e le filastrocche a raccontare un paese complesso, il paese dei prepotenti, i Limone e Pomodoro, ma anche del giovane Cipollino, dei piccoli vagabondi e dell'alluvione del Polesine, il paese dei mestieri che hanno odori e colori, delle ferrovie che servono per viaggiare e scoprire l'Italia a volte bella, a volte no[30]. Per vedere la scuola, per incontrare gli emigranti:

> Ma il cuore no, non l'ho portato:
> nella valigia non c'è entrato.
> Troppa pena aveva a partire,
> oltre il mare non vuole venire.
> Lui resta, fedele come un cane,
> nella terra che non mi dà pane:
> un piccolo campo, proprio lassù...
> Ma il treno corre: non si vede più[31].

9.
Il Movimento di cooperazione educativa

Ora lei sa, professore, concluse il preside,
lei sa meglio di me in che tempi viviamo, che tipo
di gente ci comanda; ed allora le raccomando
di attenersi sempre, rigidamente,
ai programmi ministeriali.

Luciano Bianciardi

Un'altra caratteristica italiana del Movimento
consiste nell'aver sviluppato il concetto di
classe scolastica come comunità.

Gianni Rodari

Malgrado il successo come scrittore per l'infanzia la scuola, all'inizio, non rientra affatto fra gli interessi di Gianni Rodari, se non come uno dei contenuti possibili della sua attività di giornalista. L'11 settembre 1952 firma un articolo dal titolo *Si avvicina il giorno del ritorno a scuola*, nel quale dice che per mandare i bambini a scuola c'è un modo sbagliato e c'è un modo giusto: quello sbagliato consiste nel preoccuparsi solo che abbiano un buon grembiulino, una cartella che non vada in pezzi, l'occorrente per scrivere. Quello giusto, invece, consiste nel preoccuparsi di tutta la vita scolastica[1]. Ancora nel 1952, denuncia Rodari nell'articolo, molte scuole sono occupate da «sinistrati, da uffici statali, da reparti di polizia», e il numero delle aule mancanti è altissimo. E quanti sono i paesi senza scuola? Quante sono le scuole comunali che arrivano solo alla terza classe?

Sono centinaia quei paesi, sono migliaia queste scuole. Ma quattro mura non sono ancora una scuola. Qual è l'età media dei banchi delle scuole italiane, la quantità dei libri nelle bibliotechine scolastiche (gentile eufemismo che indica una decina di volumi squinternati, spesso buoni soltanto per accendere il fuoco)? E poi: quante scuole italiane hanno il riscaldamento assicurato per l'inverno? Quante di esse hanno a disposizione il minimo indispensabile di materiale per l'insegnamento? Patronato scolastico, refezione scolastica, assistenza sanitaria, doposcuola [...]. A toccare un problema, ne vien su un grappolo intero[2].

Rodari vede le condizioni socio-economiche in cui versa la scuola italiana ma non entra ancora nel merito dell'insegnamento. Da direttore del «Pioniere» è del resto costretto a occuparsi di educazione: segue, come è evidente dal suo *Manuale*, un modello che trae spunto da Makarenko e si confronta con la pedagogia attiva di John Dewey che arriva in Italia grazie al lavoro di Ernesto Codignola e Lanfranco Borghi, che fondano la rivista fiorentina «Scuola e città»[3]. Imparare facendo, attraverso il metodo della ricerca, è il fondamento di uno sguardo che si coniuga con l'attenzione verso il metodo scientifico imparato dal compagno Lucio Lombardo Radice, figlio del grande pedagogista che ha portato nell'Italia degli anni Venti l'ideale roussoiano di educazione.

Di Antonio Gramsci e dei suoi *Quaderni*, delle *Lettere* ai figli, delle fiabe loro raccontate, Rodari condivide la 'pedagogia dello sforzo' e del mutuo aiuto, molto presente nei suoi primi articoli così come nelle risposte alle lettere dei bambini («impegnatevi!»)[4].

Ma è sempre una dimensione verticale del rapporto docente/discente. Come ha infatti chiaramente notato Franco Cambi, che su questo aspetto della teoria rodariana ha scritto le pagine più belle, «il marxismo ha guardato l'infanzia da lontano, anzi, possiamo dire, da un'altra sponda. Non ne ha sentito il 'fascino' e il 'valore', anche se ne ha avvertita l'importanza, e non solo in senso strategico-politico. L'infanzia, infatti, ha un posto decisivo e centrale nella costruzione del socialismo, ma essa viene sostanzialmente risolta in infanzia sociale e viene così immersa, quasi senza residuo, nella storia»[5]. Il bambino è condizionato dalla società, dal sistema entro cui vive (capitalista o socialista): rinnovare l'educazione significa dunque lavorare per la costruzione di un uomo nuovo «cardine del socialismo realizzato».

L'infanzia viene così, contemporaneamente, esaltata e dimenticata non appena il bambino diventa uomo. Solo l'incontro con pedagogisti come Raffaele Laporta e il Movimento di cooperazione educativa (Mce) lo porterà ad andare oltre una certa idea dell'insegnamento e a prendere in considerazione la questione del rapporto fra i bambini e gli insegnanti, dell'apprendimento, della didattica, del senso stesso della parola 'scuola'. Del senso stesso della parola 'bambino', che non sarà il montessoriano aiutarli a fare da soli, ma semmai l'osservarli e aiutarli a fare insieme[6].

Rodari giornalista e scrittore per l'infanzia non frequenta ancora insegnanti, ma l'incontro con la scuola nella sua realtà cambia radicalmente il suo sguardo grazie alla Cooperativa della Tipografia a scuola. Una storia che vale la pena ripercorrere. Nelle Marche, un maestro comunista che si chiama Giuseppe Tamagnini scopre in un libro di Aldo Agazzi, *Panorama della pedagogia d'oggi*, un educatore francese, Célestin Freinet, che lo incuriosisce. Decide di scrivergli, è il 1950. Freinet gli invia un pacco con tutti i suoi materiali e l'indicazione di procurarsi una piccola tipografia. Tamagnini avvia la sperimentazione che porterà alla nascita del Movimento di cooperazione educativa. L'aspetto più interessante del Movimento è la rivoluzione didattica in luoghi lontani dal centro, in quelle scuolette di campagna che rappresentano una fetta importante del sistema scolastico italiano, come emerge dall'Inchiesta Gonella sulla scuola del 1947[7].

Una scelta di campo e di azione sicuramente lontana da quella del Pci, malgrado molti maestri e maestre siano iscritti: il Pci infatti, come scrive Rodari, si pone, innanzitutto, il problema del superamento della povertà e non della sua momentanea messa fra parentesi in contesti specifici attraverso provvedimenti altrettanto particolari; non tecniche nuove ma una riforma generale, come è evidente, per esempio, nelle critiche che lo stesso Rodari muove a Guido Calogero quando, dalle pagine della rivista «Il Mondo», il filosofo e educatore propone, nell'attesa di tempi migliori, una riforma che parta proprio dalla didattica, da quello che accade dentro le aule. Una riforma senza spese, scrive Rodari, e pure classista, perché riguarda solo chi a scuola ci va mentre ancora troppo grande è il numero degli analfabeti. Eppure il problema di cosa fare in attesa di una grande riforma della scuola rimane. Il Mce si occupa di questo[8].

Nel 1953 Raffaele Laporta organizza a Pescara un convegno proprio sulla didattica. Rodari viene mandato dall'«Unità» a coprire l'evento. «Gli insegnanti presenti a Pescara hanno apertamente preso le parti dei ragazzi, per i quali le scuole son fatte: li hanno difesi dai programmi asfissianti, dalle massacranti fatiche degli esami di Stato, da concezioni dell'insegnamento che soffocano le loro personalità, che umiliano e mortificano il loro amore per il sapere, i loro freschi entusiasmi»[9]. Di fronte al dibattito vivace, e a una lunga serie di scioperi degli insegnanti, anche il Pci decide, finalmente, di occuparsi in modo più concreto e meno ideologico dei problemi della scuola: «La scuola italiana è rimasta indietro, è arretrata, non risponde alle esigenze della società di oggi, non è uno stimolo, ma piuttosto un freno al suo necessario sviluppo»[10]. Parole di Lucio Lombardo Radice, che aprono l'editoriale del primo numero della rivista «Riforma della scuola» che, dal 1955, si pone come luogo di aggregazione, di riflessione e confronto per tutti gli insegnanti comunisti. A scuola serve più spirito scientifico, uno spirito scientifico che investa ogni materia che vuol dire «rigore di documentazione, rigore e ardimento di deduzione logica, fantasia creatrice e insieme capacità di modificare o correggere un'idea, una intuizione quando essa non sia confermata dalla pratica e dalla analisi della ragione»[11]. Un manifesto che Rodari abbraccia in pieno. Continua Lombardo Radice: la scuola non deve formare tecnici o rètori ma cittadini consapevoli.

Mario Lodi, straordinario maestro e educatore, ricorda così questo momento:

> La nostra amicizia è nata durante i convegni del Movimento di Cooperazione Educativa che nell'immediato dopoguerra si è trovato di fronte ad un grosso problema; noi eravamo una minoranza, che era arrivata al massimo ad avere 7.000 adesioni, nei confronti dei 220.000 maestri della scuola italiana; però eravamo fortemente motivati dal fatto che noi, pur non avendo mai vissuto in libertà, perché avevamo frequentato la scuola 'del fascismo', ora, caduta la dittatura fascista, vissuta la liberazione, avevamo la nuova legge da interpretare e insegnare. E fu proprio la Costituzione italiana, che ci ha messo in crisi, con l'art. 21, che diceva e dice tuttora: 'Tutti hanno il diritto di esprimere il proprio pensiero con la parola, lo scritto e ogni altro mezzo'. Ecco, noi siamo stati buttati allo sbaraglio quando abbiamo vinto il concorso magistrale. In quelle condizioni, di fronte ad un problema così grande; come potevamo insegnare la libertà noi che non l'avevamo vissuta? Che cosa voleva dire 'e ogni altro mezzo'?[12]

Un convegno importante, con rappresentanti di tutti gli ordini della scuola italiana, è quello di San Marino nel 1955[13]. Trecento partecipanti per condividere le nuove tecniche didattiche: il testo libero e quello collettivo, il giornalino, la corrispondenza fra scuole, il calcolo vivente.

Nel 1955 il governo vara la prima riforma organica della scuola primaria, sono i programmi Ermini, un banco di prova per tutti: il bambino tutto intuizione fantasia e sentimento torna al centro della scuola immaginata dalla Dc. Che fare? Come opporsi a un'educazione che vede come fondamento la religione cattolica e sogna un bambino ideale quando la realtà è, a dieci anni dalla fine della guerra, ancora profondamente ingiusta? Innanzitutto, dice l'Mce, con una didattica radicalmente diversa.

L'anno dopo, nel 1956, escono due libri fondamentali per il racconto della scuola repubblicana: *Le parrocchie di Regalpetra* di Leonardo Sciascia e *Il diario di scuola* di Maria Giacobbe che Rodari recensisce; da questa recensione il suo sguardo pare già cambiato:

e quando la maestra, presa da pena per la loro saggezza, si illude di farli sognare almeno una volta ed assegna loro il tema «Se avessi una bacchetta magica che cosa mi piacerebbe fare?», i ragazzi scrivono: «Se avessi una bacchetta magica in primavera mi piacerebbe toccare un pezzo di terra per fare uscire una sorgente perché nel nostro orto non c'è acqua abbastanza»; la maggior parte desiderano: «un paio di scarpe, un paio di calze, un paltò, un vestito nuovo», tutto qui; come si vede, nel mondo del bisogno non c'è posto neppure per la fantasia infantile. Di fronte a questa realtà di vita quanto lontane ed assurde appaiono le disquisizioni filosofiche sui problemi dell'educazione, anacronistici ed inverosimili i Centri Didattici nazionali e provinciali, le circolari, i programmi, le riforme scolastiche fatte sulla carta. Il diario di Maria Giacobbe cade come un sasso nello stagno della stampa scolastica conformista e servile. I maestri, i direttori didattici constatano da anni che la realtà della loro scuola non ha nulla in comune con la pedagogia ufficiale. Nella maggior parte delle nostre scuole la povertà attanaglia la personalità degli alunni; ed allora una vera riforma della scuola italiana si avrà solo quando tutti avremo imparato a guardare la realtà, a pretendere iniziative atte a modificare questa realtà[14].

«'Signor maestro, che le salta in mente?/ Questo problema è un'astruseria,/ non ci si capisce niente:/ trovate il perimetro dell'allegria,/ la superficie della libertà,/ il volume della felicità.../ Quest'altro poi/ è un po' troppo difficile per noi:/ quanto pesa una corsa in mezzo ai prati?/ Saremo certo bocciati'./ Ma il maestro che ci vede sconsolati:/ 'Son semplici problemi di stagione./ Durante le vacanze/ troverete la soluzione'»[15]. Mario Lodi l'avrà a mente quando pochi anni dopo proporrà ai bambini di misurare lo spicchio di sole che riscalda il cortile a ricreazione[16].

Rodari si abbona a diversi giornalini (anche al nostro) per seguire ciò che si fa nella scuola italiana (perché ai convegni noi facevamo relazioni sul nostro lavoro, ma lui voleva vedere anche il prodotto di questo lavoro e valutarlo). Voleva capire quando i maestri cominciano a liberare il pensiero infantile e non era un lettore passivo. L'idea di fondo della concezione della scuola che si stava formando in lui è che essa non è solo il luogo dove il maestro e il bambino lavorano, uno per insegnare e l'altro per imparare, la scuola comprende i genitori, i maestri, i professori, le biblioteche, i comuni, la televisione, tutto; tutto è educante e influisce in modo positivo o negativo sui bambini, sui giovani, sugli adulti. Una scuola così grande, diceva, non può essere limitata al leggere, scrivere e far di conto, ma deve accogliere la vita del bambino e le passioni, cioè gli ideali degli adulti, in un confronto continuo di esperienze, di sogni, di progetti[17].

> Un giorno dal treno
> in corsa lungo l'Adriatico
> (ma forse era il Tirreno)
> ho visto un paesino
> tutto nuovo e carino,
> con le case ben pitturate,
> le antenne della televisione
> nell'azzurro ricamate...
> Un po' in disparte,
> come il canile di fianco
> alla casa del padrone,
> c'era una catapecchia
> che forse era già vecchia
> ai tempi di Nerone.
> Era la casa più brutta del paese,
> pareva una casa morta,
> ma c'era scritto «Scuola»
> proprio sopra la porta [...][18].

10.
«Paese Sera»

Sono un giornalista d'élite
e infatti scrivo per i metalmeccanici.
Mario Melloni (Fortebraccio)

O giornalista inviato speciale
Quali notizie porti al giornale?
Sono stato in America, in Cina,
in Scozia, Svezia ed Argentina.
Gianni Rodari

Nel settembre 1958, nella sua casa romana, viene ritrovato il corpo di Maria Martirano, moglie dell'imprenditore milanese Giovanni Fenaroli. Per l'omicidio viene arrestato Raoul Ghiani, un giovane accusato di aver ucciso la donna per conto del marito. A Roma solo il quotidiano «Paese Sera» è del tutto innocentista; il vicedirettore, Fausto Coen, vuole dedicare al caso le sue migliori penne, quando una mattina Amerigo Terenzi lo chiama e gli chiede un parere sull'eventualità di assumere Gianni Rodari «che voleva lasciare 'l'Unità' dove non si trovava a suo agio»[1]. Coen è entusiasta, Rodari è proprio la penna che sta cercando. Dal colloquio, ricorda Coen, risultano evidenti i motivi dello scontento di Rodari: «l'Unità» a suo parere aveva pensato di usarlo soltanto per storie legate ai bambini o all'educazione non così frequenti. Per questo, secondo l'amico e collega Giuseppe Boffa, per «l'Unità» Rodari è un 'lusso'[2]. Da parte sua Rodari è stufo, vuole tornare a fare il cronista sul serio. «Non potevo sperare di più. Era proprio quello che serviva a me. Rodari scrive con chiarezza, non dà mai niente per scontato, tratta i bambini da grandi e i grandi da bambini», scrive Coen, « e questo è il suo grande segreto comunicativo»[3].

Così inizia la collaborazione di Rodari a «Paese Sera». Un cambiamento importante che gli consente di approfondire aspetti della vita culturale e sociale del paese che aveva già iniziato ad indagare su «l'Unità», come quello della lingua, per esempio[4]. L'attenzione ai gerghi, ai tic, alle questioni linguistiche più in generale, risale al dibattito che si sviluppa, dopo la guerra, in Italia, sull'opera di Antonio Gramsci da un lato, sugli scritti sulla linguistica di Stalin dall'altro. Stalin, infatti, in modo del tutto inatteso, nel 1951 (fra una persecuzione dei medici ebrei e la carestia che attraversa il paese), decide, in modo assolutamente estemporaneo, di scrivere tre articoli sulla lingua che tutti gli intellettuali comunisti sono tenuti a prendere sul serio: articoli che esprimono poco più che il buon senso, scriverà Tullio De Mauro, ma che avranno tuttavia almeno un merito, quello di dire che non esiste una teoria ufficiale comunista sulla lingua.

Di questo dibattito ancora sarà visibile l'eco nel *Lavoro culturale* di Luciano Bianciardi, vero compendio della vita e dell'immaginario del militante comunista negli anni Cinquanta: dopo aver descritto, infatti, la lingua del lavoro culturale, per cui il problema si *pone* o si *solleva* sempre, all'interno di un *dibattito* al quale i compagni portano un *contributo*, chiude ricordando che in Italia nemmeno la discussione sul linguaggio sfugge a questi tic perché ogni lingua è convenzione, «anche quella dei responsabili del lavoro culturale. A costoro occorre rispondere citando un'autorità che fu ritenuta altissima nel campo della linguistica, ed in molti altri campi ancora: 'I dialetti di classe, che sarebbe più esatto chiamare gerghi, servono non le masse del popolo, ma un ristretto gruppo sociale superiore'»[5].

I gerghi, come quello dei giornali, che Gianni Rodari indaga in *L'astante*[6], ricalcando la stessa ironia pensosa di Bianciardi: l'astante è uno che fa soltanto «cose che si dicono sempre allo stesso modo»; il suo compito è di *intervenire energicamente per far cessare lo sconcio*; osserva la scena dal marciapiede di fronte, si *prodiga in una nobile gara di generosità*, ecc. Nessuno dirà mai di lui, «semplicemente ed umanamente», che si arrabbia: lui può soltanto *far sentire la sua indignata protesta*[7].

«Paese Sera» ha una storia che vale la pena di ricordare brevemente: il primo numero esce il 6 dicembre 1949, si chiama per ora soltanto «Il Paese»[8]. La differenza con «l'Unità» è subito evidente a partire dalle firme come quella di Fausto Coen, che racconta delle origini e del primo direttore, Tomaso Smith: «Tomaso Smith non era comunista, ma come molti di noi sentiva che in quel momento non si poteva stare che da quella parte e che solo da quella parte si potevano condurre utili battaglie per la democrazia»[9]. C'era il contingentamento della carta che limitava sia la tiratura sia il numero delle pagine. La redazione era composta da sedici persone, sette soltanto con contratto giornalistico. Nessun corrispondente estero, tre soli corrispondenti in Italia, un solo stenografo, nessun inviato, nessuna agenzia a dare le notizie.

«l'Unità», «Paese Sera» e «Rinascita» vengono impaginati nello stesso stabile di via dei Taurini, a piano terra, nei piani superiori, le redazioni; malgrado questa contiguità, che è anche politica, «Il Paese» è un giornale molto diverso dall'«Unità»: la cronaca nera e lo sport sono le sue colonne portanti, ricco di racconti gialli in stile americano ha una striscia di fumetti quotidiana che quando arriva Rodari sono *Dilly e gli uomini* o *Buck Rogers* (presto arriverà anche Charlie Brown).

Fra i primi pezzi di Rodari vale la pena ricordarne uno del 1959, *Do-re-mi-fa-sol-letico*, che parla della figlia Paola:

> la nostra bambina ha doppiato il capo del mezzo lustro: si avvicina, in punta di piedi ai tre anni, combatte con coscienza l'erre moscia, fa i suoi esercizi musicali picchiando su un pianino giapponese (mille lire in un grande magazzino): – Do-re-mi-fa-sol-letico! Ogni sforzo per farla rientrare nei binari del conformismo tonale è vano.

Se una volta, ipocritamente, infila tutta la scala, fino al double ottava superiore, la volta successiva sogghigna e precipita: solletico. In fondo non mi dispiace che dica quello che pensa. Che difenda la sua libertà dall'ordine costituito. È importante che i bambini crescano anticonformisti. Un tantino irriverenti in quest'epoca che squaglia anche gli altarini della luna. La colpa o il merito è nel nostro caso del padre. Debbo confessare, per spiegarmi completamente, che per quanto scrittore modestissimo di favole a raccontare le favole mi annoio. La bambina mi perseguitava con Cappuccetto rosso, Biancaneve, Pollicino ed altri personaggi, che faceva oggetto di pressanti richieste. E io paziente, sant'uomo come tutti padri all'ora di mettere a letto i bambini, docile fedele cominciavo ogni volta sospirando: c'era una volta una bambina che si chiamava Cappuccetto rosso perché... ma una sera, giocando, infilai di soppiatto nella classica fiaba, senza chiedere scusa né permesso all'ombra di Charles Perrault, una variante di colore: c'era una volta una bambina che si chiamava Cappuccetto giallo[10].

Su «Paese Sera», dunque, rielabora, in articoli per gli adulti, i temi delle sue storie per l'infanzia. Un esempio in questo senso sono, nel 1962, le *storie minime*, brevi apologhi sul buon senso comune: «non c'è niente di nuovo sotto il sole, – disse un vecchio Modo Di Dire. Accade in un'ora quel che accade in cent'anni, – ribatté un Proverbio Ottimista. Il povero Modo Di Dire, per la sorpresa, cadde in desuetudine e morì».

«Un uomo di neve non era del tutto soddisfatto di sé stesso. – Mi manca, – si lagnava, – una pipa in bocca. Chi mi mette una pipa in bocca? – Ma nessuno gli dava retta. Con l'avanzare del sole, l'uomo di neve cominciò a sciogliersi. – Ecco, – piangeva, – sto morendo dal dispiacere perché nessuno ha voluto regalarmi una pipa. E infatti si liquefece dalla testa ai piedi. C'è anche chi crede di morire per una cosa e muore per tutt'altra». O, infine: «Un tizio salì in cima al Colosseo e gridò: – Mi butto? – Non è regolare, – gli fecero osservare i passanti. – Lei doveva metterci il punto esclamativo, non il punto interrogativo. Torni a casa e studi la grammatica. Qualche volta un errore di grammatica può salvare una vita»[11].

Sul quotidiano romano Gianni Rodari terrà negli anni diverse rubriche: cronaca, politica e cultura (l'inserto libri del quotidiano romano è l'unico in quegli anni), ma la più importante sarà senza dubbio il Benelux quotidiano: il corsivo, l'elzeviro, che nasce per mano di Cesarini, Chilanti e Orecchio e che Rodari eredita, diventando per vent'anni la coscienza critica del quotidiano.

Benelux interviene su fatti di cronaca come la pomata inventata da un americano per risolvere il problema razziale trasformando i neri in bianchi; sull'annuncio apparso sul «Gazzettino di Venezia», nel quale un parroco di Varese cerca una perpetua dai 35 ai 45 anni[12], sul black-out televisivo che fa riannodare vecchi discorsi dell'era pretelevisiva, sull'autocarro pieno di cipolle cha fa piangere tutta la val Pusteria, sulla rubrica dell'«Osservatore romano» che suggerisce parole alternative alle bestemmie.

Tutte notizie vere. C'è poi la cronaca politica: la capitale è saccheggiata dalla peggiore classe politica democristiana. Urbano Cioccetti, sindaco di Roma fra il 1958 e il 1961, scambia l'appoggio del Msi con la rinuncia alla celebrazione il 4 giugno della liberazione di Roma dai nazifascisti: «Elettore siamo giusti,/ tutti i gusti sono gusti/ c'è chi guarda la passante/ c'è chi guarda il comandante/ e tra i tanti c'è anche chi/ guarda i fatti e vota Dc./ C'è chi guarda Monte Mario,/ dove ormai cala il sipario,/ perché c'è l'immobiliare/ che un hotel ci fa piazzare./ Poi, giacché ci ha gli occhi lì,/ guarda i matti e vota Dc./ C'è chi guarda, senza occhiali,/ le voragini stradali/ se ci casca putacaso/ e fracassa auto e naso,/ a votare va in tassì/ guarda i bozzi e vota Dc»[13]. Sono gli anni della costruzione dell'Hotel Hilton a Monte Mario e di numerosi abusi edilizi che coinvolgono non solo la città, ma tutto l'agro romano.

Il 20 febbraio 1962 Benelux saluta il countdown dell'astronauta Glenn con un articolo dal titolo *La pizza in cielo*: l'astronauta ha deciso infatti di mangiare, come ultimo cibo solido prima del volo interplanetario, una pizza cucinata da un emigrante italiano, anzi ciociaro, «un uomo che per il suo ultimo pasto terrestre prima del volo, tra centomila piatti della cucina internazionale sceglie la pizza non è soltanto un uomo di buon gusto, non è più solo un amico: è un fratello»[14].

Chi è Benelux e come fa ogni giorno a trovare il lato comico in tutte le cose Rodari lo spiega la prima volta il 14 settembre 1961: la domanda non dovrebbe essere questa ma il suo contrario, ovvero se non gli piange il cuore a trascurare tutti i giorni 99 spunti necessari. Non c'è notizia, infatti, che non abbia il suo lato comico. «È stato detto tante volte: Benelux fa repubblica per conto suo. Se tutti fanno 'perepè', lui può fare 'piripì' e nessuno lo fa star zitto. Gli è permesso sputar sentenze su qualsiasi argomento, dagli orologi svizzeri al calcio, dalla politica estera all'allevamento del bestiame, senza essere un esperto. Insomma si comporta esattamente come l'uomo della strada e le sue opinioni non impegnano né sua moglie, né, cosa nuova nella storia, il suo giornale»[15]. E nel 1969, per festeggiare i vent'anni della rubrica, scrive:

è noto che Benelux nacque nel lontano 1949, in corsivo. Perché quel nome? Quasi per burla. Ci sono dei padri che si burlano dei figli, all'anagrafe. Conoscevo un veneto il quale ebbe tre figlie: la prima la chiamò Una; quando nacque la seconda, la chiamò Rosa; quando spuntò la terza, la chiamò Fiorita. Ed ecco 'Una Rosa Fiorita' in tre persone uguali e distinte. Benelux era uno solo e gli autori dei suoi giorni, originariamente tre, che si davano il turno, per dirla con messer Ludovico Ariosto, «come a vicenda i mantici che danno, or l'uno or l'altro, fiato alla fornace». Dovendo trovare uno pseudonimo comune ed impersonale, i tre si ispirarono, da autentici giornalisti, a un fatto del giorno: Belgio, Olanda e Lussemburgo, in quei tempi, davano vita a una comunità denominata, dalle loro sillabe iniziali (Belgique, Nederland, Luxemburg), 'BENELUX'. E Benelux fu anche per «Paese Sera».

Appena nato, Benelux manifestò un notevole spirito di indipendenza. Chiunque fosse l'autore di turno del corsivo, egli era portato, dapprima involontariamente e poi in piena coscienza, a chiedersi: «Come può ragionare, Benelux, di fronte a questo avvenimento? Come giudica questo personaggio?». Così, dopo il nome, nacque la persona: il signor Benelux, sposato, con prole, cambiali, umori e malumori suoi, proprio come l'ometto della strada cui assomigliava sempre di più da vicino, al quale una volta rubava la battuta al bar, e un'altra volta era lui a suggerirgliela dal giornale. Di mezza età, ma non insensibile al modo di vedere dei giovani. Impolitico, ma non apolitico. Di sinistra, ma non dogmatico. Plebeo, ma non qualunquista. Capace di arrabbiarsi e capace di ridere. Senza peli sulla lingua, ma bonario. Sincero, ma non fazioso. È sempre lui, sempre uno che fa repubblica per conto suo, sempre uno che pensa con la sua testa, ma, proprio perché pensa, capace di imparare da quel che vede e da quel che succede; capace, citiamo ancora l'Ariosto, di fare «come il buono/ suonator sopra il suo strumento arguto/ che spesso muta corda e muta suono/ trapassando ora al grave ora all'acuto».

È sempre Benelux, a chiunque appartengano le dita che picchiano, un giorno dopo l'altro, sulla macchina da scrivere. E ne sono passate molte, di mani, sulla macchina di Benelux. Qualcuna per un giorno solo, qualcuna per dieci anni. Può capitare, in un certo periodo, che Benelux si identifichi, o venga identificato, con questo o con quello. Può capitare un Cireneo più paziente di altri, che porti più a lungo la croce e la delizia di Benelux. Ma quel che conta è lui, il Cittadino Benelux, che è poi, fondamentalmente, più che un giornalista, un lettore di «Paese Sera»: un italiano senza orecchini al naso, che crede nell'intelligenza e nella passione degli altri italiani e crede anche, nonostante tutto, nel futuro di questo paese, che per lui è e rimane, al di là di ogni dubbio, il più bel paese del mondo[16].

In un ricordo sugli anni di «Paese Sera», Tullio De Mauro racconta di come spesso Rodari arrivasse al giornale in taxi e in quel piccolo viaggio quotidiano, nelle chiacchiere con i tassisti, elaborasse i suoi corsivi[17].

Gianni Rodari era il migliore di tutti noi. Era anche il più irriverente e trasgressivo. [...] Nella sua testa c'era sempre un groviglio di cose strampalate: tali apparivano a chi si adagiava a pensare sempre sullo stesso binario e sempre con le stesse parole. A lui invece piaceva stappare i cervelli [...]. Quando arrivava al giornale si faceva le sue chiacchieratine in corridoio, entrava nella stanza dello sport, in quella degli esteri, agli spettacoli. Dopo la lettura dei giornali scriveva l'articolo o più spesso il Benelux. Erano 26 righe di 60 battute. Palmo della mano destra sulla guancia, meditava e fumava. Poi la partenza del pezzo lentissima, accompagnata da lunghe tirate. Scriveva, si fermava, prendeva appunti sul cartoncino di una scatola di minerva. Parola dopo parola, sigaretta dopo sigaretta, arrivava al traguardo del suo Benelux non prima di un'ora. Spesso ci metteva di più. I suoi temi preferiti erano la cronaca e il costume[18].

Ma anche la cronaca sportiva, che su «Paese Sera» è affidata a grandi giornalisti. Così descrive la redazione sportiva del giornale: «occupa una stanza lunga, che riceve luce da una finestra sola, larga però una intera parete. La finestra è a sua volta quasi interamente occupata da un istituto di suore. Si vedono ogni tanto suorine affacciarsi timidamente, o passare in fretta, come in una poesia crepuscolare»[19]. C'è Giovanni Arpino, c'è Aldo Biscardi al quale regalerà, anni dopo, il titolo della trasmissione tv: *Il processo del lunedì*. Lì vengono scritti articoli seri.

Guai se non lo fossero, guai se facessero sorgere nel lettore il sospetto che l'argomento sportivo è trattato con leggerezza, con snobismo o, peggio, con disprezzo. Di una partita di calcio bisogna parlare come si parla di un processo. I suoi eventi vanno trattati come eventi storici. Permesso il giudizio tagliente, non è tollerata l'esibizione di spirito se non da parte, occasionalmente, di corridori in proprio, senza responsabilità di critici. Magari il sarcasmo, ma l'umorismo solo a piccole dosi, pesate sulla bilancia politica. Se uno pensa che lo sport sia qualcosa di «minore», di marginale, di puramente ludico, è meglio che non cominci nemmeno a scriverne: si sentirebbe subito che non ci crede, il lettore si offenderebbe.

In questo senso campione di stile è Aldo Biscardi. Una volta, scrive Rodari, «ho sentito commentare un articolo di Biscardi in tram, da un bigliettaio e da un suo amico, forse parente. Erano molto seri, entrambi. Ricordavano altri articoli precedenti, citavano cose che Biscardi aveva detto un anno prima, o anche due. Non diversamente due letterati avrebbero parlato di Francesco De Sanctis o di Benedetto Croce»[20]. Le cose non sono serie o frivole in sé, è il modo come se ne parla che le fa diventare serie o frivole. Lo sa benissimo anche Arpino, che fa il giornalista sportivo con la stessa serietà con cui fa lo scrittore. Quando parla di lui, però, Biscardi non dice «Arpino», dice «Giovanni»[21]. Definendo il suo lavoro di giornalista Rodari dirà:

ora faccio un lavoro meno faticoso. Consiste in questo. Ogni giorno devo scrivere per il mio giornale un pezzetto [...] su un argomento a mia scelta, politico o no, serio o divertente, polemico o umoristico. Posso farlo in redazione oppure a casa. Se lo faccio a casa, lo detto per telefono a uno stenografo del giornale [...]. Questo lavoro mi obbliga a studiare la gente, a cercare di capire i suoi malumori: io debbo cercare di scrivere quello che la gente pensa, di modo che il lettore, leggendo il pezzetto, possa dire «ecco, è proprio così». Nello stesso tempo debbo cercare di toccare nel lettore le corde migliori, non le peggiori: di farlo riflettere, non di incoraggiare le reazioni più superficiali. Che cos'è in definitiva un giornalista? È un cittadino che scrive a nome degli altri cittadini, che esprime le loro aspirazioni, che difende i loro diritti[22].

Un ricordo molto bello del Rodari di «Paese Sera», visto dagli occhi di una piccola lettrice, è quello di Paola Arduini, oggi insegnante, che mi ha raccontato:

Sono nata nel 1963. Mio nonno, nato nel 1912, mi leggeva «Paese Sera» e i testi pubblicati da Gianni Rodari sul quotidiano. Il «Paese Sera» promuoveva ogni anno il concorso *Caro anno nuovo*; si invitavano i bambini a scrivere una letterina con i propri desideri all'anno che doveva arrivare e per tutto il mese di dicembre, credo, il quotidiano pubblicava le letterine. In casa le leggevamo ogni giorno e ne ricordo qualcuna buffa. Non ricordo invece assolutamente di cosa avessi scritto nella mia letterina, con la quale partecipai al concorso nel 1970 o '71. So che l'iniziativa non fu neanche presa in considerazione dalla maestra della mia classe perché «Paese Sera» era un giornale 'comunista'!, ma scrissi a casa e spedii la lettera. Ricordo l'emozione enorme quando trovammo la lettera stampata sul quotidiano e poi l'orgoglio quando fui chiamata a ricevere il premio (non so davvero se premio, attestato di partecipazione o altro). La festa si svolgeva in un circo o teatro tenda e il premio, consistente in una cartella rosa fosforescente con dentro libri e quaderni, mi fu consegnato da Gianni Rodari in persona! Ecco, immagini che faccio la maestra dal 1985, sono laureata, ho conosciuto tante persone, ho ricevuto diversi attestati e premi nella mia carriera. Ma se devo raccontare ai miei alunni un momento in cui mi sono sentita orgogliosa del mio lavoro, racconto sempre quella premiazione. E la risposta dei bambini è spesso un meravigliato e incredulo: «Davvero, maestra? Ti ha premiato Gianni Rodari?». Penso che dovrei includere quel premio nel mio CV![23]

11.
Lo Struzzo n. 14

> Rodari è stato forse il maggiore in questo senso... a credere nella necessità di elevare la democrazia a una dimensione fantastica.
>
> Cesare Zavattini

> Molti guai del mondo dipendono dal fatto che si può scrivere con una macchina da cucire, ma non si può cucire con una macchina da scrivere.
>
> Gianni Rodari

Quello che Gianni Rodari mette a punto con il volgere degli anni Cinquanta, il lavoro a «Paese Sera» e l'incontro con Einaudi, è una pratica linguistica democratica: le parole nella loro perpetua disponibilità all'uso e all'infrazione dell'uso, devono diventare patrimonio, davvero, di tutti, non solo di alcuni, e l'Einaudi è, in questo momento, il migliore alleato che Rodari possa trovare[1].

Tutti gli usi della parola a tutti, come scriverà tredici anni dopo nell'introduzione al suo libro più noto, *La grammatica della fantasia*, è uno slogan programmatico che prende corpo adesso, negli anni che vedono l'affermarsi del primo centrosinistra e le riforma della scuola media. Anni nei quali in molti pensano che il possesso della lingua venga prima della lotta di classe, perché l'educazione linguistica è, essa stessa, il primo passo della lotta di classe[2].

I primi libri di Gianni Rodari con la casa editrice Einaudi escono, infatti, quando la battaglia, durata tre lustri, per la scuola media unica, giunge al suo compimento, mentre nelle scuole elementari il boom economico ha portato tutti i bambini e le bambine d'Italia, per la prima volta nella storia.

L'«infanzia storica» sta cambiando, cresce per tutti la possibilità di leggere, cambiano i consumi culturali, si arricchiscono dei fumetti, della televisione che Rodari vede come sostituto di quelle antiche veglie della sua infanzia e che, per questo, non criminalizzerà mai.

Le *Filastrocche in cielo e in terra* (1960), le *Favole al telefono* (1962) e, soprattutto, *Il libro degli errori* (1964) sono il frutto più maturo di una limpida presa di posizione e non, come ha scritto Marcello Argilli, un cauto ravvedimento in funzione di un'editoria di massa. «Il problema era proprio di scoprire quando Rodari decide di avere un pubblico più vasto di quello del 'Pioniere', e quindi apre il discorso a tutti i bambini. Allora il tema per lo studioso diventa: che cosa propone Rodari a 'tutti'? E come lo propone?»[3].

Prima di tutto si tratta, per Rodari, di creare un nuovo bambino lettore, perché, molto spesso, capita che i bambini odino i libri, essendo la lettura contrapposta alla televisione, ai fumetti. Il libro diventa uno strumento di tortura, e chi non legge è un somaro. Ci sono invece delle condizioni, di non difficile realizzazione, che potrebbero cambiare il rapporto libro/bambino: partire dal raccontare storie, cioè dall'ascolto; avviare presto il bambino all'abitudine della lettura (il più presto possibile); dare delle alternative, delle possibilità di scelta su queste letture (attrezzando una biblioteca, come deve fare la scuola). Si creerebbero così le condizioni perché il bambino «voglia ciò che deve». Tuttavia la lettura, sottolinea Rodari, è qualcosa di più di una tecnica, «implica un tipo di vita interiore che non si crea a comando, che, invece, ha bisogno di altre e più complesse stimolazioni. Una tecnica si può imparare a scapaccioni: così la tecnica della lettura. Ma l'amore per la lettura non è una tecnica, è qualcosa di assai più interiore e legato alla vita, e a scapaccioni (veri o metaforici) non s'impara»[4]. «Il verbo leggere non sopporta l'imperativo, avversione che condivide con alcuni altri verbi: il verbo 'amare', il verbo 'sognare'... Naturalmente si può sempre provare. Dai, forza: 'Amami!', 'Sogna!', 'Leggi!', 'Leggi! Ma insomma, leggi, diamine, ti ordino di leggere!'. 'Sali in camera tua e leggi!'. Risultato? Niente».

Il 18 dicembre 1959 l'editore Giulio Einaudi chiede a Beppe Fenoglio di collaborare a una collana destinata ai ragazzi, ma non creata da scrittori per ragazzi, bensì da «scrittori veri»[5]. L'anno precedente, grazie al genio di Donatella Ziliotto, è stata tradotta in Italia *Pippi Calzelunghe*. L'editoria per bambini sta cambiando[6]. Come Rodari, anche Einaudi è convinto che i libri dedicati all'infanzia debbano assolutamente evitare toni moraleggianti. Fra gli scrittori che hanno partecipato alle prime collane per ragazzi di Einaudi c'è Elsa Morante e dai primi anni Cinquanta, grazie a collaboratori come Natalia Ginzburg, l'editore torinese pubblica le fiabe russe di Aleksandr Afanas'ev e inizia il recupero delle fiabe della tradizione nazionale, come preannunciato l'anno prima a Rodari da Italo Calvino che nel 1956 pubblicherà la poderosa raccolta *Fiabe italiane*. Nel suo catalogo ci saranno anche le favole di Hans Christian Andersen, sempre proposto da Ginzburg e tradotto da Marcella Rinaldi e Alda Manghi[7].

L'idea è quella di una letteratura per l'infanzia che rivendichi l'assenza di una funzione esplicitamente educativa, in contrapposizione allo stile prevalente, messo in luce fra gli altri da Daniele Ponchiroli nelle note di lettura in margine ai manoscritti ricevuti: «lo stile è femminil-bamboleggiante, da *maestra fin-de-siècle*, con i suoi relativi diminutivi e vezzeggiativi: mammina, cuoricino, vanitosetta, manina, codine, ecc. È, detto fra noi, proprio il tipo di libro che non dobbiamo fare, né ora né mai»; e anche: «Sono dodici brevi racconti (di tre o quattro cartelle ciascuno) dove si fanno parlare animali e cose. C'è sempre una morale (o moralità) ovvia e sorpassata, e la scrittura è (ahimè) poetico-lirica»[8].

Daniele Ponchiroli, Daniello, Ponchirollo, Ponchicerati, ex normalista, allievo di Gianfranco Contini, è una colonna portante della casa editrice torinese e diventa presto un referente di Gianni Rodari a via Biancamano:

Il rapporto di Einaudi con Rodari risale ai primi anni Cinquanta, ma solo anni dopo incominciano a uscire i primi libri. Nel 1960 le *Filastrocche in cielo e in terra* a cui seguirono nel '62 le *Favole al telefono* e via via altre venti opere, ultima *Prime fiabe e filastrocche* nel '90. Una lunga vita di intesa e amicizia. Dovrei ricordare tanti e tutti perché Gianni ebbe con tutti dimestichezza e corrispondenza: da Giulio Bollati a Guido Davico Bonino, da Filippo Santoni a Oreste Molina (il grafico) che cura la stampa dei suoi libri, a me che ne seguivo le fortune in libreria. Ma sopra tutti vorrei sottolineare il suo legame con Daniele Ponchiroli che, per sua natura e leggerezza di vita, avrebbe potuto ben essere un personaggio di Rodari[9].

Filastrocche in cielo e in terra «è una scelta fatta tra alcune centinaia di filastrocche più o meno felici, più o meno allegre e riuscite, pubblicate durante una diecina d'anni su diversi giornali. Il merito del libro è forse quello di averci messo dieci anni a nascere. A questo è legata la sua modestia, la sua autenticità»[10].

Filastrocche in cielo e in terra, l'abbiamo detto, è un libro per tutti, non solo per i bambini lettori dell'«Unità» o del «Pioniere». Per questo, rispetto al *Libro delle filastrocche*, le *Filastrocche in cielo e in terra* devono parlare una lingua diversa[11]. Giovanni Arpino si occupa della selezione: molte filastrocche sono già comparse nei libri precedenti, altre sono inedite. Quelle più datate, come *Il bimbo di Modena*, scompaiono; malgrado questo, per Rodari la raccolta conserva un robusto taglio politico: «Anche a me la scelta fatta sembra ottima per la varietà dei temi e perché essendo rimaste tutte le più 'politiche' (o almeno non conformiste) il tono dell'insieme, che io temevo potesse sembrare troppo idillico, è invece robusto»[12]. Le leggono in bozze Piero Dallamano e Alfredo Orecchio, amici e colleghi di «Paese Sera», che sono entusiasti e pronosticano 'un successo'.

L'8 agosto 1960 Rodari scrive a Giovanni Arpino, per ringraziarlo del lavoro fatto sul libro e tranquillizzarlo sulla selezione operata. Una lettera che vale la pena riportare: «tu non puoi immaginare quanto io mi disinteressi delle mie cose, una volta uscite da casa mia: praticamente le dimentico, non ho mai letto intero un mio libro stampato neanche per vedere gli errori tipografici, e mi viene da ridere ogni volta che apprendo notizie del monumento equestre o pressappoco che mi viene quotidianamente innalzato nell'Unione Sovietica». Le filastrocche infatti, continua Rodari, non sono poesie, sono fatte per divertire, o per insegnare qualcosa, o per dare delle informazioni,

insomma appartengono interamente alla sfera pratica e non ho nei loro riguardi l'atteggiamento dell'artista nei riguardi dell'opera, perché non sono una 'opera' e io non sono un artista; secondo, a me piacciono, ma comprendo perfettamente e senza risentimenti il punto di vista di chi le trova puerili, sciatte, o banali, o stupide, e quando me lo dicono sono assolutamente d'accordo; terzo, la mia soddisfazione (ma non è soltanto vanità) per il fatto che le predette filastrocche usciranno da Einaudi è tale che io sarei contentissimo se pure il libretto fosse ridotto a ventiquattro pagine; quarto, mi piacerà moltissimo aver in mano il libro, guardarlo, portarlo in giro a vantarmene; quinto, il primo a sapere che il malloppo era esuberante e andava potato ero io, ma come dichiarai a suo tempo e feci ripetere dai miei portavoce ero troppo pigro per farlo personalmente[13].

Arpino ha appena pubblicato *La suora giovane* e Rodari gli augura di diventare subito un classico e continua: «per me, sono uno che matura terribilmente piano (e che scrive male, ma per fortuna lo sa): il mio libro bello lo potrò scrivere solo a cinquanta suonati, se li sentirò suonare, altrimenti il mondo non avrà perso molto. Dovrebbe essere un libro molto divertente, i viaggiatori di commercio dovrebbero commentarlo così: 'quello lì, chissà indove va a tirarle fuori tante stupidate, però fa ridere, neh?'. E intanto dovrebbe insinuarsi nel loro cuore innocente e senza sospetto il veleno per i topi, e un giorno si suiciderebbero senza sapere perché». Per le illustrazioni, aggiunge Rodari, in un momento di attivismo «ho scritto al pittore pregandolo di telefonarmi per darmi un appuntamento, ma non si è fatto vivo, e io non mi sono più ricordato di cercarlo, poi sono andato al mare e ho dimenticato anche il suo nome. Non so cosa pensare: fanno tutti gli astrattisti e i quattrini. Mia figlia disegna benissimo, ma ha solo tre anni e mezzo, non prende impegni»[14]. Il libro esce, il pittore ha risposto, è Bruno Munari, che per circa dieci anni penserà la grafica di tutti i libri di Rodari per Einaudi.

Il 7 novembre 1960 Mario Lodi scrive nel suo taccuino d'appunti: «Ho trovato in libreria a Milano *Filastrocche in cielo e in terra* di Rodari, illustrato da Munari con finti scarabocchi. L'ho letto in treno. Ho provato la forte sensazione che ti dà un cielo pulito dalla burrasca, che spazza via di colpo nebbie stagnanti»[15]. Un libro per gli adulti, che condividono con Rodari una «mestizia arguta che non cede mai al pessimismo», un libro per i bambini da leggere insieme a scuola.

Per Rodari pubblicare con Einaudi è come aver ricevuto i calzoni lunghi: «Caro Einaudi, ho ricevuto le *Filastrocche* e tocco il cielo con tutte e dieci le dita. Devo proprio dirle grazie dell'edizione bellissima, molto più bella di come potevo aspettarmela. Il libro rallegra piccoli e grandi solo a sfogliarlo e ispira una gran simpatia, credo di poterlo dire come se si trattasse del libro di un altro. In famiglia mi guardano e trattano con accresciuto rispetto, e per la prima volta posso chiudere la porta del mio studio (anche se ci vado a leggere un libro giallo). Insomma, ho ricevuto i calzoni lunghi: se ha dei nemici, disponga di me»[16]. Ed Einaudi risponde: «Carissimo Rodari, sono lieto di avere in lei un nuovo paladino e sovrattutto mi compiaccio per le piacevoli conseguenze famigliari della pubblicazione del libro»[17].

Il libro riscuote un immediato successo e Rodari gira l'Italia per presentarlo. Ecco come: «cari bambini (con i genitori tra parentesi), è molto comodo, per me, presentarvi le mie filastrocche. Se lo facesse un altro potrebbe dirvi che sono brutte, noiose, inutili; e che invece di scriverle sarebbe stato meglio che io fossi andato per funghi. Essendo io a parlarne, posso invece dire che le mie filastrocche sono bellissime, divertenti e utili quasi come il pane. Questa è proprio la mia opinione, ed è anche l'opinione di mia figlia: almeno, lei lo dice, e io le insegno continuamente che non si debbono dire bugie»[18]. Il libro raccoglie tredici anni di lavoro perché per fare una filastrocca serve almeno un mese, l'idea deve essere davvero buona «e a maturare ci mette un pezzo, e poi le righe bisogna sceglierle una per una, fare in modo che non si somiglino troppo, che tutte dicano qualcosa e che le parole formino la giusta musichetta». Inoltre, aggiunge Rodari, in ogni filastrocca c'è una novità, e non basta leggere il giornale tutte le mattine per sapere e capire certe novità.

Ci sono molte filastrocche spaziali e astronautiche, «com'era giusto, perché voi siete quelli che andrete sulle stelle: uno sarà ammiraglio di un'astronave, e l'altro radiotelegrafista di bordo e io sarò così vecchio che mi dovrò accontentare di guardarvi a naso per aria, da una panchina terrestre, in qualche giardino pubblico di questo pianeta». Ci sono filastrocche piene di cose moderne: televisori, frigoriferi, frullini, motoscooter perché le cantilene di una volta saranno pure belle, «ma non sanno andare nemmeno in monopattino».

Altre filastrocche parlano di mestieri, di gente che lavora, altre insegnano che la guerra è brutta e stupida e che la pace bisogna farla prima della guerra, non dopo, quando tutto è andato a pezzi. «Suggerendo questa piccola furberia a tutti i governanti di questa terra, non ho fatto che il mio dovere. Ci sono filastrocche allegre e ce ne sono tristi, proprio come nel calendario si incontrano giornate d'oro e giornate nere; ma filastrocche senza speranza non ce ne sono, non le so fare»[19]. Perché la speranza e l'erbavoglio devono crescere ovunque ai bordi delle strade, nei vasi sui balconi, sui cappelli della gente, si tratta solo di volerlo e il mondo diventerà più abitabile.

Già si sa che una volta la terra era tutta sbagliata: c'erano i fiumi e non c'erano i ponti per passarli, c'erano montagne e non c'erano né strade né gallerie, e non c'erano nemmeno scarpe per non pungersi i piedi. Col coraggio e la buona voglia, gli uomini hanno rimediato a tanti errori; ma ne restano ancora parecchi, dovrete dare una mano anche voi a correggerli. Io spero che le mie filastrocche vi facciano venire la voglia di rimboccarvi le maniche. Alle mamme, ai maestri, desidero soltanto dire 'grazie'; se avranno la pazienza di leggere le filastrocche ai bambini che non sanno ancora leggere ma che, essendo bambini del giorno d'oggi, capiscono già tutto e anche qualcosa di più[20].

Rodari si aspetta molto da questo libro e non rimane deluso: il primo risultato è quello di essere chiamato a collaborare con il «Corriere dei piccoli»: *Alice cascherina* esce sulle pagine del settimanale il 27 luglio del 1961, così *Il topo dei fumetti*, *A comprare la città di Stoccolma*, *Brif bruf braf*, *Il semaforo blu* e altre storie che confluiranno nelle *Favole al telefono* o nel *Pianeta degli alberi di Natale*, nel *Libro degli errori*, in *Gip nel televisore* fino a *La torta in cielo*, che apparirà, prima di essere raccolta in volume, sul «Corriere» fra l'aprile e il giugno del 1964[21]. È il nuovo direttore, Guglielmo Zucconi, che lo vuole: il «Corriere» vende 370.000 copie settimanali e Zucconi lo rilancia all'insegna di una illuminata pedagogia democratica («adesso mi soffio il naso con gli assegni dei fratelli Crespi», scrive a Calvino)[22].

Lo stesso anno inizia una fruttuosa e lunga collaborazione con la «Via migliore», periodico delle Casse di risparmio, distribuito gratuitamente in tutte le scuole elementari e poi anche medie: una rivista con una tiratura di 800.000 copie che porta Rodari ad essere conosciuto da tutti i bambini e le bambine e dagli insegnanti ai quali arriva, sotto forma di gioco, la sua pedagogia degli errori, il suo sguardo aritmetico, il suo gusto per l'esattezza scientifica e soprattutto per la linguistica come occasione di riflessione in classe sulla storia delle parole, i loro usi molteplici[23].

Se i «pantaloni lunghi» Rodari li ha ottenuti da parte del mercato, spera ora di ottenerli anche dal mondo della critica e per questo, rivolgendosi a Einaudi con un ironico «Sire», propone di iscrivere le *Filastrocche* al Premio Prato dedicato ad opere di poesia ispirate agli ideali della Resistenza: «O Dio, i giudici potrebbero fingere di non apprezzare versicoli tanto dimessi, premiare versi più solenni e meno veri. Ma perché non tentare? Perché non aver fiducia nell'intelligenza dell'Uomo?»[24].

Incitato dall'amico Marcello Venturoli a spedire per tempo le copie ai giudici, Rodari si sente inadeguato. «Ah, signore, qual destino il mio: [...] non essendo più ridicolo di tanti altri, eccomi celebre su Marte e Travet in patria: da anni vado chiedendo scusa al prossimo di tanta e tanto sterile fama, mi astengo dai viaggi all'estero, non rispondo alla posta. Che si vuole da me? Il suicidio per eccesso di celebrità? Giammai: ho centomila altre ragioni per restare al mondo, e poi ho appena rifatto il motore alla macchina, il dovere di un coscienzioso rodaggio mi trattiene»[25]. Il libro è stato in effetti ben accolto, non solo dalla stampa amica, ma anche dalla tv che lo ha lanciato nella rubrica di libri condotta da Elda Lanza, dal «Messaggero», mentre «Candido» l'ha stroncato «(giustamente preoccupato per il mortale colpo da noi inferto all'educazione nazionale)»[26]. Infine «Segni ha promesso di citarmi nel messaggio presidenziale».

E in effetti il Premio Prato arriva ma diviso in tre. La cronaca della premiazione in una lettera a Einaudi al quale si rivolge così: «Muy querido y distinguido hidalgo editorial señor don Julio Einaudi de Turin y Pinerol, marques de via Blancamano, mas duque que Del Duca, ecc. la presente, in apparenza, per rinnovare il doveroso ringraziamento alla Ditta il cui avallo mi portava testé alla gloria tripartita e ai lauri di Prato, pochi ma buoni, valevoli per una lavatrice automatica Candy, un divano e due poltrone di cui mia moglie sentiva urgente necessità»[27].

Pochi mesi dopo, nel maggio 1961, in una lettera inedita, Rodari propone una nuova raccolta, questa volta di favole: cinquantasei racconti, anzi favole «lunghe cadauna da 40 a 50 righe a macchina: autentici 'sonetti' del genere, paragonabili solo alle più succose creazioni dei fratelli Grimm, originali come potrebbe esserlo soltanto Sua Santità se si mettesse in testa un cappello da bersagliere, cosa che ahinoi egli non farà mai, per timore delle reazioni del cardinal Ottaviani». Il frutto improvviso e geniale di anni di appunti presi ovunque. Cinquantasei idee, latenti per anni nell'inconscio privato e collettivo del poeta, ora pronte a uscire fuori: «Settanta/ottanta cartelle a macchina che saranno ricopiate da me con ogni scrupolo, una riga al giorno, e rilette orizzontalmente, verticalmente, diagonalmente, in retroversione, nello specchio, al microscopio, al telescopio e contro il vetro smerigliato del tavolo luminoso»[28].

Pensa che si possa intitolare il tutto «favole al telefono», immaginando che un rappresentante di farmaceutici le racconti ogni sera per telefono alla sua bambina. In questo caso servirebbe una cornice per giustificare il titolo. «Provvisoriamente, invece, mi piace il titolo seguente *Il semaforo blu e altre storie. Il semaforo blu* è in un breve apologo, e indica via libera per volare, ma le macchine non capiscono; via libera, insomma, per la fantasia, i giochi di parole, i nonsensi e i plurisensi – e per dire, su taluni argomenti, il contrario di quel che si dice di solito. Un titolo programmatico, ci si potrebbe fondare un partito: un simbolo attraente, ci si potrebbero vincere le regionali siciliane»[29].

Siamo arrivati all'autunno del 1961, Rodari spera di vederle uscire per Natale, ma Natale è troppo presto, risponde Bollati (non le abbiamo lette, siamo importanti uomini d'affari del Nord), e Rodari: «Guarda però che Natale non è vicino come dici: ho guardato il calendario, mancano più di tre mesi! Non dire bugie!»[30].

L'hidalgo Einaudi in persona, dunque, scrive a Rodari per rassicurarlo: «ecco un caso in cui lo stato d'animo dell'autore e dell'editore coincidono perfettamente», i raccontini entreranno nelle case di ogni famiglia, non solo quelle provviste di utilitaria e televisore entro Natale[31]; «curerà l'illustrazione il tuo grafico preferito Bruno Munari, al quale proprio oggi ho dato la copia fotografica di alcuni raccontini perché se li leggesse in pullmann tornando a Milano»[32].

Le *Favole al telefono* («un libro che resta, che segna un principio», scriverà Alfonso Gatto), contengono «storie nate dallo scontro occasionale di due parole, storie costruite per ricalco, o per rovesciamento di altre storie, storie per giocare, storie nate da errori di ortografia o di dattilografia, invenzioni travestite da ricordi, ricordi travestiti da invenzioni, apologhi, giochi verbali, spunti per romanzi di fantascienza presentati come fiabe, idee per filastrocche non scritte, dialoghi tra proverbi, raccontini che lasciano indovinare le letture di psicanalisi, o di etnografia, da cui sono state suggerite. In sostanza, è un libro che genitori, nonni e maestri potrebbero addirittura usare come un 'manuale per inventare storie' e usare per arricchire il loro dialogo con bambini»[33].

C'era una volta... il ragionier Bianchi, di Varese. Era un rappresentante di commercio e sei giorni su sette girava l'Italia intera, a Est, a Ovest, a Sud, a Nord e in mezzo, vendendo medicinali. La domenica tornava a casa sua, e il lunedì mattina ripartiva. Ma prima che partisse la sua bambina diceva: «Mi raccomando, papà: tutte le sere una storia». Perché quella bambina non poteva dormire senza una storia, e la mamma, quelle che sapeva, gliele aveva già raccontate tutte anche tre volte. Così ogni sera, dovunque si trovasse, alle nove in punto il ragionier Bianchi chiamava al telefono Varese e raccontava una storia alla sua bambina. Questo libro contiene appunto le storie del ragionier Bianchi. Vedrete che sono tutte un po' corte: per forza, il ragioniere pagava il telefono di tasca sua, non poteva mica fare telefonate troppo lunghe. Solo qualche volta, se aveva concluso buoni affari, si permetteva qualche «unità» in più. Mi hanno detto che quando il signor Bianchi chiamava Varese le signorine del centralino sospendevano tutte le telefonate per ascoltare le sue storie. Sfido: alcune sono proprio belline[34].

Nel 1962 Gianni Rodari mette a punto un compendio della sua poetica pubblicando su «Paese Sera» il manuale per inventare storie dedicato a «maestri, nonni e genitori di scarsa fantasia»: «non vorrei, a questo punto, mescolare le piccole cose alle grandi; un libretto per bambini alle grosse questioni estetiche e ideologiche del nostro tempo; ma credo che mi sia permesso comunque di professare la mia fede nella fantasia. Io direi che è reale, è dunque realistico, tutto ciò che nasce in modo diretto e pieno dalla fantasia»[35].

La condizione, continua Rodari, è di mettere la fantasia in grado di non ingannarsi sul reale,

> di nutrirla di vita vera, di realtà nella maggiore quantità possibile [...]. Anche scrivendo per i ragazzi romanzi e racconti, non mi ha mai preoccupato la domanda circa la validità di quelle creazioni dal punto di vista della questione realismo o non realismo. Credo che ci possa essere più realtà in una favola che in una notizia di cronaca, se la favola nasce da un'esperienza, da una coscienza critica; insomma da tutto quello che io ritengo solo degli antefatti psicologici. Anche l'ideologia è un antefatto. Non ha importanza che la fantasia scelga i suoi simboli per esprimersi in un mondo di pura invenzione, in cui non sono rispettate le leggi della natura, o in quello delle cronache dei giornali, dove ogni particolare è documentato; l'importante è che quel simbolo realistico o surrealistico abbia una sua carica di vita autentica, rappresenti una realtà digerita e assimilata e portata a fruttificare nel modo che le è più proprio[36].

Ancora una volta *Pinocchio* è l'esemplificazione perfetta di questo discorso, soprattutto se messo a confronto con il libro *Cuore*. *Pinocchio* è una creazione di pura fantasia. De Amicis per scrivere il suo *Cuore* si è documentato nelle scuole torinesi del suo tempo a lungo e con uno scrupolo filologico e pedagogico veramente eccezionale. Pinocchio è di legno; Garrone e Coretti o il Muratorino sono di carne e d'ossa.

> Ma credo che sarete d'accordo con me se penso che Pinocchio sia cento volte più vivo e più vero dei personaggi di De Amicis. Pinocchio ubbidisce alle leggi della favola che si costruisce tutta in piena libertà su un dato fantastico liberamente scelto. Per esempio: se Collodi avesse fatto un burattino di pezza anziché di legno, le

leggi della sua storia sarebbero state del tutto diverse. Le avventure di Pinocchio nascono in buona parte dal legno con cui è fatto. Il De Amicis, invece, ubbidiva ad una ispirazione realistica, documentaria. Eppure troviamo più realtà in *Pinocchio* (realtà della vita popolare, dell'immaginazione popolare e anche degli ideali educativi popolari di quel tempo) che in buona parte delle pagine di De Amicis. [...] Il *Pinocchio* non cesserà mai di essere reale, perché il suo legame con la realtà è più profondo e complesso di quello che legava il De Amicis alla realtà dei suoi personaggi e del mondo che voleva esprimere[37].

Una grande lezione, questa, imparata, primo fra tutti, da Franz Kafka: quanto più fantastico è il progetto a livello immaginativo, tanto più realistica e particolareggiata deve essere la sua esecuzione.

Varrebbe davvero la pena riportarla tutta questa conferenza che Rodari tiene a Ferrara nel giugno 1962, per la ricchezza dei temi che affronta, per l'attualità di alcune questioni che pone e che vorremmo superate dati i tanti anni passati, prima fra tutte quella della necessità di partire dai bambini e non dalla propria ideologia quando si parla di loro e con loro.

«Ora per conoscere i bambini c'è un modo soltanto: quello di osservarli, di dare loro ascolto», occorre dare ascolto alle scoperte della psicologia su come funziona l'immaginazione nei bambini e soprattutto è importante non credere ai propri ricordi:

i nostri ricordi, a parte le deformazioni che essi ricevono dal modo di lavorare della memoria, non possono spingerci tanto indietro da garantirci che noi siamo stati proprio il bambino che crediamo. Noi ricordiamo pochi, singolari e isolati episodi della nostra infanzia fin verso i cinque-sei anni; ma quel bambino, per arrivare a sei anni, ha vissuto centinaia di giorni, migliaia di ore, milioni di attimi ciascuno con la sua esperienza. E quel bambino non esiste più. Quell'esperienza noi la portiamo in modo quasi del tutto inconsapevole, la ricostruiamo per sintomi esteriori sulla base dei racconti dei nostri genitori, ecc. Bisogna dunque veder vivere i bambini e credere ai propri occhi e alle proprie orecchie e non alla propria memoria[38].

Rodari nega un'intenzione pedagogica precisa nel suo lavoro, l'unica cosa che conta è stare dalla parte dei bambini, prendere le loro difese,

così come fanno la psicologia e la pedagogia moderne e, in sostanza, l'intenzione pedagogica risulta rivolta più verso i genitori che verso i bambini. Il bambino è anticonformista: io non mi presto agli sforzi per farne un conformista, anche se questi sforzi provengono da parte dei genitori. Il bambino rifiuta istintivamente di prestare obbedienza cieca, pronta e assoluta a certe leggi del suo comportamento che gli vengono imposte sulla base della pura autorità. Io mi rifiuto di insegnargli ad essere ubbidiente. Anzi, ho fatto anche una favola su un gambero che, disubbidendo ai suoi genitori, vuole imparare – e impara – a camminare in avanti anziché all'indietro. Questo non certo perché io mi propongo di seminare tra i miei piccoli lettori uno spirito di rivolta contro le famiglie e contro chicchessia; ma perché credo che oggi sia più importante contribuire alla liberazione del bambino che al suo docile inserimento in un mondo bello che fatto[39].

Quello del genitore, d'altra parte, è un ruolo sempre più complesso, non perché i bambini siano più complicati di un tempo ma perché vivono in case che hanno le porte e le finestre spalancate. «È dunque più difficile per il padre e per la madre conservare la necessaria autorità morale sui figli. È più difficile conquistare questa autorità morale e mantenerla. Questo esige uno sforzo di conoscenza del bambino; questo esige una critica continua delle proprie idee, del proprio comportamento». Dobbiamo trasmettere ai bambini parole diverse da quelle che abbiamo ricevuto dai nostri genitori, non più carità, ma solidarietà. Pace e non guerra.

Ogni bambino dispone di una carica di energia vitale, di slanci attivi, che purtroppo spesso la famiglia, la scuola, la società, soffocano o disperdono nell'incomprensione per opportunismo o per stanca tradizione. Noi dobbiamo proporci il compito di salvare nel cittadino di domani, nell'uomo la cui formazione dipende da noi, quelle energie vitali, quegli slanci attivi, quell'intensità di passioni e di forza morale che il bambino mette nei suoi giochi e molto meno, purtroppo (ma non è colpa sua), nei compiti di scuola, nei doveri in cui via via s'imbatte. Certo, questo comporta non solo il cambiamento della nostra mentalità nei confronti dei bambini, ma anche qualcosa di più sostanziale, e cioè un cambiamento radicale di tutta la vita, un rinnovamento del mondo. Io credo che per questo fine tutti gli strumenti possano essere utili. Anche la favola[40].

L'estate passata in Calabria con la famiglia grondante sudore, inopia e «scarsezza di prospettive per l'anticipo mai arrivato» è uno dei pochi indizi privati di questo periodo, i soccorsi (economici) einaudiani arrivano a fine luglio, provvidenziali, mentre in stampa per Mursia è andato *Gip nel televisore* (non avrei mai auspicato un'edizione Einaudi!)[41].

Gip nasce come filastrocca: un medico appassionato di televisione cade nel suo televisore e vi resta prigioniero; di là riceve i clienti, scrive le ricette, eccetera. Una storia per i tempi nuovi, per i bambini con una tv in casa, sempre più numerosi nei primi anni Sessanta. «I bambini ascoltavano, ridevano. Però risero molto di più quando, al posto del medico, feci cadere nel televisore uno di loro. Allora riscrissi la storia e diventò questo libro». I nomi fanno tutti riferimento a personaggi o amici.

C'è anche uno scienziato giapponese: gli ho dato il nome di Yamanaka [...]. C'erano le Olimpiadi, mentre scrivevo, e questo grande lottatore era molto simpatico. Perché ho messo un personaggio giapponese, a una svolta del racconto? Perché qualcuno doveva dire che una vita umana è più importante e vale di più di tutte le macchine, terrestri e spaziali: mi sembrava giusto che a dirlo fosse il figlio di un paese che ha provato nelle proprie carni l'orrore della bomba atomica. Questo, in generale, non è un libro istruttivo, ma un libro divertente. Si capisce che può insegnare anche qualcosa, ma bisogna indovinarlo. La morale della storia, comunque, non è che due televisori è meglio di uno[42].

Rodari è un vulcano di proposte: già a settembre giunge il progetto per un nuovo libro che si farà:

Presentasion al sior editore. Il *Pianeta degli alberi di Natale* è un lungo (lunghissimo) racconto da me pubblicato nel '59 sul numero di Natale o Santo Stefano di «Paese Sera»: numero semiclandestino, quando la gente pensa al tacchino, al capitone, al panettone, all'indigestione. È allegro, sensato: per fare un libro un po' corto. Ho aggiunto una serie di bizzarrie che per fortuna ero andato a preparare, progettando o trasformando in vista di un'eventuale più ampia presentazione, in versi, in prosa, cartine geografiche ecc. del pianeta anticizzato. C'è un calendario immaginario, astratto; ci sono poesie per ridere alcune delle quali descrivono curiosità del pianeta, altre hanno solo un legame interplanetario o interbizzarro con la materia, ci sono poesie per isbaglio che armonizzano también col bonario surrealismo dell'insiem. [...] Quanto al titolo se il libro esce prima di Natale va bene *Il pianeta degli alberi di Natale*, altrimenti la scelta potrebbe cadere (ma piano per non farsi male) su uno dei seguenti: *Il pianeta degli alberi di Natale*, *Il pianeta dei cavalli a dondolo*, *Il cosmocavallo*, *Marco nel cosmo*, *Amici nel cosmo*, *Cosmo, amico mio*, *Rapito nel cosmo*, *Rapito nello spazio*, *Cavalcata nello spazio*, *Il cavaliere del cosmo*, *Nel cosmo a cavallo*, *Il primo romano nel cosmo*, *Che ore sono? Mercoledì, Di questo mese? No del prossimo*, *Il pianeta Natale, Cosmo, se ci sei batti un colpo*, *Chi va nel cosmo torna con l'asma, Chi va con l'Asma impara l'asmara*[43].

Sul *Pianeta degli alberi di Natale* esistono strabilianti invenzioni come la caramella istruttiva, lo staccapanni, la tristecca ai ferri. Persino il calendario, gli oroscopi e i proverbi vanno per conto loro; «le 'poesie per sbaglio' che lassù vanno molto di moda, e che comprendono anche alcuni simpatici giochi. Spero così di metter finalmente a tacere certi critici dubbiosi. Il libro, dalla prima pagina all'ultima (ma anche dall'ultima alla prima) è dedicata ai bambini di oggi, astronauti di domani»[44].

Si intensificano le lettere che raccontano di un rapporto economico che non sarà mai del tutto pacifico. Che Einaudi paghi a mozzichi e bocconi i suoi scrittori emerge del resto da tutti i carteggi. Scrive Pavese a Angelo Del Boca: «Caro Del Boca, io preferisco non entrare in questioni di soldi. Faccio il redattore, non il pagatore. Il consiglio che dò a tutti i collaboratori (Autori, traduttori ecc.) è di non contare mai sui proventi del loro lavoro letterario. Vecchia storia. Ho passato la tua lettera a Einaudi, senza dire una parola. Pare che lui ti paghi secondo le possibilità che in questa stagione sono ogni anno bassissime. Se dovrai chiedere altri soldi, scrivi direttamente a lui, è meglio. Lavora senza contare sui soldi, non c'è altra strada. Cordialmente, Pavese»[45]. Leonardo Sciascia: «Francamente debbo dire che per me è fastidioso, e persino umiliante, dover scrivere ed insistere su queste cose. Ho pubblicato il mio primo libro da Laterza, nel '56: e in otto anni non mi sono mai trovato nella condizione di dover protestare per qualcosa o di sollecitarne qualche altra; il libro non è mai mancato nelle librerie; io ho avuto più di quanto oggi, in pieno boom letterario, abbia dal *Giorno della civetta*. Sono cose che non riesco a capire. Lei mi dirà che sono ingiusto, che sbaglio, che Einaudi è un'altra cosa; ma l'effettuale realtà, per la mia parte, è questa»[46]. A Natalia Ginzburg risponde il 6 luglio 1963 Giulio Bollati: «La casa editrice ti è amica e la tua lettera le ha procurato una grande amarezza. Sarà forse un male, ma nemmeno oggi per noi l'editoria è per prima cosa un modo per fare i soldi. Altri editori sono più ricchi e precisi, verissimo. Ma guarda combinazione, hanno sempre un'altra o altre attività collaterali, industrie e speculazioni d'ogni tipo. Facile allora farci la concorrenza, ma è una concorrenza vorrei dire sleale, perché non rischia niente; e pericolosa per tutti, perché potrebbe togliere di mezzo chi vive esclusivamente sulla buona qualità di quello che fa, e aprire la strada verso una editoria totalmente commercializzata»[47].

Certo è che Rodari, fra gli scrittori più venduti del catalogo torinese, lamenterà sempre, con il suo stile geniale, ritardi e omessi pagamenti e percentuali risibili sulle vendite: «Non per il principio, bada, ma per i due soldi»[48]. In un appunto riservato è lo stesso Davico Bonino che scrive a Einaudi che Rodari è l'autore che ha precepito meno, in senso assoluto, di tutti gli autori Einaudi[49]. Eppure questo non gli impedirà, fino alla fine, di continuare a scegliere Einaudi come suo editore principale in nome del comune progetto culturale. Einaudi, dal canto suo, porterà Rodari fuori dalla stanza dei giocattoli fino a collocarlo, nel 1971, nella collana 'Gli Struzzi', nata l'anno prima: «Caro Rodari, avrai avuto la prima copia delle *Favole* negli 'Struzzi'. Te l'ho mandata con molta soddisfazione: questo è un titolo che per noi ha un preciso significato e la pubblicazione in questa collana, fianco a fianco agli autori e alle opere più tipiche del nostro catalogo, vuol essere un modo di sottolinearlo»[50]. «Per tornare allo Struzzo, grazie sul serio: mi sento talmente benvoluto e premiato dalla Casa, che se mi trovassi qualche passo più in là sul sentiero dell'arteriosclerosi mi metterei a piangere»[51].

E il 13 dicembre 1971, si firma «Struzzo n. 14».

La morte del libro per questo secolo è rinviata.

Viva Hegel! Viva Marx! Viva Lenin! Viva Mao Tse-Tung! Viva la Juventus!

Gianni Rodari di Omegna (Struzzo n. 14) Hoch! Hoch![52]

12
La via sbagliata al socialismo

La ‘grammatica’ di Rodari, per dire tutto in una parola, era, così in programma come in esecuzione, una ‘dialettica’.

Edoardo Sanguineti

Il fatto è che a scuola si leggono i testi per giudicarli e classificarli, non per capirli. Il setaccio della «correttezza» trattiene e valorizza i ciottoli, lasciando passare l’oro.

Gianni Rodari

C’è una poesia di Gianni Rodari che si intitola *Situazione impoetica*: «È difficile leggere i poeti/ In una casa senza pareti./ Il cristallo di Juan Ramon/ Lo sbriciolano le motorette,/ lo friggono le canzonette./ Gatto, Montale o Pasolini,/ come distinguere le loro parole/ dall’audio dei vicini?/ Povero Esenin,/ povero Pasternak,/ sulle loro betulle/ fioriscono i detersivi./ Zanzotto, Sanguineti,/ dai vostri versi schizzano/ confetti purgativi...»[1].

Pubblicando con Einaudi, Rodari ha ricevuto i calzoni lunghi ma, evidentemente, non gli bastano per lavorare in santa pace, è alla ricerca di un luogo dove scrivere, come era stata casa Malagoli ai tempi di *Cipollino*. Questo luogo diventa Manziana. «La mia collezione di laghi, del resto, era cominciata molto prima: difatti sono nato a Omegna, in riva al lago d’Orta, che per noi di Omegna è il lago di Omegna»[2]. A 45 chilometri da Roma, Manziana, nei primi anni Sessanta, è un minuscolo paese sospeso fra il lago di Bracciano e un grande bosco. «Si tratta che io ho cominciato a costruirmi una casina, a 45 chilometri da Roma, sulle rive del bosco di Manziana (seicento ettari rotondi rotondi di cerri secolari). Brutta casina, in blocchetti di tufo. Bellissima nei miei sogni non già di speculatore edilizio, alla Calvino, ma di sovietico autore aspirante alla dacia. Cerri e castagni»[3].

Irvando Sgreccia, maestro, incontra Rodari a Manziana e lì diventano amici. Mi racconta che durante la costruzione della 'dacia' Rodari appunta su un quaderno le spese dei lavori che però, secondo la moglie Teresa, vanno un po' troppo a rilento. Finché un giorno si scopriranno, in questo quaderno, appuntati i modi di dire degli operai della Tolfa che Rodari ama ascoltare interrompendone il lavoro e interrogandoli a lungo, a tutto discapito della costruzione.

Sassolini bianchi, sempre più rari, tracce della vita privata di Rodari che emergono dai racconti degli amici più che dagli scritti come se i ricordi, di cui non si fida, fossero comunque più a portata di mano di un presente che vive da uomo del suo tempo, poco portato all'introspezione, scarno di riferimenti al privato se non nella forma ironica della poesia, unica forma di scrittura che ci consenta, per questa fase della sua vita, di accedere a una dimensione intima, insieme, ovviamente, alle lettere[4].

«Vorrei chiederti un favore personale, eccezionale ed urgente. La mia dacia in costruzione minaccia di crollare sotto il peso delle cambiali»[5]. «La mia casa è eternamente 'quasi finita': ha già inghiottito i miei risparmi del prossimo decennio, credo, e più la guardo più mi fa schifo. Per fortuna stando dentro non si può vederla. Potrebbe solo cascarmi addosso: spero nella clemenza della scala Mercalli»[6].

Malgrado le lamentele la casa si farà, grazie soprattutto al grande successo di un nuovo libro, *Il libro degli errori*, che Rodari annuncia fin dal novembre del 1962 in una lettera a Giulio Bollati: «Ti piacerebbe *Il libro degli errori*, tutto sugli errori, dagli errori di ortografia-grammatica-sintassi? Ogni pagina dovrebbe recare l'errore vero e proprio, cioè il quaderno infantile che lo documenta: e sotto la filastrocca, o il raccontino, o il dialoghetto che lo illustra e celebra. So che nelle scuole vanno in cerca di 'schedari' ortografici: questo ne farebbe uno originale»[7].

In *Filastrocche in cielo e in terra* gli errori occupavano già un intero capitolo. Su *Il pianeta degli alberi di Natale*, gli abitanti erano avidi di *Poesie per sbaglio*. Nelle *Favole al telefono*, spicca il *Processo al nipote*, portato in tribunale per aver scritto che «lo zio è il padre dei vizi». Poi l'idea di raccogliere tutto, e scrivere cose nuove, filastrocche e raccontini sugli errori di ortografia.

Una specie di panorama nazionale degli errori tipici: quello milanese di usare la 'esse' per la 'zeta', quello veneto di dimezzare le doppie consonanti, quello sardo di raddoppiare la 't' e così via. Questa Italia sbagliata, però, non doveva né poteva diventare un vero e proprio schedario ortografico (ecco, però, uno schedario che sarebbe assai utile alla scuola): doveva restare un libro per bambini. E, se permettete, doveva divertire anche lo scrittore. La mia parte di divertimento consisteva non tanto nel dar la caccia agli errori, quanto nello scoprire il loro risveglio ideologico[8].

Un bambino può scrivere 'Itaglia' con la 'g' solo perché confonde certi suoni, ma, dice Rodari, si può negare che esista una 'Itaglia' con la 'g'? Eccome se esiste! È l'Italia supernazionalista, superpatriota, nutrita di retorica, di ignoranza e di provincialismo. L'Itaglia sbagliata e balorda. Da qui nasce la storia del professor Grammaticus che redarguisce un gruppo di fascistelli, poco amanti dell'ortografia, che vanno gridando a sproposito: «I-ta-glia, I-ta-glia!». «Certi errori possono essere utili strumenti per evocare certe realtà, magari per conoscerle meglio. Si può insegnare al bambino non solo a evitare l'errore, ma anche a capire che l'errore, spesso, non sta nelle parole, ma nelle cose; che bisogna correggere i dettati, certo, ma bisogna soprattutto correggere il mondo»[9]. Questo, continua Rodari, modestamente e con amicizia, sarà detto anche per gli insegnanti, per aiutarli a non cadere nel vizio professionale di scambiare un accento sbagliato per la fine del mondo.

È il 1963 e la discussione sulla didattica dell'italiano è materia resa urgente da una riforma della scuola media che per la prima volta ha messo insieme i bambini destinati al liceo con quelli destinati all'avviamento: la notazione di Rodari è preziosa, un invito a ripensare l'insegnamento della lingua chiave di accesso alla cittadinanza, a ripensare la funzione dell'insegnante[10]. A Munari, infatti, scrive che sarebbe bello se

> lei potesse inventare per ogni pagina uno dei suoi bei giochetti, delle sue illustrazioni praticabili, smontabili, dei suoi *calembours* a colori eccetera. Tenga conto soltanto dello scarso livello di vivavità [*sic*!] intellettuale di una larga parte del nostro corpo insegnante: ciò che è chiaro ai bambini, spesso è astruso e ostrogoto ai professori di scuola media. Urtarli è lecito: schiaffeggiarli addirittura sarebbe come precludere al libro l'ingresso nelle bibliotechine della nuova media unica. Mi preoccupano meno le elementari: i maestri conoscono meglio i bambini e non si spaventano[11].

Alcune filastrocche dedicate agli accenti sbagliati, ai 'quori' malati, alle 'zeta' abbandonate, sono state accolte anche nelle grammatiche.

> Questo vuol dire, dopotutto, che l'idea di giocare con gli errori non era del tutto eretica. Vale la pena che un bambino impari piangendo quello che può imparare ridendo? Se si mettessero insieme le lagrime versate nei cinque continenti per colpa dell'ortografia, si otterrebbe una cascata da sfruttare per la produzione dell'energia elettrica. Ma io trovo che sarebbe un'energia troppo costosa. Gli errori sono necessari, utili come il pane e spesso anche belli: per esempio, la torre di Pisa. Questo libro è pieno di errori, e non solo di ortografia. Alcuni sono visibili a occhio nudo, altri sono nascosti come indovinelli. Alcuni sono in versi, altri in prosa. Non tutti sono errori infantili, e questo risponde assolutamente al vero: il mondo sarebbe bellissimo, se ci fossero solo i bambini a sbagliare. Tra noi padri possiamo dircelo. Ma non è male che anche i ragazzi lo sappiano. E per una volta permettete che un libro per ragazzi sia

dedicato ai padri di famiglia, anche alle madri, s'intende, e anche ai maestri di scuola: a quelli insomma che hanno la terribile responsabilità di correggere, senza sbagliare, i più piccoli e innocui errori del nostro pianeta[12].

A Ponchiroli scrive: «mia figlia, che giusto in questi mesi con mio grande spasso (e vantaggio, spero) ha imparato a scrivere e che anche stamattina mi offriva spunto geniale definendo un bambinello amico suo come 'cativo', cioè non veramente 'cattivo' con due zeta, perché bambini cattivi (già lo dissi) non ne esistono, né uomini, a eccezione dei nazisti, del generale Franco, di Scelba e di Ngo Din Diem»[13].

L'errore come sintomo, rivelazione, spia. Ma anche come motore di scoperte casuali, l'America, la penicillina, la galvanoplastica. L'anno 1962 si chiude con una lettera di ringraziamento che è anche una messa a punto di quanto fatto:

Caro comandante in capo, ufficiali, sottufficiali, uomini di truppa e vivandiere della casa editrice Einaudi, istituirò il Thanksgiving Day, per ringraziare, una volta all'anno, delle belle ed affettuose edizioni di cui vengo gratificato. Parlando del libro come se lo avesse scritto un altro direi che completa un trittico e chiarisce ulteriormente il caso: il Rodari, convincente riuscito e originale (nonostante y a pesar delle molteplici esperienze formali che riecheggia quasi d'istinto) nelle «poesie per sbaglio» e in genere nei suoi versicoli, non dispone di una prosa altrettanto piena in ogni sua parte. Una prosa che non riesce a mettere la presa diretta se non raramente e con visibile fatica. La prosa, che impresa![14]

Quando esce *Il libro degli errori* Rodari scrive all'editore complimentandosi per il coraggio che onora le «patriottiche tradizioni del Piemonte». Parla di sé in terza persona (tornerà a farlo nella prefazione del 1972 alle *Favole al telefono*): «trovo in questo Rodari (a proposito, chi è?) un'autentica vena filosofica», e propone la stesura di un «Manuale di Fantastica», ovvero l'arte di inventare storie, con cinquanta ricette ad uso delle persone colte?[15]. La lettera reca tre date (11-4-1964,

4-11-1964, 19-64-411, a scelta) e chiede di «citare Adorno nella Risposta». Einaudi risponde accogliendo la proposta: «Una deformazione professionale (accentuata credo dalla lettura di Adorno) mi spinge a prendere sul serio la tua proposta di un manuale di fantastica e a chiedertene notizie dettagliate. Non dubitare della tua capacità inventiva, che comincio a credere inesauribile, e abbiti i più cordiali auguri per te e per la carriera del tuo felicissimo *Libro degli errori*. Giulio Einaudi»[16].

Gettato il seme della *Grammatica della fantasia*, Rodari torna a preoccuparsi delle sorti del suo ultimo nato, in una lettera a Paolo Spriano nella quale ribadisce che sarebbe l'ora di «lanciare il libro fuori della rubrica mentale della 'letteratura infantile', come un fatto che può incuriosire il Provveditore di Torino (è uno studioso del gioco: è da tener presente), la storia dell'umorismo, la psicopedagogia e la psicobagologia», per questo le recensioni potrebbero essere fatte da «Leo Pestelli sulla Stampa, nella sua rubrica linguistica, almeno per premiare la fedeltà con cui lo leggo e compro i suoi libri; Umberto Eco, perché nel libro ci sono molte e svariate teorie dell'errore con applicazioni pratiche, ad uso di intellettuali e meccanici: secondo me è un libro di filosofia; la saggia Camilla Cederna, che ha segnalato fuggevolmente i tomi passati della mia Opera Omnia, stavolta dovrebbe fare qualcosina di più». Ovviamente auspica attenzione da parte di «Paolo VI, Chruščëv, Gino Bartali e Catherine Spaak». Spera anche in una stroncatura di Guareschi, «che una volta su 'Candido' (ora fa la cacca sul 'Borghese') mi additò come quinta colonna comunista nella grammatica italiana». Poi un duro attacco contro «l'Unità», colpevole di aver ignorato i libri einaudiani «mentre parla a distesa e a larghe falde del più fiacco pelo letterario che risuoni (anche poco) dalle Alpi a Caltagirone»[17]. Mentre del «Pioniere» dell'«Unità» dice che «non meriterebbe nulla, perché mi hanno, i suoi pontefici, crudelmente snobbato e praticamente cacciato, me e le mie canzonette, trovandomi poco divertente, poco progressivo, poco tutto... *nemo propheta in patria* Alicata»[18]. E ancora: «gli ambienti politici hanno subito afferrato le allusioni ai recenti fatti di Mosca e corre voce che nella federazione comunista di Avellino sia già sorto un movimento per 'la via sbagliata al socialismo'»[19].

Il libro degli errori è un libro rivoluzionario e un autentico pugno nello stomaco per la scuola, preoccupata soltanto di correggere gli errori, come racconta Tullio De Mauro riportando le lamentele delle insegnanti della scuola dell'obbligo: «Livelli sintattici? Magari! Ma i miei alunni non sanno nemmeno scrivere correttamente le parole [...] scrivono a senza acca e *terribbile* con due b!!»[20].

«*La mia mucca* è una critica del comportamento scolastico così radicale e definitiva che dovrebbe essere volantinata davanti a tutte le scuole della repubblica, e poi inviata per posta a spese dello stato a tutti gl'insegnanti e a tutti i genitori e infine incisa nel bronzo sulla facciata del palazzaccio di viale Trastevere: il bambino costretto a fare il tema sulla mucca, animale che non conosce, lo svolge ricorrendo a tutti gli stereotipi che possono trovar posto in sedici versi. Il risultato è amaramente comico, come tanti risultati scolastici»[21].

La riflessione sugli errori è parte della ricerca sulla lingua che Rodari conduce come abbiamo visto parallelamente su «Paese Sera», sul «Corriere dei piccoli», sulla «Via migliore» e sulla rivista «Il Caffè», autentico luogo di sperimentazione, ironico, vivace, ricco di saperi diversi tenuti insieme dalla figura di Giambattista Vicari. Rodari era pienamente inserito, con lucida consapevolezza, in questi settori della cultura, una cultura liberatrice e libera. Nel 1961 l'albo di febbraio del «Caffè» saluta le *Filastrocche in cielo e in terra* come la «più seria tra le imprese letterarie compiute a mezzo di stampa nel decorso bimestre», e pubblica a riprova *Il dittatore*, «Un punto piccoletto, superbo ed iracondo,/ 'Dopo di me', gridava, 'verrà la fine del mondo'./ Le parole protestarono: 'Ma che grilli ha pel capo?/ Si crede un Punto-e-basta, e non è che un Punto-e-a-capo'./ Tutto solo a mezza pagina lo piantarono in asso/ e il mondo continuò una riga più in basso».

Rodari ringrazia: «Onorevoli signori, gratissimo per la menzione d'onore assegnata alle mie filastrocche dagli 'Amici del Caffè' e per la pubblicazione del mio *Dittatore* (opportunamente scoperto e lodato anche dal Ponte); [...] sono tuttavia in dovere di dichiarare, in sede privatissima però, che solo per errore sono considerato (in molte parti del globo, e adesso un poco anche in Italia) uno scrittore per l'infanzia»[22]. Nel 1962, sul «Caffè», Rodari pubblica le *Otto lapidi*, la *Spoon River* italiana che tanto colpisce Cesare Vivaldi, che inserisce Rodari in una sua antologia sulla poesia satirica in Italia[23]. Anche Italo Calvino le ricorderà insieme alle favole minime uscite su «Paese Sera» come una pietra miliare di «quei primi anni Sessanta; anni che sarebbe già tempo di rivisitare e rivalutare, perché la letteratura italiana aveva allora un umore di rinnovamento e un'energia naturale che invano si cercherebbero in seguito»[24].

Caro Vicari, dopo tante promesse ti mando qualcosa per il 'Caffè'. Sono venti pezzi, tratti da una grossa cartella che per me ha il titolo di 'Materia prima': cioè, materia prima per fare poesie, racconti, filastrocche: materiali che io uso, poi, per scrivere cose per bambini, dunque trasformandoli, rifiutandoli, bruciandoli (alla lettera, o consegnandoli al netturbino del mattino). Non prodotti finiti: alcuni a malapena semi-lavorati, ci ho messo la punteggiatura, per facilitare la comunicazione a cui, ad ogni modo, tengo moltissimo. Materia prima, intendo, in senso psicologico (anche psicanalitico), non in senso letterario. [...] Io vorrei per l'appunto intitolare la silloge 'Materia prima', con una piccola spiegazione sotto, per dire di che si tratta. Esibizionismo o confessione? Forse la rivendicazione di una consapevolezza: del modo come mi preparo a parlare ai bambini, responsabilmente, civilmente, ripulendomi per bene prima di dar loro la mano[25].

13.
La torta in cielo
(capitolo breve ma necessario)

> Oggi un marziano è sceso con la sua aeronave
> a Villa Borghese, nel prato del galoppatoio.
> (...) Roma ha preso subito l'aspetto sbracato e
> casalingo delle grandi occasioni.
>
> Ennio Flaiano

> – Li marziani!
> – Er disco volante!
> – Andiamo, sarà un'eclisse.
>
> Gianni Rodari

Pizza o torta? I bambini a Roma dicono pizza, riflette Rodari, ma poi, in un appunto a matita su una lettera per Einaudi, emerge il dubbio che 'pizza' possa provocare troppi fraintendimenti. E allora torta, *La torta in cielo*. La trama è nota: una mattina al Trullo arrivano «li marziani», e tutti scendono in strada spaventati, la pubblica sicurezza mette in moto il complesso meccanismo di difesa in caso di attacco spaziale, gli astanti affollano le strade, mentre due bambini si accorgono che il pericolo non esiste perché l'oggetto non identificato è identificabilissimo, è infatti una torta. Ma sta in cielo. E così nessuno la riconosce eccetto due bambini[1].

Rodari racconta che la storia gli è venuta in mente dopo aver sentito un detto americano, *a pie in the sky*; certo che questa torta messa nel cielo del Trullo è anche un gran bell'esercizio di Fantastica. Il Trullo è un quartiere di Roma non lontano da Monteverde, dove Gianni Rodari abiterà tutta la vita. Al Trullo c'è la scuola Collodi e nella scuola Collodi insegna la maestra Maria Luigia Bigiaretti, che fa parte del Movimento di cooperazione educativa e scrive su «Riforma della scuola»[2]. Rodari e Bigiaretti si conoscono bene:

> La storia de *La torta in cielo*, tutta ambientata nella Borgata del Trullo, con personaggi adulti e bambini veri e luoghi ancora esistenti, è nata nella mia classe, che allora era una quarta. Quando Rodari arrivava era un giorno di festa. Arrivava coi suoi capitoli dattiloscritti e li leggeva, anzi li interpretava nel suo modo unico e inimitabile, attento alle reazioni dei ragazzi, alle loro risate, ai loro commenti. Poi chiedeva le critiche; voleva che gli suggerissero le battute, particolari, aggiunte. Poi si decideva insieme come proseguire la vicenda e Rodari, nei capitoli successivi, teneva conto dei contributi infantili. I ragazzi collaboravano tutti, attenti, eccitati, si sentivano coinvolti nel lavoro, importanti, felici[3].

La torta in cielo è un'occasione per mettere in pratica la scrittura collettiva imparata dal maestro Mario Lodi che nel frattempo ha pubblicato un libro seme, *Cipì*: persino *Lettera a una professoressa* senza Cipì non sarebbe stata scritta, ma questo lo racconto in un altro libro. Di *Cipì* Rodari scrive che la storia è nata a Vho di Piadena dove i ragazzi, al contrario del solito, sono autorizzati a guardare fuori dalla finestra «per guardare il mondo e incantarsi allo spettacolo della vita»[4]. Mario Lodi, scrive Rodari, insegna in un modo del tutto nuovo,

> usando tecniche didattiche note e care solo a una minoranza d'eccezione, nel mondo tuttavia in movimento della scuola elementare. Nella sua classe c'è una piccola tipografia con cui i bambini compongono e stampano i loro testi, liberamente scritti o frutto di un'attività collettiva, li riuniscono in fascicoli, scambiano il loro giornalino, i loro disegni, i nastri magnetici su cui hanno inciso le loro conversazioni e discussioni con ragazzi di altre scuole, in altre regioni d'Italia. La classe è una piccola comunità che si dà autonomamente le sue leggi; che giorno per giorno, anno per anno, costruisce una sua scala di valori, in cui valori nuovi (la lealtà, l'amicizia, l'impegno comune) sostituiranno quelli formali della tradizione (la disciplina esteriore, il voto, la pagella, ecc.). In questa scuola nuova,

democratica fin nel midollo, è nato *Cipì* («Avanti!»), che Mario Lodi ha scritto rielaborando testi dei suoi ragazzi[5].

Così scrittura collettiva sia, anche per Rodari, Bigiaretti e i bambini e le bambine del Trullo. Rodari propone il libro a Einaudi il 13 luglio del 1964 («infliggere un manoscritto in pieno luglio è roba da manicomio criminale, lo so»[6]). E il libro esce l'anno dopo.

La torta in cielo, ha notato Antonio Faeti, fa parte di un mondo, «si pubblica in anni in cui la crisi dei missili a Cuba, l'inizio della sporca guerra in Vietnam, la ripresa del movimento antinucleare, l'uscita emblematica di film come *Hiroshima mon amour* di Resnais, o di libri come *Essere e non essere* di Günther Anders, l'assassinio di Lambrakis durante una manifestazione pacifista sono tasselli di un mosaico immaginativo e percettivo che riempie un brandello di storia e lo differenzia da altri»[7].

Ma, al di là del suo significato, indagato dagli studiosi della sua opera, *La torta in cielo* rappresenta, per la formazione dell'intellettuale Rodari, un fondamentale momento di verifica e di trasformazione: andare in classe diventa un imperativo categorico per lo scrittore; quell'osservare i bambini da vicino – cosa che molti suoi colleghi non fanno – diventa motore sempre più concreto di ogni suo successivo lavoro. Rodari dice che si dovrebbe stabilire un legame fisso tra un certo scrittore e una certa classe: un incontro al mese basterebbe.

Tu eri sicuro che in un certo punto avrebbero riso, invece non ridono, ti accorgi che una certa proposizione contiene una parola, o un concetto, che li ha messi in difficoltà, o che il periodo non era ben calcolato per quell'effetto. Invece ridono in tutt'altro punto, così ti dicono: ecco quello che devi fare, ecco l'idea buona. Sono gentili, amichevoli, disciplinati. Ma se si annoiano, non riescono a nasconderlo: eccone uno che guarda dalla finestra, un altro che si è ricordato di cercare qualcosa nella cartella, due che ridono per conto loro. Meglio fare un bel segno blu sulla pagina e riscriverla. Hai portato una storia che per te ha un certo tema, ben individuato e preciso. E loro colgono un aspetto secondario, si interessano di quello, tutte le loro domande e osservazioni lo riguardano: allora è quella la vera storia. Oppure si tratta di due storie non ben legate tra loro (a me è successo di riscrivere tre volte un romanzetto, per simili incidenti; non mi cito per fare l'autobiografia, ma per illustrare meglio l'esperimento). Può succedere che degli adulti, leggendo per primi la storia, abbiano detto: '*No, questo i bambini non possono assolutamente capirlo*'. Invece, leggi quella storia ai bambini e la capiscono benissimo[8].

Poi ci sono le cose che i bambini dicono, le scoperte che fanno senza accorgersene. «La loro sensibilità al mondo delle parole è straordinaria, ridà sangue ai luoghi comuni, rinverdisce le metafore. Perfino quando parlano come la televisione riescono ad essere originali. Fanno venir voglia di parlare in modo semplice e diretto di cose semplici e vere. A stare con loro si ringiovanisce. Peccato che tanti insegnanti non apprezzino questa fortuna»[9].

E ancora, in un articolo del 1968: «L'aspetto più importante per chi scrive per i ragazzi e non sia contemporaneamente un insegnante, è mantenere il contatto con i suoi lettori. [...] Portare Ungaretti in una classe di scuola media in cui i ragazzi sono alle prese con il fastidiosissimo lavoro di ridurre in prosa non già Omero, ma i versi di Vincenzo Monti; fate che sia lui a parlare di Omero, vediamo cosa succede. Mi capita, dunque, troppo di rado di poter andare in una scuola. Per chi scrive per ragazzi dovrebbe essere quasi obbligatorio. Forse un giorno lo sarà»[10].

14.
La grande disadattata

Rodari diceva che la scuola
è meglio farla ridendo che piangendo.
Maria Cristina Renzoni

Pinocchio l'ho visto usato in mille modi, in una quarta elementare se lo sono letto al registratore, dividendosi le parti, tagliando i brani non strettamente essenziali: ogni tanto si riascoltano quel nastro, nel quale le loro voci e le loro vite sono così intimamente mescolate nell'avventura del burattino, e sono completamente felici. E poi ho visto odiare Pinocchio: da sventurati ragazzini costretti a farci sopra l'analisi grammaticale.
Gianni Rodari

«Distruggere la prigione, mettere al centro della scuola il bambino, liberarlo da ogni paura, dare motivazione e felicità al suo lavoro, creare intorno a lui una comunità di compagni che non gli siano antagonisti, dare importanza alla sua vita e ai sentimenti più alti che dentro gli si svilupperanno, questo è il dovere di un maestro, della scuola, di una buona società»[1].

«Nelle nostre scuole, generalmente parlando, si ride troppo poco. L'idea che l'educazione della mente debba essere una cosa tetra è tra le più difficili da combattere. Ne sapeva qualcosa Giacomo Leopardi quando scriveva nel suo *Zibaldone*, alla data del 1° agosto 1823: 'La più bella e fortunata età dell'uomo, ch'è la fanciullezza, è tormentata in mille modi, con mille angustie, timori, fatiche dall'educazione e dall'istruzione, tanto che l'uomo adulto, anche in mezzo all'infelicità, non accetterebbe di tornar fanciullo colla condizione di soffrire quello stesso che nella fanciullezza ha sofferto'»[2].

Il rapporto di Gianni Rodari con il mondo della scuola è complesso e conflittuale: non a caso più passano gli anni più cita spesso Giacomo Leopardi, soprattutto quando il poeta di Recanati ricorda il tormento che l'educazione paterna gli ha inflitto: non sarebbe meglio evitare il tormento? Avere la felicità senza l'affanno? Fare prima la pace della guerra? La scuola risponde: no. Così più passa il tempo meno si fida, fino in fondo, dell'istituzione che continua a valutare, selezionare, bocciare. Che invece di far amare la lettura fa spesso odiare i libri. Un'istituzione che chiama ancora nel 1973 «riformatorio ad ore»[3]. La scuola è un campo di battaglia, dice in un'intervista televisiva, in cui si battono forze che la vogliono conservare così com'è, forze che la vogliono cambiare, forze che la vogliono anche del tutto distruggere. Ma l'esito non è chiaro né scontato e la scuola non ha maturato, in vent'anni di Repubblica, anticorpi sufficienti per prevedere quale forza in campo avrà la meglio[4].

All'ottimismo progressivo degli anni Cinquanta si sostituisce, nel corso degli anni Sessanta, uno sguardo sempre più disincantato che nasce dalla mancata attuazione di molte delle promesse fondanti della repubblica democratica; non è vero dunque, come ha scritto il pedagogista Franco Cambi, che la scuola sarà sempre elogiata da Rodari, a me sembra anzi che lo sarà sempre meno[5].

Aveva già scritto su «Paese Sera» nel 1961 che la Repubblica è come una giovinetta che nei primi anni di vita è stata affidata a tutori che l'avrebbero voluta tutta casa e chiesa, ma «datele tempo di diventare maggiorenne e vedrete». In realtà, neanche la maggiore età, i 18 anni dalla Costituzione, hanno modificato radicalmente la scuola, neppure quella dell'obbligo segnata da due riforme, quella del 1955 e quella del 1963: le inchieste sulla scuola della metà degli anni Sessanta denunciano infatti, di fronte a una maggiore scolarizzazione, una equivalente selezione fondata essenzialmente su criteri di classe e scarsissima attenzione al rinnovamento della didattica[6].

Gianni Rodari inizia a conoscere la scuola da vicino, anche perché sua figlia ha iniziato a frequentarla. Sa bene che le scuole non sono tutte uguali, che le maestre non sono tutte uguali, lui, sua moglie e sua figlia sono stati fortunati, o forse non si tratta di fortuna, dice infatti di aver fatto 'carte false' pur di trovare la maestra 'giusta', che poi sarebbe una maestra con la quale costruire un unico fronte educativo, senza disfare l'uno il lavoro dell'altro. «Avevamo bisogno di una scuola moderna, non dogmatica, non intollerante, aperta; una scuola in cui i bambini contassero più dei registri, il loro lavoro più dei voti con cui la legge fa obbligo di classificarli, la loro comunità più delle loro piccole competizioni, la loro sincerità più dell'ortografia, la loro libertà più dello schema imposto dall'alto. L'abbiamo cercata e trovata»[7].

Ma Rodari sa anche che il suo caso non rappresenta la normalità, per questo è fondamentale che di scuola si parli di più e soprattutto in contesti più di massa: televisione, radio, editoria. A tal proposito il 7 febbraio 1965 Rodari scrive a Daniele Ponchiroli una lettera per incoraggiare la pubblicazione di alcuni disegni dei bambini di Firenze raccolti da Goffredo Fofi insieme al maestro Aldo Pettini, disegni nati nelle classi del Movimento di cooperazione educativa, un Movimento, scrive Rodari, di cui egli stesso è socio, il movimento più vivace della scuola italiana, il più progressivo; pubblicarlo sarebbe un contributo fondamentale al rinnovamento della scuola, una battaglia, aggiunge Rodari, che si svolge quotidianamente in riviste e rivistine ma che, «senza Einaudi», rimane di fatto ignota al pubblico colto[8].

Un pubblico che, pur essendo spesso progressista in politica, ha sulla scuola posizioni a dir poco reazionarie, o, quantomeno, conservatrici. Una contraddizione che prende forma fin dagli anni Cinquanta ma che adesso, nell'Italia che si avvia verso una scolarizzazione di massa, si fa più evidente. Per spiegare meglio questo passaggio e il suo significato nella storia del dibattito culturale nel nostro paese citerò, fra i tanti possibili esempi, un episodio estremamente significativo.

Il numero di dicembre 1966 della rivista «Riforma della scuola» pubblica la recensione di Albino Bernardini al libro di Giuseppe Tamagnini, *Didattica operativa*. Una stroncatura dai toni paternalistici nei confronti di un metodo che per il maestro è troppo tecnico e poco militante. Se le pratiche sono buone, i principi sono troppo vaghi, gli sbocchi non definiti, l'indirizzo educativo poco organico[9]. Bernardini torna a dare voce a vecchie perplessità espresse da altri insegnanti vicini al Mce ma iscritti al Pci che contestano l'uso trasversale, nei fatti 'apolitico', delle tecniche didattiche. Rodari non ci sta. Lo immagino leggere l'articolo, prendere carta e penna e scrivere al direttore, l'amico Lucio Lombardo Radice.

«Caro direttore», esordisce Rodari, non sono affatto d'accordo con la recensione, primo perché superficiale e il libro, e il Mce avrebbero meritato di più. Inoltre Bernardini riduce la sua recensione alla vecchia polemica accusatoria con cui si rimprovera al movimento una mancanza di prospettive ideali, un «tecnicismo» appena corretto da generiche enunciazioni di principio[10]. Ma gli atti dei convegni, le annate della rivista «Cooperazione educativa», la stessa «dichiarazione di finalità» approvata nel 1951 dal Congresso di Fano, e infine il volume di Tamagnini in ogni sua parte sono lì a dimostrare come «il movimento non abbia mai inteso chiudersi in un ristretto tecnicismo didattico, ma abbia costantemente considerato tecniche e procedimenti didattici nei loro valori educativi». «Ma tant'è», continua Rodari, «al Mce è stato attribuito di ufficio, una volta per sempre, quel peccato originale, e bisognerà aspettare la venuta di un Redentore che lo cancelli, e istituisca un Battesimo Pedagogico-finalistico al quale ogni membro del Movimento dovrà sottoporsi, per riacquistare la grazia e il diritto ad essere giudicato da quel che fa e da quel che dice».

E ancora:

quando l'amico Bernardini, per esser libero di correre alla battaglia dei principi che gli sta a cuore (giustamente, credo), si sbriga in due parole della sostanza del volume di Tamagnini e dell'opera del Mce, dicendo che «si è ormai tutti d'accordo circa la concezione democratica che si deve seguire, i valori e gli abiti da far acquisire, come sul rispetto del bambino da cui partire per far nascere in lui il gusto della ricerca ecc. ecc.», egli dimostra, a mio parere, una profonda e non scusabile incomprensione della natura e degli scopi del Mce, dei risultati della sua ricerca, del suo impegno e delle sue esperienze. Egli scambia (lo fa anche esplicitamente) le tecniche del Mce per 'espedienti', indifferenti ai fini per cui potrebbero eventualmente venire usati. Ma il nocciolo della questione è proprio qui: le tecniche del Mce sono originali e nuove proprio perché non sono 'espedienti' da sostituire ad altri, ma contengono in concreto valori educativi nuovi ed originali, e non possono in nessun modo essere usate con successo indipendentemente dalla visione di questi valori.

Un esempio: il testo libero. In tanti ne parlano senza aver mai capito di cosa si tratti, mettono nelle mani di un bambino un foglio di carta e una penna biro e gli dicono: «scrivi quello che vuoi». Istituiscono «l'ora del testo libero» accanto all'ora del dettato ortografico, all'ora di geografia ecc., «nemmeno sospettando che il testo libero possa nascere soltanto da un lento e delicato processo, di cui fa parte la trasformazione della classe in una comunità cooperativa, la pratica della 'socializzazione' dei testi, con la correzione collettiva alla lavagna, la stampa, la corrispondenza con altre classi, eccetera».

La tecnica del testo libero comprende in sé il suo fine, che è la liberazione del bambino, la formazione della sua mente, la nascita di una coscienza critica della realtà, la costruzione dal basso di una scala di valori in cui la lealtà, la solidarietà, la collaborazione prendono il posto di valori formali (la disciplina esteriore, il voto, la pagella, ecc.) o di pseudovalori imposti dall'alto. «Il punto», continua Rodari, «è che non si può assolutamente usare la tecnica del 'testo libero' nel quadro di un insegnamento dogmatico».

Chi rifiuta questo, cioè Bernardini, deve allora dimostrare che oltre alle dichiarazioni di principio ci sono metodi alternativi perché «il fine, o vive nella tecnica dell'insegnamento (nella 'didattica operativa') o non esiste: appartiene alle superfetazioni verbali, o alle velleità puramente ideologiche. Non si tratta di empirismo ('il più serio pericolo', secondo Bernardini). Si tratta di rendere impossibile nei fatti un insegnamento dogmatico, antiscientifico, non democratico, elaborando tecniche che siano con esso – come sono le tecniche del Mce – assolutamente incompatibili».

Il testo libero, infatti, nelle intenzioni dei suoi ideatori, ripercorrendo gli atti dei convegni, soprattutto quello di Fano del 1956, deve essere libero non solo nel come ma anche nel quando. Convinto di questo aspetto fondamentale Rodari affermerà nel 1973, in un'intervista televisiva nella quale gli si chiede di suggerire un tema originale per le vacanze:

io vorrei suggerire di abolire del tutto il tema, perché non c'è nessun motivo che tutti i bambini, tutti i ragazzi a un'ora fissa parlino che ne so della primavera, ne parlino quando hanno voglia, quando hanno esperienza della primavera, tra l'altro in città non è molto facile. Forse al posto del tema si possono portare i bambini a fare una passeggiata, a trovare gli indizi della primavera se ne sono rimasti a Milano o a Roma, di prove che la primavera è arrivata. Invece di un tema io penso che lascerei scrivere ogni bambino sulla propria esperienza, per esempio se i bambini fossero in grado di essere interamente sinceri, molti di loro potrebbero dire: io la primavera non l'ho mai vista[11].

La primavera è come la mucca Carletto, qualcosa di cui i bambini non possono parlare perché non ne hanno esperienza: «Signor maestro, il mio tema potrà forse meravigliarla: io la mucca non ce l'ho, ho dovuto inventarla»[12].

Rodari coglie in questo intervento un punto cruciale che, da Gramsci in poi, fa spesso cadere in contraddizione insegnanti progressisti, ma solo a parole: la scuola democratica non esiste senza una didattica democratica. Guardiamo Mario Lodi, per esempio o Maria Luigia Bigiaretti.

Ora, dice Rodari, insegnanti come Lodi, come Bigiaretti vanno valutati a partire da un piano didattico e non ideologico. Una coerente impostazione dei problemi educativi, partendo dal piano didattico (cioè partendo dal lavoro di ogni giorno, oggi, qui), conduce inevitabilmente l'insegnante a scoprire la necessità, per esempio, di riforme strutturali della scuola.

Un buon maestro sente, a un certo punto, che per lavorar bene non gli basta aver affinato i suoi strumenti di lavoro: bisogna che egli cambi anche la scuola intorno a sé. Ma sa parimenti di non essere soltanto un maestro ma un cittadino, iscritto (può esserlo) a partiti, a sindacati, ad associazioni culturali: in quella sede egli avanzerà le sue proposte di riforma, discuterà quelle degli altri, parteciperà, se lo vuole, alla battaglia politica. Se è coerente lo farà senz'altro. E se è coerente non può assolutamente farlo, mettiamo, schierandosi con i fascisti. Questo non toglie che nella sua aula egli sia prima di tutto un maestro che deve saper bene insegnare: il Mce limita coscientemente e gelosamente la sua attività a questo momento. È un torto? A me pare, invece, un atteggiamento legittimo, una scelta importante: il Mce si propone di agire sulla «leva» didattica e lascia ad altri (magari ai suoi stessi membri, in altra sede) di agire su altre leve, compresa quella politica. Questo gli permette di far appello alla coscienza professionale dell'insegnante, di mettere in moto all'interno della scuola processi di rinnovamento. Se pone dei limiti, in superficie, al suo campo di azione, non ne pone in profondità. Personalmente sento in questo atteggiamento una serietà d'impegno, una volontà e capacità di lavoro concreto che mi impone rispetto e fiducia[13].

Ma, scrive Rodari, questo non basta a chi, come Bernardini, cerca una visione della «prospettiva specifica che deve ancorare l'educazione agli sviluppi umani e sociali della nostra società, vista in tutta la sua dinamica evoluzione». Ma in che cosa dovrebbe consistere questa «prospettiva specifica»?

Magari Bernardini sta ponendo una domanda più semplice: «Va bene tutto, ma che cittadino volete educare, nella vostra scuola?». Bene, scrive Rodari:

A questa domanda mi sembra che il Mce risponda con tutta la sua attività, in ogni pagina dei suoi scritti, con la vita quotidiana delle sue classi: un cittadino democratico, una mente aperta, capace di conoscenza critica. Si può volere altro dalla scuola nazionale? Io non lo credo. E non mi pare che, su questo punto, l'accordo sia tanto unanime come Bernardini mostra di credere. In quell'ideale educativo possono incontrarsi persone di diversa formazione ideologica, politica, culturale, purché di pari onestà intellettuale, di pari dedizione nella ricerca della verità, anche della verità pedagogica e didattica, che nessuno possiede per definizione, una volta per tutte. A me sembra che un simile punto di incontro di energie sia prezioso per la scuola italiana e per il movimento democratico. Mi sembra che queste persone vadano aiutate in ciò che sta loro a cuore, e non tirate per la manica perché si occupino di altre cose. È il Movimento meno pressapochista che io conosca: non merita critiche approssimative o dedotte, con tecnica aristotelica, da qualsivoglia dogma. Vuoi parlare di didattica: si discuta con esso di didattica. Pone problemi precisi: si discuta di quelli[14].

E, qualche anno dopo: «personalmente non conosco, al di fuori del Mce, esperienze educative di tale livello»[15].

A ricucire lo strappo seguito a questa discussione Gianni Rodari scrive la bellissima introduzione a *Un anno a Pietralata* di Albino Bernardini, che esce nel 1968. Un contributo utile per ribadire alcuni concetti che gli stanno particolarmente a cuore come, appunto, il fatto che l'accordo, sulla necessità di creare cittadini consapevoli, sia tanto unanime. Riferendosi, infatti, ai docenti 'progressisti' che vanno a lavorare in periferia Rodari scrive:

Un muro poco meno che razzistico divide quegli insegnanti dagli esseri umani, bambini, donne, uomini, tra i quali hanno la sensazione di essere capitati per castigo. Sognano, supponiamo, la bella scuola in centro: bambini docili, puliti, accompagnati fin sul cancello da signore ben vestite o magari, toh, da quel tipo di gente che definirebbero 'povera ma onesta'. Il sottoproletariato turbolento, gli immigrati che la città tiene nel ghetto detta sua cintura 'miserabile', i loro figli cresciuti nella strada e nei terreni da costruzione, precocemente esperti e allenati a metodi da giungla sociale, fanno loro paura. Imporre comunque una 'disciplina' è la loro unica preoccupazione: un modo, anche, per difendersi da contatti umani che stimerebbero degradanti. Si può essere, mettiamo, 'progressisti' in politica e reazionari, se si è insegnanti, a scuola. Si può credere nella necessità che le classi lavoratrici si elevino fino alla direzione dello Stato, nella necessità di educare in un certo modo il sottoproletariato; e poi, trovandosi di fronte i figli dei lavoratori e i figli dei sottoproletari, trattarli con gli schemi tradizionali della disciplina, del dogmatismo, eccetera. Trasformare il proprio lavoro per riuscire a svolgerlo in modo coerente con i propri principi richiede sforzi[16].

Essere progressisti in politica e reazionari a scuola deriva, innanzitutto, dalla difficoltà di considerare gli allievi bambini come degli esseri umani, con i quali formare una comunità che si dia da sola le sue leggi, che si dedichi a un lavoro armonioso, e non soltanto scolari accolti tra i banchi in virtù di una legge sull'obbligo scolastico, sui quali riversare il proprio sapere, se non il proprio status di insegnanti-intellettuali. «Anche quando i bambini si presentano in classe come una moltiplicazione di Franti, il 'cattivo' del *Cuore* (è una colpa grave, di De Amicis, l'aver immaginato un bambino così totalmente, irrimediabilmente malvagio) il maestro non rinuncia a pensare che sotto quella maschera c'è dell'altro: c'è il patrimonio di slanci, di curiosità, di interessi che ogni ragazzo porta con sé, per la sua natura di 'cucciolo di uomo'»[17].

Molti sono gli studi che affrontano il rapporto fra Rodari e la scuola, Rodari e la pedagogia, Rodari e l'educazione. Ma nessuno, mi sembra, sottolinea questo passaggio come quello, ancora oggi, più drammaticamente attuale: «La vecchia scuola muore da sola, senza bisogno che dei ragazzi dicano la scuola borghese si abbatte e non si cambia. La scuola la sua egemonia l'ha perduta, non serve neanche più alla borghesia, che i suoi rampolli li alleva a parte. La scuola ha perduto la sua tranquillità. La scuola nuova deve crescere nella scuola vecchia come il pulcino cresce dentro l'uovo. Questa scuola può nascere, se si dimostra con i fatti che è possibile»[18].

15.

Un invito a organizzarsi

Il mio babbo e il mio fratello vanno al bosco per me. Non posso ripeter gli anni e non intendo portar legna addosso, lasciando il mondo così com'è.

Scuola di Barbiana

Ho domandato ad una bambina:
«Chi comanda in casa?». Sta zitta e mi guarda.
«Su, chi comanda da voi: il babbo o la mamma?».
[...]
«Non comanda nessuno,
perché ci vogliamo bene!».

Gianni Rodari

Nel maggio del 1967 la Libreria editrice fiorentina pubblica un libro che è uno spartiacque nel discorso pubblico sulla scuola in Italia, *Lettera a una professoressa*. Gianni Rodari lo recensisce su «Paese Sera»: la scuola è classista e percorsa da numerose «forme di privilegio». La *Lettera* è

un libro urtante, 'cinese' addirittura, in certe affermazioni da 'rivoluzione culturale'. [...] Non tiene conto del pur grande lavoro di liberazione compiuto, negli ultimi decenni, dalla pedagogia e dalla psicologia. Di una sincerità a volte brutale, di una ingenerosità scostante. Con tutto ciò, il più bel libro che sia mai stato scritto sulla scuola italiana, il più appassionante, il più vero. Vi si respira e misura la rivolta, l'aspirazione inarrestabile alla cultura, la volontà di cultura a tutti i costi, in cui si muta una profonda presa di coscienza dei propri diritti. Vorremmo consigliarlo a tutti gli insegnanti italiani, perché, nella sua durezza, è un appello alla grandezza della loro missione: anche nella critica ingiusta è un canto d'amore alla scuola[1].

Recensione che Pier Paolo Pasolini riprenderà, facendola sua parola per parola.

Lettera a una professoressa è essenziale come momento di verifica di temi sui quali Rodari interviene da anni come il voto, lo studio a casa (leggi: i compiti), il rapporto scuola/famiglia, il rapporto scuola/società.

I ragazzi non sono letterati: leggono parole, ma guardano alle cose. Il loro 'contenutismo' può irritare chi pensi, scrivendo, che le cose più importanti siano – se ne ha – le sue qualità artistiche: che sono, invece, con i ragazzi, soltanto uno strumento di comunicazione. E penso al vantaggio che ne ricaverebbero i ragazzi se potessero 'comunicare', in incontri alla pari, nella scuola, cioè nel loro ambiente che conferisce serietà all'incontro, con ogni genere di adulti: sindaci, sindacalisti, tecnici, uomini, figure e personaggi di quel 'mondo vero' a cui essi tendono sempre, anche quando la scuola si fa mondo artificiale e chiuso, universo burocratico. Da un sindaco possono ricavare più che da un libro: a patto, ovviamente, che il sindaco non vada da loro per insegnare, ma solo per rispondere onestamente alle loro domande; cioè per servirli, non per servirsene; per offrirsi loro come materia prima di un prodotto che debbono essere loro a fabbricarsi. Una scuola con le porte più aperte sarebbe una scuola più vera e più viva[2].

Parole che sembrano uscite dalla penna di don Milani.

Anche *I punti*, la sua rubrica che tiene sul «Corrierino», cambia di segno; i toni diventano più radicali. «Ho seguito, su un grande giornale, una piccola polemica. Questa parola deriva dal greco *polemos*, che voleva dire "combattimento". Ma per fortuna le polemiche giornalistiche si fanno senza bombe atomiche, con la penna o con la macchina per scrivere. Dunque, un noto professore di pedagogia (che sarebbe la scienza dell'educazione) si diceva contrario all'obbligo, per gli scolari, di indossare il grembiulino, col collettino, col fiocchettino; la tradizionale uniforme dentro la quale i bambini dovrebbero sentirsi tutti uguali di fronte al maestro, ma che contrasta con la personalità, lo spirito d'indipendenza, la libertà dei bambini». Rodari chiede a due maestri: uno rivendica il carattere egualitario del grembiulino. «Questo ragionamento non mi convince. La povertà va abolita, non nascosta. Bambini con le toppe nei pantaloni non ce ne dovrebbero essere più, ecco tutto. Un altro maestro mi ha detto: 'Il grembiulino aiuta la disciplina. Che cosa ne diresti di un esercito senza divisa, un soldato col maglione rosso, un caporale con il gilè a fiorellini?'. Nemmeno questo ragionamento mi convince: la scuola non è una caserma». E poi cosa è la disciplina? Stare fermi e zitti? «Un grembiule, o magari una bella tuta da lavoro, mi sembra indispensabile se si fa del giardinaggio, se si usa la macchina per stampare (molte scuole la usano), se si fanno pitture grandi con grandi pennelli, per non sporcarsi. Cioè, accetto il grembiule dove e quando è utile e necessario. Come simbolo di uguaglianza, disciplina eccetera non lo capisco. Il fiocco, poi, dà proprio fastidio. In certe scuole lo fanno portare lungo lungo, largo largo. Prima si vede il fiocco, poi il bambino che c'è dietro»[3].

Il 26 maggio 1968 un'attualissima (anche oggi) riflessione sul rapporto fra educazione e contemporaneità a partire da una maestra che insegna l'uncinetto alle ragazze e la tipografia ai ragazzi: tutti infatti

crescono in una casa [...] 'tecnica', in compagnia del televisore, del frigorifero, della lavatrice, della lavastoviglie, del tostapane, del frullino, dell'aspirapolvere, della lucidatrice. Sanno che il papà si fa la barba col rasoio elettrico. L'uncinetto è una bella cosina, ma forse per la mentalità delle nostre figlie [...] non è abbastanza 'tecnico'. Voglio dire che appartiene ad un livello tecnico superato. Forse le bambine preferirebbero imparare a usare la macchina per cucire, la macchina per scrivere, il trapano elettrico. La scuola, in generale, è pochissimo elettrificata; forse per questo non è sempre [...] elettrizzante (Se la battuta non vi piace, cancellatela.)[4].

Rodari non cede mai al misoneismo di chi vede nel futuro dell'insegnamento il rischio che le macchine soppiantino gli esseri umani: «le macchine renderanno l'insegnante, se possibile, più prezioso di prima, proprio perché si accolleranno quella che, fino ad un certo punto, possiamo chiamare la parte brutta dell'istruzione. Esse saranno, diciamo, il calamaio, la lavagna, magari la pagella di domani: non il maestro»[5]. Più in generale Rodari chiede di coinvolgere i ragazzi in ogni discorso sulla scuola, di abituarli a diventare cittadini consapevoli e attivi, di scrivere con loro i regolamenti scolastici: «penso che non chiederanno [...] dodici mesi di vacanza. Ora che le scuole, una dopo l'altra, stanno chiudendo, possiamo ben dirlo: è bello anche andare a scuola, ritrovarsi tra amici, lavorare insieme, studiare. Non per la pagella, ma per diventare uomini»[6].

Rodari è un antidoto anche contro la retorica profondamente classista che vuole nella solitudine (nella 'noia') la radice di ogni crescita culturale: «la compagnia, come medicina, vale più di tutte le vitamine. Se lo costringete a star sempre solo, il ragazzo si ammalerà, come una pianta che non riceve acqua. Gli verrà la malinconia. Con la malinconia addosso è impossibile studiare la storia. Per capire bene i problemi, bisogna essere allegri. Milioni, milioni e milioni di scolari e studenti di tutto il mondo hanno avuto una volta un 'esame di riparazione' o più d'uno: e sono stati brillantemente promossi. Poi ci sono anche i Paesi in cui gli 'esami di riparazione' non esistono nemmeno più, e la scuola va avanti benissimo lo stesso. Un giorno anche da noi, chissà...»[7].

Il 1° settembre 1968, ancora sugli esami di riparazione, riprende punto per punto il programma dei ragazzi di Barbiana. Più tempo scuola per tutti, nessuna bocciatura, avere tanto da fare, basta ripetizioni private.

Ma infine lei cosa vuole, che siano tutti promossi? Perché no, signore illustrissimo e colendissimo, perché no, eccellenza? Si può fare una scuola con tutti promossi: si può fare benissimo. Metta che la scuola, qualsiasi scuola, cominci la mattina alle nove e finisca la sera alle cinque. Con dentro, si capisce, non solo ore di matematica e di latino, ma anche la colazione, anche la ricreazione, anche lo studio individuale per chi ne ha bisogno, anche le 'ripetizioni'. E i compiti. A scuola, anche quelli. In gruppo: i più bravi aiutano i meno bravi. E la biblioteca: a scuola anche quella, così che tutti possano consultare l'enciclopedia e non solo quelli che hanno i soldi per comprarsela e una stanza per tenercela. Con una scuola così, perché ci fossero tutti i bocciati che ci sono adesso, bisognerebbe che la maggioranza degli italiani nascesse con l'intelligenza di una gallina. Cosa che non è, nemmeno adesso. Altrimenti, in tutta la nostra storia, avremmo fatto soltanto uova, invece delle tante belle cose che abbiamo fatto: città, fabbriche, opere d'arte. È d'accordo, eccellenza? Almeno, le è venuto un piccolo dubbio[8].

Prende posizione a favore dei capelloni che tanto fanno innervosire gli adulti (moltissimo alcuni compagni del Pci) perché non si studia con i capelli o con la giacca. Cosa vogliono gli adulti che si lamentano dei capelloni, «vogliono la parrucca? Vogliono che gli studenti si lascino crescere un codino dietro la nuca, come ai tempi del bis-trisnonno?»[9].

Stigmatizza pratiche ancora oggi diffuse nella scuola, come mandare uno studente alla lavagna per segnare i cattivi durante l'assenza di un professore o il gioco del silenzio: «Una gara stranissima. Vince chi sta... più zitto. A me sembra che a scuola ci si vada per imparare a parlare: a stare zitto è buono anche un paracarro, se partecipasse lui alla 'gara del silenzio' non lo batterebbe nessuno. Conosco maestri che non pronunciano mai la parola 'silenzio'. A entrare nelle loro classi, non si sentono per niente le mosche volare: si sente invece un chiacchiericcio misurato ma intenso. A guardare bene, non ce n'è uno che stia zitto»[10].

In *L'adunata dei distratti* parla dell'importanza di una didattica che coinvolga i ragazzi e non li faccia morire di noia tirando in ballo, senza nominarlo, Mario Lodi e il suo *Cipì*:

La lotta contro la distrazione comincia dal maestro, non dallo scolaro. Una volta un maestro amico mio, mentre spiegava le divisioni, si accorse che i suoi ragazzi, dal primo all'ultimo banco, guardavano verso la finestra. Invece di richiamarli, o di sgridarli – «un po' d'attenzione, perbacco!» – andò anche lui a guardare dalla finestra e vide due passeri che lavoravano a fare il nido. Subito le divisioni vengono messe da parte. La scolaresca comincia a studiare i passeri dal vero... E li studiò... per tre mesi a fila! I ragazzi scrivevano le loro osservazioni: ogni giorno avevano qualcosa di interessante da scrivere, un disegno da fare, una notizia da cercare nell'enciclopedia. Ne venne fuori un libro. Posso esclamare, a questo punto, e in onore di questo libro, Viva la distrazione?[11]

Infine, invita gli adulti a non lasciarsi prendere da nostalgie passatiste che nascondono sempre un disprezzo verso i ragazzi. I bei tempi andati non esistono. Nei bei tempi andati non c'era la scuola media per tutti, non c'era nemmeno la scuola elementare per tutti: c'erano invece, in Italia, milioni di analfabeti. «I figli dei contadini a sei, sette anni, un pezzo di pane in tasca, e via a guardare le pecore, o a fare lo spaventapasseri per tener lontani gli uccelli. E quanti figli di operai potevano comprare, se non un libro, almeno un giornalino? Io non dico che oggi i ragazzi leggono abbastanza. Dico che una volta leggevano ancora meno. Molto, ma molto meno. A eccezione di quei pochi che avevano la fortuna di nascere in una casa con tanti libri, o con tanti soldi» [12].

Per concludere: nella scuola, come nella società, bisogna decidere se è più importante il pronome 'io' o il pronome 'noi', come scriverà anche, anni dopo, nell'introduzione al libro di Danilo Dolci: «il soggetto, più spesso che 'io', è 'noi', e la parola chiave è sempre 'insieme'»[13].

Per questo Rodari accetta di assumere la direzione della rivista «Il Giornale dei genitori» quando, il 14 marzo del 1968, muore Ada Marchesini Gobetti che l'ha fondata nel maggio del 1959 a Torino. «Edito coi soldi che la Gobetti aveva guadagnato dalla pubblicazione di un suo libro di consigli ai genitori, *Non lasciamoli soli*, vivacchiava stentatamente con appena duemila abbonamenti e con difficoltà raggiungeva lettori fuori del Piemonte» fino a quando, nel 1964, la casa editrice fiorentina di Ernesto Codignola si era assunta la distribuzione della rivista e la redazione era passata a Milano, dove se ne sarebbe occupata Lidia De Grada Treccani. «Esiste una forma di modestia che consiste nell'accettare e nel darsi anche compiti limitati, obiettivi parziali. Questo è ciò che facciamo con il nostro giornale»[14]. Nel 1968 Rodari scrive a Lidia De Grada: «il 'Giornale dei genitori' è immediatamente e quotidianamente utile».

Uno studio sui rapporti fra la scuola e la famiglia nell'Italia del dopoguerra manca: chi decidesse di farlo dovrebbe dedicare un capitolo alle discussioni, ai progetti e alle iniziative di comitati di vario genere, sorti ovunque durante gli anni Sessanta. Sarebbe, nei fatti,

> la storia, lenta e tortuosa, del passaggio del cittadino-genitore da una condizione di suddito della scuola a un'altra, per ora soltanto intravista, di cittadino di pieno diritto. Farebbero da sfondo altri avvenimenti, a diverso livello, dai bivacchi notturni di padri e madri per iscrivere i figlioli a una scuola per l'infanzia, alle occupazioni di edifici scolastici, alle manifestazioni pubbliche per la mancanza di aule. Una di queste manifestazioni, pochi giorni fa, si è incontrata a Roma, sulla piazza del Campidoglio, con il corteo degli astronauti americani conquistatori della Luna in visita dal Sindaco: ed è stato facile osservare che oggi come oggi è più facile andare sulla Luna che andare a scuola. Almeno a Roma. Ma non soltanto[15].

Quella che oggi è vista da taluni insegnanti e opinionisti come una delle disgrazie della contemporaneità, la partecipazione dei genitori alla vita scolastica, è infatti, nell'ottobre 1969, un diritto che hanno in pochi, come mette in luce Albino Bernardini in *Un anno a Pietralata* quando parla della scelta dei libri di testo. I genitori, quelli poveri, ignoranti soprattutto, devono fidarsi, la scuola non è affare loro, ma anche gli altri è bene che si occupino soltanto di decoro e aule da sistemare e non mettano bocca in quello che succede dentro la scuola[16].

Eppure la scuola è un affare di tutti, riguarda la comunità, non il singolo (la ricerca della classe migliore per il proprio figlio di cui lo stesso Rodari si dichiara colpevole): Rodari fa venire in mente la scena che in *C'eravamo tanto amati* di Ettore Scola segna l'inversione di tendenza fra rivendicazioni individuali e presa di coscienza che «il problema degli altri è uguale al mio, uscirne da soli è l'egoismo, uscirne insieme è la politica»[17]. Rimanda direttamente alla *Lettera a una professoressa* che, non dimentichiamolo, è «un invito ai genitori a organizzarsi», e si domanda se l'impossibilità di avere una relazione fruttuosa derivi dal fatto che la scuola è ancora «quasi il solo istituto prevalentemente autoritario di una società che la presenza di una forte, continua, intelligente opposizione quasi costringe ad essere, e quasi suo malgrado, democratica»[18].

Ancora una volta, dunque, sono le pratiche democratiche che possono scardinare l'istituzione immobile, non attraverso organi elettivi, che finirebbero per essere scelti dai dirigenti o rappresentare pochi, ma dal gruppo classe, autentico motore di crescita democratica non solo della scuola ma anche della società laddove funziona come a Bologna, scrive Rodari, dove la gestione sociale della scuola ha portato al decentramento amministrativo e alle prime sperimentazioni di tempo pieno[19].

«Il mestiere di genitore di cui parlava Makarenko, e di cui parla con tanta passione tra noi Ada Marchesini Gobetti, si impara e si pratica a braccio, a orecchio. La idea che per allevar bene i bambini occorrano, oltre agli assegni familiari, e ai maestri, conoscenze complesse, che ci si debba mettere addirittura a studiare, per commettere il minor numero possibile di errori, è molto meno diffusa dei vecchi precetti e pregiudizi dell'educazione familiare»[20].

Rodari riflette sull'alleanza educativa necessaria fra scuola e famiglia a partire dagli anni Cinquanta. In un articolo pubblicato su «Noi donne» nel 1958, dal titolo *Lo schiaffo del maestro*, Rodari si domanda come evitare gli errori reciproci che potrebbero essere eliminati se scuola e famiglia si venissero incontro con più coraggio: se la scuola trovasse il modo di interessare i genitori direttamente al proprio lavoro; se i genitori si convincessero che per essere buoni genitori non basta amare i figli e fare dei sacrifici per essi: bisogna studiarli, i figli[21]. Tema ripreso nel 1970:

> Un rapporto tra due persone, e siano pure un padre e un figlio, non si improvvisa. Si costruisce. Oppure non esiste. Le famose ragioni del sangue, in questo rapporto, non c'entrano per niente. Il fatto di aver dato la vita a qualcuno non costituisce privilegio nei confronti di questo qualcuno. La paternità naturale ha un significato puramente animale. Sul terreno della cultura, della civiltà, della vita familiare ed associata non ha la minima importanza. Neanche una briciola di importanza, nemmeno un'ombra se il padre – in modo istintivo o in modo cosciente – non ha lavorato a trasformare il rapporto naturale in un rapporto umano: cioè il puro rapporto animale in un rapporto civile, interpersonale[22].

Dalle pagine del «Giornale dei genitori» Rodari si interroga su cosa sia uno scolaro modello e su come si possano avere buoni rapporti con il maestro; bisogna forse portargli le uova, come suggeriva la nonna al piccolo Gianni? «Un mio amico, che ha fatto il maestro in un certo paese, ha scritto un libro in cui ha raccontato che il primo giorno di scuola i bambini gli si presentarono armati di robuste bacchette. 'Per chi sono?' 'Per lei.' 'E che cosa me ne faccio?' 'Sono per picchiarci se non stiamo buoni.' C'era quell'usanza, capite? Il mio amico sudò molte camicie prima di convincere la gente che cinque bastonate sulle dita non sono il modo migliore di imparare a contare fino a cinque»[23].

Lo scolaro modello, una volta, era quello che apriva bocca solo per recitare, se era interrogato, le capitali del Sud America, non tirava le trecce alle bambine e non faceva macchie sul quaderno. Chi possedeva queste virtù poteva contare su una pacifica e fruttuosa convivenza con il maestro. Ma dopo il Sessantotto?

«Ho chiesto a diversi amici maestri e professori d'ambo i sessi una definizione dello scolaro modello oggi, 1970, in una scuola che cambia, in un mondo che cambia. Qualcuno mi ha risposto con una battuta, per liberarsi di me... 'È quello che mi dà meno fastidio...'. Già, ma dipende da 'che cosa' lo infastidisce. C'è un professore cui danno fastidio i ragazzi che fanno troppe domande. Ce n'è un altro cui danno fastidio i ragazzi che fanno sempre finta di non essere lì. 'È quello che chiacchiera il meno possibile...'». Ma, dice Rodari, ci sono scuole dove i ragazzi lavorano sempre in gruppo, e per lavorare in gruppo debbono parlare tra loro, quello che parla meno è quello che lavora di meno.

«Nella mia classe – dice una brava signora – se c'è qualcosa che non va, facciamo l'assemblea e ne parliamo. Ci facciamo insieme delle regole, delle leggi, e le rispettiamo. I ragazzi obbediscono volentieri alle leggi che capiscono, che essi stessi hanno suggerito...». «Per me – dice il mio ultimo intervistato, un giovane insegnante della prima media – lo studente migliore è quello che dà il meglio che può, aiuta gli altri quanto può, non disturba nessuno ed è contento quando tutti lavorano e sono contenti». Rifletto su questa risposta. Essa non mi fa vedere un singolo studente o scolaro, ma un'intera classe, una piccola comunità al lavoro. Quando una classe diventa una comunità, tutto va per il meglio: o almeno non ci sono guai irreparabili, problemi insolubili. Costruire questa comunità tocca, insieme, all'insegnante e ai ragazzi: sono interessati allo stesso modo, alla pari. Da qui i regolamenti condivisi, come quello del Trullo, e la pratica quotidiana della democrazia[24].

Il 6 aprile 1970 Gianni Rodari vince il premio Andersen, il più prestigioso premio internazionale destinato alla letteratura per l'infanzia: è il primo italiano a vincerlo (e fino ad oggi anche l'ultimo). Scrive a Einaudi: «caro don Giulio, ho festeggiato l'Andersen con il Dolcetto e non ho parole per dire quanto sia buono. Il Dolcetto, non l'Andersen: due anni fa questo premio è stato dato a un fascista spagnolo»[25].

Rodari si riferisce a José María Sánchez Silva che ha vinto il premio nel 1968: lo spagnolo, noto per aver scritto *Marcellino pane e vino*, è in effetti quanto di più distante si possa immaginare da Rodari e dalla sua idea di infanzia: la storia di Marcellino, che in Italia è diventata famosissima grazie a un film proiettato in tutti gli oratori, è patetica, moralista, e intrisa di un cattolicesimo reazionario tipico della Spagna franchista. Tuttavia il premio a Sánchez Silva non rappresenta affatto, va detto, lo spirito del premio e soprattutto dell'associazione che lo conferisce, l'Ibby: basta sfogliare i numeri della sua rivista, «Bookbird», pubblicata dal 1963, per verificare come la discussione sia in quegli anni ricca e attenta ai tempi che stanno cambiando, si spazia dalla letteratura nera americana a quella sovietica degli anni Venti e Trenta[26]. Candidato già nel 1968, dunque, il premio a Rodari del 1970 è molto più coerente con lo spirito dell'associazione di quello conferito a Sánchez Silva.

È Carla Poesio che presenta Rodari, per la prima volta, sulla rivista «Bookbird»: pur rimanendo fedele alla mitologia infantile, Rodari adatta costantemente la sua scrittura ai tempi che cambiano, ai bambini che cambiano con loro. Rodari usa l'umorismo, lo sguardo che si distacca dalla realtà pur rimanendovi saldamente ancorato. E poi, conclude Poesio, Rodari non fa mai la morale, il messaggio è nella forma, nella sua arte[27].

Così, forse, il vero motivo della nota rodariana a Einaudi in margine al premio dipende da un altro motivo: «ci fosse almeno un cavallo donato – scrive ancora Rodari – almeno così si potrebbe guardargli in bocca, ma l'Andersen è un premio francescano, non prevede denaro, ma fama internazionale sì», e infatti Rodari aggiunge: «naturalmente sono felicissimo»[28].

Il discorso di accettazione al premio è un momento di arrivo e di partenza; fa il punto di quanto fatto e rilancia, è un programma per il futuro.

Si può parlare di cose serie e importanti anche raccontando fiabe allegre. E poi, che cosa intendiamo per persone serie? Facciamo il caso del signor Isacco Newton [...]. Secondo me era una persona serissima. Occorre una grande fantasia, una forte immaginazione per essere un vero scienziato, per immaginare cose che non esistono ancora e scoprirle, per immaginare un mondo migliore di quello in cui viviamo e mettersi a lavorare per costruirlo. Io credo che le fiabe, quelle vecchie e quelle nuove, possano contribuire a educare la mente. La fiaba è il luogo di tutte le ipotesi, essa ci può dare delle chiavi per entrare nella realtà per strade nuove, può aiutare il bambino a conoscere il mondo, gli può dare delle immagini anche per criticare il mondo. Per questo credo che scrivere fiabe sia un lavoro utile. [...] Nessuno possiede la parola magica: dobbiamo cercarla tutti insieme, in tutte le lingue, con modestia, con passione, con sincerità, con fantasia; dobbiamo aiutare i bambini a cercarla, lo possiamo fare anche scrivendo storie che li facciano ridere: non c'è niente al mondo di più bello della risata di un bambino. E se un giorno tutti i bambini del mondo potranno ridere insieme, tutti, nessuno escluso, sarà un gran giorno, ammettetelo[29].

16.
Un libro d'oro e d'argento

Eh la realtà e la fantasia sono due cose che non si sa molto bene dove finisce uno e dove comincia l'altra. Certo la fantasia prende spunto dalla realtà però la realtà è bella quando riesci a correggerla con l'invenzione della fantasia.

Pino Zac

È un peccato adoperare l'imperfetto delle fiabe e dei giochi a scopo predicatorio e intimidatorio. È quasi come adoperare un orologio d'oro per fare buchi nella sabbia.

Gianni Rodari

«Quando la prima copia della *Grammatica della fantasia* è arrivata a casa mia, mia figlia che ha 17 anni e che naturalmente è sofisticata di letture come i ragazzi di quell'età, disse: 'Va bene, questa dedica alla città di Reggio Emilia l'approvo perché è abbastanza folle uno che va a dedicare un libro a una città anziché alla sua fidanzata; però guarda che non ci sono veramente limiti alla tua vanità, vai a mettere sullo stesso piano una città al completo di palazzi, di persone, sindaco, scuole: la città di Reggio Emilia; questa è tutta superbia'»[1].

Dedicare un libro a una città. Questo è quello che Gianni Rodari fa, nel 1973, con la *Grammatica della fantasia*, il libro tante volte promesso, lungamente elaborato, il compendio di almeno trent'anni di riflessioni sulla lingua, il suo uso, la sua potenza liberatrice. Un saggio popolare, operativo, meno teorico, concepito nella sua forma definitiva a Reggio Emilia, sorta di committente moderno perché espressione democratica e popolare. «Io considero mio committente il movimento operaio e democratico più che il mio editore»[2].

Quello che hanno fatto i comuni democratici dell'Emilia-Romagna con la scuola dell'infanzia, e la scuola in generale, appare a Rodari la prefigurazione più completa di quello che dovrebbero diventare le scuole di ogni ordine e grado: è il 1963 quando il comune di Reggio Emilia, governato dal dopoguerra da una giunta comunista e socialista, con il sindaco Renzo Bonazzi, inaugura la propria rete di servizi educativi e apre la prima scuola comunale per bambini dai 3 ai 6 anni che si chiama Scuola Robinson. Robinson è Robinson Crusoe e la scuola è ispirata a lui perché, come ha scritto Rousseau nel suo *Emilio*, il ragazzo deve imparare a cavarsi d'impiccio messo nelle condizioni di Robinson, passare attraverso gli errori e i rimedi agli errori sperimentati da lui. Il bambino che osserva, cerca, costruisce, fa[3]. La lezione di Rousseau è riportata nella pedagogia del dopoguerra dagli allievi di Giuseppe Lombardo Radice ed è abbracciata dagli educatori di Reggio Emilia, come Loris Malaguzzi: grazie a lui, Rodari si avvicina alle neuroscienze, incontra Jerome Bruner, anche lui invitato dal comune emiliano per formare gli insegnanti[4]. «Noi portiamo avanti l'idea di un rinnovamento di fondo della società; questo compito non può essere svolto solo con atteggiamenti propagandistici; nelle realizzazioni dei comuni democratici, delle regioni, delle posizioni di potere politico dove è rappresentata la sinistra, dove è rappresentato il partito comunista, non ci si accontenta di fare della propaganda per il proprio modello di futuro, ma si cerca di prefigurarlo con un diverso rapporto con i cittadini, con una promozione dell'iniziativa democratica dal basso»[5].

Una scuola che offre strumenti replicabili altrove non legata alla personalità del maestro come era stato, per esempio, il caso di don Milani a Barbiana[6]. Un sistema che offre attenzione anche alla formazione delle figure più marginali del sistema scolastico, i bidelli. In questo senso i comuni possono più di un movimento di insegnanti, per quanto organizzato:

tempo pieno, attenzione alla disabilità, rifiuto delle classi differenziali, impiego di metodi come l'educazione visiva, teatrale, musicale. Scrive Malaguzzi:

> Il bambino/ ha cento lingue/ cento mani/ cento pensieri/ cento modi di pensare/ di giocare e di parlare/ cento sempre cento/ modi di ascoltare/ di stupire/ di amare/ cento allegrie/ per cantare e capire/ cento mondi/ da scoprire/ cento mondi/ da inventare/ cento mondi/ da sognare./ Il bambino ha/ cento lingue/ (e poi cento cento cento)/ ma gliene rubano novantanove./ La scuola e la cultura/ gli separano la testa dal corpo./ Gli dicono:/ di pensare senza mani/ di fare senza testa/ di ascoltare e di non parlare/ di capire senza allegrie/ di amare e di stupirsi/ solo a Pasqua e a Natale./ Gli dicono:/ di scoprire il mondo che già c'è/ e di cento/ gliene rubano novantanove./ Gli dicono:/ che il gioco e il lavoro/ la realtà e la fantasia/ la scienza e l'immaginazione/ il cielo e la terra/ la ragione e il sogno/ sono cose/ che non stanno insieme./ Gli dicono insomma/ che il cento non c'è./ Il bambino dice:/ invece il cento c'è[7].

Per questo la *Grammatica della fantasia* è dedicata alla città di Reggio Emilia.

La *Grammatica*, è noto, nasce da una settimana di incontri con le maestre e i maestri della scuola dell'infanzia, dal 6 al 10 marzo del 1972[8]. Di fronte a loro Rodari capisce che non è un saggio teorico quello che serve, l'antica ambizione alla Fantastica è venuta meno con gli anni. Rodari non vuole far vedere quanto è bravo ad andare in bicicletta senza mani (il lettore faccia conto che io stia giocando a quel gioco che la psicologia transazionale chiama «Guarda, mamma, come vado bene senza mani!». È sempre così bello vantarsi di qualcosa)[9]: «ho capito qui che non dovevo fare un libro per far vedere quanto ero bravo (se poi sono bravo) ma dovevo fare un libro per essere capito e rendermi utile»[10]. Soprattutto Rodari non vuole scrivere un libro per il «pubblico colto», come aveva scritto a Einaudi nel 1964[11].

Racconta Giulia Notari, una delle maestre presenti: «all'inizio eravamo diffidenti, ma come, pensavamo, noi questo lavoro lo facciamo da anni»[12], eppure «Rodari usava con le insegnanti il sistema che poi usava con i bambini; con il senno di poi ho ripercorso questi laboratori e mi sono accorta di essere stata bambina con Rodari maestro. Ci riconoscemmo come persone di scuola e questo è un effetto magico, ci emozionavano le stesse cose»[13].

Quello che esce dagli incontri, dunque, non è un manuale per inventare storie, l'Artusi della creatività, ma uno strumento per osservare e accompagnare i bambini nel processo creativo. La scuola dell'attenzione e della memoria ha fatto il suo tempo, i bambini devono diventare inventori, anche perché, come ripete ormai Rodari da vent'anni, non esiste l'opposizione fra fantasia e realtà, la fantasia è uno strumento per conoscere la realtà e indagarla al meglio[14].

«L'immaginazione – scrive Vygotskij – costruisce sempre con materiali forniti dalla realtà. È vero che [...] l'immaginazione può raggiungere via via, nel suo processo combinatorio, sempre nuovi livelli, partendo dalla combinazione di elementi primari della realtà [...] e proseguendo con quella di immagini della fantasia [...] e così all'infinito. Ma gli elementi ultimi, di cui verrà a comporsi anche la più fantastica delle rappresentazioni, la più remota dalla realtà, saranno sempre e nient'altro che impressioni del mondo reale»[15]. L'immaginazione serve a fare ipotesi e le ipotesi servono a tutti, anche allo scienziato, anche al matematico che fa dimostrazioni per assurdo. La fantasia serve a esplorare il linguaggio. «La lingua non è una materia (lo è ancora sulla pagella), non è una materia separata dalle altre che abbia confini ben precisi: qui è la lingua e qui è la geografia. Senza la lingua non c'è la geografia», né la scienza, né la storia né la filosofia. «Noi siamo nella lingua come il pesce è nell'acqua, non come il nuotatore. Il nuotatore può tuffarsi e uscire ma il pesce no, il pesce ci deve stare dentro»[16]. Il bambino abita la lingua e ne è abitato, e attraverso la fantasia classifica il mondo secondo un metro che è suo e le storie gli servono per fare ordine.

I bambini lavorano con gli strumenti che vengono loro dati, i mattoni li chiama Rodari, «che tipo di costruzione verrà fuori, razionale e intelligente, razionale e bizzarra, o banale e convenzionale, dipende dalla 'filosofia', dalla pedagogia, dalla creatività degli adulti, dalla loro attitudine a rispettare i bambini; ma i mattoni sono decisivi»[17].

I bambini non sono conformisti per natura, semmai sono gli adulti che si nascondono dietro questa convinzione per pigrizia, perché saper usare mattoni diversi dai soliti usati dalla scuola dell'attenzione, è faticoso. «Serve un lungo tirocinio culturale e intellettuale, vale a dire che bisogna aver percorso alcuni fra gl'innumerevoli sentieri nei quali un buon lavoro educativo può incamminare le menti bambine. Ci s'arriva meglio se prima s'è imparato che si può immaginare l'albero dei maritozzi con la panna in largo di Santa Susanna e in via Condotti l'albero delle scarpe e dei cappotti». I mattoni possono essere le carte di Propp (le funzioni) o semplicemente le parole. «Ma anche per questo gioco occorre un tirocinio: un'educazione linguistica. Gioco, si sa, significa attività 'disinteressata', che ha il proprio scopo in se stessa. In realtà, come sappiamo, non è proprio così, o almeno è così quanto agli scopi ma non necessariamente quanto agli effetti. L'effetto del molto giocare è il 'diventare molto se stessi'. Se fosse lecito un po' di linguaggio finalistico»[18].

Rodari fa tesoro di anni di studio ed esperienza, le note bibliografiche alla fine del libro ci raccontano di un percorso di letture che abbiamo imparato insieme a conoscere nel corso di questa biografia: c'è la linguistica, c'è la psicologia e ci sono le neuroscienze: «dagli anni Cinquanta ad oggi, le nostre conoscenze sul funzionamento del cervello e del sistema nervoso dell'uomo si sono ampliate di molto e diversi studiosi hanno sconfessato opinioni largamente diffuse e consolidate nel tempo sull'intelligenza e la creatività»[19]. C'è la messa in discussione radicale dell'idea élitaria del genio, come carattere isolato e speciale:

per quanto riguarda la creatività, ad esempio, per secoli è stata considerata una virtù misteriosa, rara, riservata a pochi eletti, posseduta soltanto da individui particolarmente dotati, da persone straordinarie, capaci di effettuare invenzioni, scoperte oppure di realizzare capolavori letterari e artistici. La stessa acquisizione di capacità artistiche, scientifiche e letterarie è stata sempre presentata come un processo molto lungo e faticoso, un traguardo raggiungibile soltanto da alcune persone geniali e dopo moltissimi anni di preparazione, di impegno e di studio[20].

Non è la Fantasia al potere, ma il potere della fantasia, come ha notato Tullio De Mauro: «non gli interessava che fossero abbandonate vecchie strade tanto per cambiare. Gli interessava invece che fossero progettate strade nuove per imparare che questo, progettare il nuovo, è sempre possibile, e perché poi, tra le strade nuove, si vedesse se ce ne sono di migliori dette vecchie. Non era un antigrammaticale e un antitradizionalista. Al contrario, voleva che dell'intero potenziale delle grammatiche e delle tradizioni tutti, e non solo pochi, diventassero padroni, e lo diventassero scoprendo che la grammatica o la tradizione reale non è che una delle grammatiche, una delle tradizioni possibili»[21].

La mia modesta, e immodestissima, *Grammatica della fantasia* non è, naturalmente, un repertorio di personaggi e di situazioni, né un ricettario domestico per inventare storie. È, prima di tutto, il solo tipo di «confessione» che mi riesca, una specie di piccola storia non dei miei fatti personali, ma della mia immaginazione, con tutti i suoi limiti, anche col semi-vuoto culturale che la circonda. Poi, forse, una rivendicazione del posto dell'immaginazione nella scuola, nella vita di ciascuno. Il Sessantotto e l'appello degli studenti all'immaginazione (politica) non c'entrano: di questo libro con Einaudi si era già parlato dieci anni fa (conservo i documenti, per esempio una sua lettera che mi incoraggiava a scrivere un *Manuale di Fantastica*, al quale avevo accennato non del tutto – e quindi molto – sul serio...) [...]. Il libro è, se si vuole, un «saggio popolare», cioè non scientifico, non accademico. Io spero tanto che sia utile[22].

Ovviamente, scrive Rodari, ieri come oggi, c'è sempre nella scuola chi reagisce a ogni tipo di proposta innovativa lamentando la mancanza di tempo, la necessità di terminare i programmi, di seguire le indicazioni ministeriali, di insegnare almeno le basi. Ma le basi cosa sono? Dante Alighieri, per esempio, da solo governava il sapere del suo tempo, ma gli enciclopedisti si sono dovuti mettere insieme. «Se noi intendiamo le basi che la scuola deve consegnare al bambino, al giovane, al ragazzo, in senso quantitativo noi ci mettiamo nella condizione di quel bambino descritto da sant'Agostino mentre sta tentando di svuotare l'oceano con un secchiello». Così fa la nostra scuola, gli dà un secchiello, ma queste non sono le basi: non è pensabile insistere con la quantità. Nessun secchiello può essere utile, quello che conta è insegnargli a nuotare, poi nuoterà fino a quando ne avrà forza, poi si costruirà una barca, una nave, chi lo sa. Dobbiamo consegnare degli strumenti culturali, la conoscenza non è una quantità, è una ricerca. Perché ogni classe, ogni annata, ogni generazione è una storia nuova e quello che è buono per una classe potrebbe non esserlo per un'altra. È una costante del pensiero di Rodari che la fantasia creativa, l'immaginazione produttiva non siano privilegio di persone «nate con un registro in più, con una tastiera più ampia di altre, sono cose che fanno parte della personalità di tutti gli uomini, anche se non tutti gli uomini sono messi in condizione di sviluppare questa loro capacità: non solo nel senso di riprodurre reale per viverci in mezzo ma anche di produrre cose nuove e di scoprire nuovi problemi»[23].

Per questo Rodari scrive il suo discorso sul metodo. Sappiamo che per lui il metodo, la tecnica, non è mai neutra, nel processo apparentemente meccanico si cala, «come in uno stampo, ma anche modificando lo stampo stesso, la mia ideologia. Sento l'eco di letture antiche e recenti. I mondi degli esclusi chiedono con prepotenza di essere nominati: orfanotrofi, riformatori, ricoveri per vecchi, manicomi, aule scolastiche. La realtà fa irruzione nell'esercizio surrealistico»[24].

Così lo staccapanni, il contrario dell'«attaccapanni» sta in un paese di vetrine senza vetri, negozi senza cassa e guardaroba senza scontrino. Dal prefisso all'utopia. Ma non è certo vietato immaginare una città futura in cui i cappotti siano gratuiti come l'acqua e l'aria. E l'utopia non è meno educativa dello spirito critico. Basta trasferirla dal mondo dell'intelligenza (alla quale Gramsci prescrive giustamente il pessimismo metodico) a quello della volontà (la cui caratteristica principale, secondo lo stesso Gramsci, dev'essere l'ottimismo). Insomma, via: anche l'«attaccapanni», così com'è, è solo una «tigre di carta»[25].

Lo sappiamo fin dai tempi dell'incontro con i surrealisti, lo sappiamo dal dibattito del 1966 sul Movimento di cooperazione educativa. Alcune tecniche vengono, infatti, proprio da quell'esperienza: «Un bambino ha misurato, alle nove di mattina, l'ombra del pino che sta nel cortile della scuola: è 'lunga trenta scarpe'. Un secondo bambino, incuriosito, scende alle undici a ripetere la misurazione: l'ombra è 'lunga soltanto dieci scarpe'. Discussione, litigio. I due bambini vanno insieme a misurare l'ombra alle due del pomeriggio e trovano una terza misura. *Il mistero dell'ombra del pino* mi sembra un titolo adatto per una storia che può essere vissuta e raccontata insieme»[26].

Altre riflessioni nascono dall'osservazione: la panca vista sotto la finestra della casa di campagna del nonno di Lenin gli racconta dei ragazzi che entravano e uscivano di casa per le finestre, anziché per la porta, e del nonno che, ben guardandosi dal proibire quell'innocente spasso, fece mettere sotto le finestre delle robuste panchette, perché i ragazzi se ne potessero servire nei loro andirivieni senza rischiare di rompersi l'osso del collo. Un modo esemplare di mettersi al servizio dell'immaginazione infantile che ha bisogno di salire, aiutata da un adulto, tutto il contrario della «scuola tradizionale che ha sempre puntato su due qualità di fondo, su due virtù scolastiche: l'attenzione e la memoria. 'Stai bene attento a quello che ti dico e studia bene per ripetere quello che ti dico'»[27].

Dal 6 al 10 marzo del 1972 dunque, Rodari è a Reggio Emilia, su invito del comune, e gli appunti di quei giorni, rielaborati, convergono nel libro. Lo accompagna Francesco Tonucci: «Proprio a me toccò raccogliere nella scuola dell'infanzia Diana, dalla voce eccitata di Giulia e forse di Magda le due storie, *La parolina ciao* e *La luce e le scarpe*, io le trascrissi e le portai a Gianni. Oggi queste due storie vivono nelle pagine del libro»[28]:

Un bimbo aveva perso tutte le parole buone e gli erano rimaste quelle brutte: merda, cacca, stronzo, eccetera. Allora la sua mamma lo porta da un dottore, che aveva i baffi lunghi così, e gli dice: – Apri la bocca, fuori la lingua, guarda in su, guarda in dentro, gonfia le guance. Il dottore dice che deve andare a cercare in giro una parola buona. Prima trova una parola così (il bambino indica una lunghezza di circa venti centimetri) che era 'uffa', che è cattiva. Poi ne trova una lunga così (circa cinquanta centimetri) che era 'arrangiati', che è cattiva. Poi trova una parolina rosa, che era 'ciao', se la mette in tasca, la porta a casa e impara a dire le parole gentili e diventa buono[29].

A Reggio Emilia incontra Mariano Dolci, ci sono foto che li ritraggono uno accanto all'altro, un uomo piccolo, ordinato Rodari, un burattinaio grande e barbuto Dolci. Dolci lavora da circa dieci anni con la compagnia di Otello Sarzi, chiamato dal comune a fare dei corsi di formazione sui burattini alle insegnanti. Loris Malaguzzi è l'ispiratore di questa rivoluzione che oggi sembra incredibile (un burattinaio assunto da un comune!) ma che allora rappresentava un modello possibile[30].

Mariano Dolci ricorda come Malaguzzi lo incoraggiasse a trovare dei modi e delle tecniche di costruzione, di animazioni adatte per i bambini più piccoli.

Mi ingegnai e feci, un po' come capita ai bambini di fare, delle straordinarie scoperte senza accorgermene. Quando i bambini giocano e inventano hanno bisogno che ci sia qualche adulto che li sostenga e li incoraggi, è stato notato già da Benjamin negli anni Trenta. Lui diceva che quando i bambini giocano, attori e registi dovrebbero osservarli e imparare da loro, perché inventano delle convenzioni teatrali straordinarie. Però 'se tornate qualche giorno dopo vedrete che queste meravigliose invenzioni sono scomparse', perché ne inventano sempre di nuove. Il problema del bambino non è quello dell'artista, di cercare un linguaggio estetico formale, ma è quello dell'urgenza di esprimersi, per cui, se non c'è qualche adulto di cui lui ha stima per fissare quello che ha 'scoperto', il bambino passa ad altro. Io, 'bambino che inventa', sono stato fortunato perché ho incontrato l''adulto' Rodari»[31].

Rodari annota che nelle scuole per l'infanzia di Reggio Emilia la baracca dei burattini è un mobile fisso. In qualsiasi momento un bambino ci si può nascondere, acchiappare il suo burattino preferito e metterlo al lavoro. Se ci va anche un altro bambino, due storie diverse sono in scena contemporaneamente[32]. Un modo radicalmente nuovo di pensare la scuola, che è sì scuola dell'infanzia, ma che può servire da spunto di riflessione per ogni ordine e grado: una proposta per riempire, per esempio, alcune ore del tempo pieno che, diventato legge nel 1970, rischia di trasformarsi in otto ore di scuola e basta (e così infatti accadrà).

La *Grammatica della fantasia* è, a detta di Antonio Faeti, un libro più citato che letto, solo l'inizio mai compiuto di una trasformazione[33]. Eppure Italo Calvino l'ha definita 'un libro di pedagogia e di poetica', Mario Lodi 'un vangelo creativo', Luigi Volpicelli 'il più bel libro di pedagogia che l'Italia possa vantare negli ultimi anni, un libro felice che vorrei veramente che ogni insegnante leggesse e meditasse', Tullio De Mauro un 'classico'[34]:

L'editore Einaudi di Torino pubblica in questi giorni un nuovo libro di Gianni Rodari. Si chiama *Grammatica della fantasia*. Non è un altro libro di favole. Certo anche qui Cappuccetto giallo, il lupo buono, l'omino di vetro che gli si leggevano in testa i pensieri e non poteva dire bugie, la sedia che correva a prendere il tram, la casa musicale, la Lamponia, appaiono di continuo ma si accompagnano a discrete evocazioni di Vygotskij, Novalis e Saussure, di Vladimir

Propp, Piaget, Wittgenstein. Vi appaiono non come protagonisti, ma come oggetti di riflessione. Il libro non è di favole, ma sulle favole. Ma questo non dice abbastanza. Gianni Rodari che riflette sulle favole è pur sempre il Gianni Rodari che scrive le favole.

Per festeggiare l'uscita della *Grammatica della fantasia* l'editore Einaudi chiede al regista Giuliano Scabia di organizzare, con gli studenti del Dams di Bologna, un intervento a sorpresa per Gianni Rodari: «All'ufficio stampa dell'Einaudi c'erano dei burloni», ricorda Scabia, «erano Nico Orengo, Carla Sacchi, Ernesto Ferrero: bene, loro, tre ragazzi ed amici, avevano avuto l'idea di questa festa per Rodari. L'idea centrale era che dopo 600 anni Gutenberg decideva di andare a visitare la fiera del libro per ragazzi, così siamo arrivati con il corteo le musiche e questo gigante che rappresentava Gutenberg. Gli organizzatori della fiera rimasero giustamente sbalorditi e non volevano farci entrare. Per fortuna è arrivato Einaudi che ha risolto tutto»[35].

17.
Senza fate né streghe

Credo che questa collana farà invecchiare di colpo tutta l'altra produzione per bambini.
Bruno Munari

Il faut être indulgent avec l'inexprimable.
Jean Rodarì

I racconti e i romanzi che escono contrassegnati (o bollati) dall'aggettivo 'fantastici' vanno incontro ad una sorte a cui non sfuggono del tutto nemmeno i capolavori di Poe o di Hoffmann, quella di essere considerate opere della mano sinistra dello spirito, la mano destra rimanendo sacra alle opere che possono essere classificate come realistiche. Naturalmente è un torto che si fa a queste ultime. Volendo o no, quando si parla dei *Promessi sposi* come di un capolavoro di realismo si nega ad Alessandro Manzoni la principale qualità che gli permise di scrivere il suo romanzo, cioè la fantasia. So bene che si fanno distinzioni tra la fantasia occupata a ruminare, digerire e ricreare il reale e la fantasia curva su se stessa, per esplorare tutte le proprie possibilità, lasciando alla prima il nome e gli attributi di fantasia propriamente detta e declassando la seconda a livello di fantasticheria. Una distinzione che ci piacerebbe vedere applicata a *Il pozzo e il pendolo*. O alla *Colonia penale* di Kafka [...]. Esplorare e rappresentare l'irrazionale lasciandosene trasportare passivamente potrà essere un esercizio pericoloso [...]; ma se c'è chi lo fa per tutti, e ne riporta un racconto che non stanca mai, nemmeno quando non convince, non è un esercizio inutile («Paese Sera», 16 settembre 1976).

È il 1972 quando Bruno Munari manda in stampa, con l'editore Einaudi, la collana 'Tantibambini'. A guardarla, ancora oggi è una collana bellissima, per le storie ma soprattutto per la grafica e le illustrazioni: i libri sono quadrati, colorati, ricchi di disegni, fotografie, collage. Munari l'ha pensata a lungo, deve tenere insieme 'estetica e cultura di massa' facendo cadere ogni barriera tra testo e immagini: Gianni Rodari vi pubblica *I viaggi di Giovannino Perdigiorno*, *Gli affari del signor gatto* e *Il palazzo di gelato*[1].

«Caro Munari, le allego le copie di due disegni che Rodari ha mandato come saluto natalizio di questi giorni. Guardandoli ci è venuto in mente se Le pare che disegni di questo tipo possano dar luogo a un libro per ragazzi, o i più piccoli o i grandicelli, scritto dallo stesso Rodari. Non si spaventi se facciamo spesso il nome di Rodari e addirittura ci sono già due titoli nella collana, non si tratta di una cosa a tamburo battente, è un'idea che ci è venuta»[2]: è Paolo Fossati a scrivere a Munari, riferendosi ai disegni che Rodari allega alle lettere, disegni fantastici, fatti a penna come quello del pendolo mangiatempo, della suora che ha fatto una tesi di laurea su lui, di vari animali fantastici.

Fra Munari e Rodari il rapporto editoriale si sta per interrompere; il libro successivo, le *Novelle fatte a macchina*, sarà infatti illustrato dalla figlia dello scrittore, Paola; rimane però un osservarsi reciproco e un imparare l'uno dall'altro[3]. Da Rodari, Munari trae ispirazione per il suo *Cappuccetto giallo* e anche per il suo libro *Fantasia*. Di Munari a Rodari piace il fatto che si diverta facendo quello che fa: il suo lavoro è frutto di «un'intelligenza vivissima, pronta a trovare un varco dove per gli altri c'è un muro, e a passare di là dove tutto è da reinventare»[4]. Munari, attraverso il discorso sull'arte, propone un discorso politico sul presente e fin dai tempi delle macchine inutili usa la leggerezza per «prendere in giro la gente troppo solenne»[5].

Quando Einaudi, tramite Davico Bonino, gli parla del progetto della nuova collana munariana, Rodari è entusiasta: *Gli affari del signor gatto*, dice, lo avrei dato alla Archinto (Emme Edizioni) come alla sola che sa fare albi illustrati di buona qualità, ma certamente «se voi vi convertirete anche a questo genere, allora preferisco la Ditta!»[6]. Lo scopo della collana è quello di servirsi di strumenti pedagogici che stimolino la creatività dei bambini e contiene «fiabe e storie semplici, senza fate e senza streghe, senza castelli lussuosissimi e principi bellissimi, senza maghi misteriosi, per una nuova generazione di individui senza inibizioni, senza sottomissioni, liberi e coscienti delle loro forze»[7].

Tutto giusto, no? Ma come, senza fate e senza streghe?, si domanda Natalia Ginzburg: perché un editore come Einaudi, che ha pubblicato *Le fiabe italiane* curate da Italo Calvino nel 1956, un libro che non contiene indicazioni pedagogiche di alcuna specie, si presta oggi a un'operazione così didascalica, così moralistica? «Come mai esce fuori adesso con la frase 'senza fate e senza maghi'?»[8].

Certo, riconosce Ginzburg, non è semplice scrivere per l'infanzia nel 1973 perché ormai si ha paura di tutto e quindi per prima cosa si sta attenti che nelle storie porte e finestre siano chiuse, che non entrino spifferi, né colpi di freddo, che poi sarebbero la paura, i fantasmi, il fantastico. Certo non il sangue, né il dolore, mai le lacrime né la cattiveria, «li educheremo alla concretezza, avendo però sterilizzato la concretezza, avendo isolato nella concretezza ciò che non manda né bagliori né lampi»[9].

Ma così facendo, continua Ginzburg, si cercherà di non far provare niente mentre

nei regni della vita fantastica, anche le immagini più crudeli generano felicità. Si sa bene che la felicità è fatta anche di spavento e di angoscia. Sopprimere lo spavento e l'angoscia, significa sopprimere anche la felicità. Aggiungerò che quello che detesto nella frase «senza fate e senza maghi, per una nuova generazione di individui senza inibizioni, senza sottomissioni, liberi e coscienti delle loro forze» è la retorica e l'ottimismo generazionale. Auguriamoci pure che le nuove generazioni siano costituite di individui liberi. Però non ne sappiamo proprio nulla. Inoltre non sappiamo affatto se sia un bene crescere senza inibizioni. Forse fra poco si scoprirà che le inibizioni, di cui l'uomo di oggi si fa gloria di essersi sbarazzato, le inibizioni e le lotte dei singoli per superarle o vivere con esse, erano il pane e il sale dello spirito[10].

In un appunto di Munari la risposta: pur sapendo che fin dai tempi dei Babilonesi le storie raccontate ai bambini hanno delle costanti, sia nei temi che nei modi di raccontarli, dobbiamo essere anche consapevoli del fatto che se un tempo andare sulla Luna era un evento fiabesco oggi non lo è più, ma anche che, dunque, qualunque fatto reale, persino un fatto tecnico, può suggerire una fiaba. «Si decide comunque di eliminare le fate, le streghe, i maghi e i re. Di non dare ai bambini qualcosa da invidiare, un modello irrealizzabile da imitare, di eliminare le storie orrende tipo il lupo che mangia la nonna senza masticarla o tipo Pierino porcospino che incendia la balia. Di cercare storie nuove legate anche con la fantasia al nostro tempo», anche, anzi soprattutto da un punto di vista formale: le storie devono essere pensate per immagini, anche perché la colonizzazione del visivo da parte della Disney deve essere in qualche modo bilanciata, se non contrastata[11].

Rodari, lo sappiamo, da anni lavora in entrambe le direzioni: come Natalia Ginzburg è convinto del fatto che delle nuove generazioni «non sappiamo proprio nulla», e che le fiabe della tradizione servono perché i bambini non giocano più tanto con Cappuccetto rosso quanto con sé stessi: si sfidano ad affrontare la libertà senza paura, ad assumersi rischiose responsabilità. «Bisogna allora essere preparati a un sano eccesso di aggressività, a salti smisurati nell'assurdo. In qualche caso il gioco avrà una sua efficacia terapeutica. Aiuterà il bambino a sbloccarsi da certe fissazioni. Il gioco sdrammatizza il lupo, svillaneggia l'orco, ridicolizza la strega, stabilisce un più netto confine tra il mondo delle cose vere, dove certe libertà non sono possibili, e quello delle cose immaginarie. Questo deve pur accadere, prima o poi: certo non prima che il lupo, l'orco e la strega abbiano adempiuto alle loro profonde funzioni»[12].

Ma Rodari è anche interessato a indagare il proprio tempo attraverso favole nuove, come Andersen che, a differenza dei Grimm, ricava le sue storie dalla propria biografia, dalla sua fantasia, dal suo immaginario: per questo la collana di Munari lo interessa, lo coinvolge. È sull'onda di questa riflessione che scrive fra il 1972 e il 1973 le *Novelle fatte a macchina*[13]. Scritti d'occasione, richiesti dal direttore di «Paese Sera» come testi estivi raccolti qua e là per le scuole, elementari e medie. «In un paesino presso Arezzo, dopo che ne ebbi raccontata una, uno di loro chiese: – Ci dice un'altra novella? Così scoprii che per quanto 'fatte a macchina' cioè moderne quelle storie conservavano ancora qualcosa delle vecchie fiabe. In Toscana, per l'appunto, le fiabe si chiamano 'novelle'. Il titolo è cosi risultato una mescolanza di vecchio e di nuovo, come quello di un altro mio libro che si chiama *Favole al telefono*»[14]. Le novelle sono scritte al tempo presente, sono un esercizio di stile che affianca la *Grammatica della fantasia*, «i fumetti sono scritti al presente. Lo spettacolo televisivo si svolge, davanti agli occhi del telespettatore, al presente. Si raccontano al presente le barzellette. Al presente non si possono fare periodi lunghi e complicati: bisogna raccontare svelti svelti, evitare i fronzoli, saltare le descrizioni. Il presente vuole un'azione continua»[15].

Il presente entra nelle novelle attraverso la lingua, la grammatica, i temi, ma non necessariamente attraverso i fatti di attualità. «A volte rimproverano noi scrittori di non prendere abbastanza spunto dall'attualità, dalla realtà e che anche per questo motivo si continuano a vendere i soliti libri ambientati nel passato. Ma io non credo che l'attenzione all'attualità basti a fare un 'contemporaneo'». Anche perché la contemporaneità entra senza bussare:

Una volta non era così. Tu potevi vivere nel tuo mondo, al riparo dietro la porta di casa, o sotto le alucce provinciali del tuo governo, e quel che succedeva in Europa, in Africa, in Asia, ti riguardava come una curiosità sul giornale: in fondo era come se fosse successo sulla luna. Pochissime persone avevano coscienza che tutto ciò che capitava a un uomo, a un uomo qualunque, in qualsiasi angolo della Terra, capitava, in un certo senso, ad ogni altro. L'umanità era un concetto astratto: concreta era solo la famiglia, a dir tanto il campanile. Il progresso dei mezzi di comunicazione, le guerre mondiali, la guerra fredda, la bomba atomica, lo scontro planetario dei sistemi e delle ideologie hanno incredibilmente allargato la sfera degli interessi, delle solidarietà, delle responsabilità del singolo. Anche chi non scende in piazza parteggia: comunque, non può esimersi dal turbamento, non può più liberarsi dal senso di una sorte comune, dalla concreta umanità che lo circonda e lo compromette. Il mondo è uno solo. Tutti ne siamo più o meno consapevoli[16].

Chi scrive di fantasia deve obbedire solo alle leggi della sua fantasia. Dipende dalla sua storia, dalla sua personalità, dal suo modo di sentire, di vedere il mondo, se la sua opera risulterà 'moderna' o no. «Non basta, dunque, fare un libro sullo sbarco sulla Luna, per fare un libro moderno. Per l'attualità, bisogna dare ai ragazzi i quotidiani, le riviste, la discussione, il diritto di avere un parere diverso da quello dei genitori e degli insegnanti, il diritto di ricercare liberamente la documentazione che gli serve, ecc.»[17].

Il diritto di avere un parere diverso da quello dei genitori e degli insegnanti torna ad essere un argomento complicato, però, in anni nei quali genitori e insegnanti non sono più quelli degli anni Cinquanta e Sessanta ma anche gli eredi del Sessantotto: genitori e insegnanti 'dalla parte dei bambini e delle bambine' con i quali, in teoria, è impossibile entrare in conflitto poiché essi stessi sono i primi a rifiutare ogni principio di autorità. Si vedano collane come 'Per leggere per fare' e 'Dalla parte delle bambine' o l'enciclopedia *Io e gli altri*, risposte militanti a 'Tantibambini' o ai *Quindici*, enciclopedia alla quale ha collaborato lo stesso Rodari che, all'apice della sua fama, dopo il premio Andersen e la *Grammatica della fantasia*, appare all'improvviso, per la nuova sinistra, vecchio, superato e pure conservatore. Come scrive Goffredo Fofi sulla rivista «Ombre rosse» nel 1974: «il comunista Rodari è un creatore di favole belle ma che sembrano ormai assuefarsi nel recupero borghese avanzato che ne è fatto massicciamente da Einaudi a canoni di un nuovo 'buonsenso' socialdemocratico inoffensivo, indicazioni utilizzabili da una 'pedagogia democratica e di sinistra' ma né rivoluzionarie né proletarie»[18].

«I compagni del '68, delusi e spaccati, senza Mao e senza rivoluzione, punterebbero oggi la loro carta rivoluzionaria su una educazione rigidamente alternativa»[19], scriveranno Pietro Angelini e Cecilia Codignola nel volume *Fiabe sul potere* pubblicato da Savelli. Ma in questa educazione rigidamente alternativa che posto ha Gianni Rodari?[20]

18.
Dopo il Sessantotto

Ora la vera favola parte sempre dalla realtà,
la sviluppa e ritorna ad indicarla con allegorie
eccezionali e non cede al pessimismo e finisce con
la sconfitta del mostro, dell'uomo perfido, ma
fa capire che per sconfiggere il mostro occorre
combattere, soffrire, essere in molti e generosi
verso chi ci sta intorno.

Dario Fo

Perfino i bambini saranno chiamati
a testimoniare che la scuola senza voti è triste
come il focolare senza mamma, o per lo meno
come il brodo senza tortellini.

Gianni Rodari

Nello scontro 'fra compagni' su fiabe e educazione dei primi anni Settanta l'attacco a Rodari si salda, da parte della nuova sinistra, alla critica al partito comunista di cui lo scrittore è considerato il portavoce 'ufficiale': si veda, per esempio, l'introduzione, anonima ma molto probabilmente attribuibile anch'essa a Goffredo Fofi, dello stesso numero della rivista «Ombre rosse» citato in precedenza e dedicato al lavoro politico con i bambini: la scuola che riflette su sé stessa e cerca di modificarsi esiste da tempo, sicuramente da prima di Barbiana, scrive l'editoralista[1]. Se, infatti, *Lettera a una professoressa* ha amplificato la rilevanza di temi legati alla didattica e alla selezione, anche prima di don Milani ci sono stati insegnanti che hanno indagato il 'come' fare le cose, il metodo, la didattica, e così facendo hanno messo in discussione la scuola selettiva e trasmissiva. Una tradizione incarnata dai maestri del Mce, ma non da tutti: i comunisti, infatti, pure quelli del Mce, sono sempre stati più interessati al 'cosa' insegnare, ai contenuti, ai programmi, all'ideologia, a indottrinare i bambini: «quelli del Pci puntavano sui contenuti più che sul metodo e accusavano gli altri di riformismo in una prospettiva direttamente revisionista»[2].

Leggere la storia della scuola italiana a partire dalla diversa, e spesso contrapposta, opzione fra programmi e metodi, fra 'come' e 'cosa' è legittimo, oltreché interessante, a patto, però, di farlo in modo storicamente corretto: molti sono infatti i comunisti, militanti attivi del Pci, non solo simpatizzanti, che hanno indagato il 'come' insieme al 'cosa' e fra questi, senza dubbio, c'è stato Gianni Rodari, come racconta in modo limpido l'episodio narrato anche in questo libro, ovvero quello della discussione con Albino Bernardini sul Mce.

Ma in questa resa dei conti dei primi anni Settanta, più che una esatta genealogia interessa stabilire un campo amico e uno nemico, e in quello nemico vengono inseriti pure Mario Lodi, colpevole di aver iniziato a pubblicare con Einaudi, quindi un editore 'riformista', e Albino Bernardini, che ha venduto i diritti di uno dei 'libri seme' del Sessantotto, *Un anno a Pietralata*, alla televisione per farlo diventare il film *Diario di un maestro*, definito uno strumento nelle 'mani di chi comanda per controllare le coscienze'[3].

Non è questa la sede per ricostruire nei dettagli questa discussione, comunque, al di là del giudizio specifico, anche l'intervento polemico di «Ombre rosse» mette in evidenza come vi sia un interesse trasversale e agguerrito sui temi dell'educazione, che è una delle caratteristiche della sinistra italiana nel suo complesso almeno fino al 1977, da Lotta continua al Pci. È quello che Tullio De Mauro ha definito il «tessuto democratico», quell'unione di fili diversi che insieme concorrono a formare una trama di possibilità e trasformazioni[4].

Ma guardandolo da vicino, quel tessuto, fitto all'apparenza presenta da subito maglie lente, buchi addirittura, che non sono conseguenza di strappi o di usura ma stanno lì, fin dall'inizio, in modo strutturale: fra il 1970 e il 1974 infatti, fra l'istituzione del tempo pieno e i decreti delegati, si pongono contemporaneamente le basi politiche e culturali per svuotare i due provvedimenti tanto attesi dal loro interno. Prendiamo il tempo pieno, da subito bollato come scuola di serie B, scuola per chi non ha voglia di studiare, scuola parcheggio, al quale vengono assegnate risorse soltanto dalle amministrazioni che ci credono, per questo realtà concreta solo in poche regioni, trasformato progressivamente fino a tornare ad essere scuola normale ma con orario raddoppiato.

Un documento importante di questa resistenza è contenuto nel documentario di Emilio Sanna e Carlo Tuzii *Dentro la scuola. Dalle aule della materna ai banchi delle medie*, un'inchiesta che raccoglie voci di bambini e insegnanti coinvolti nella sperimentazione del nuovo orario prolungato e che riporta quelli che diventeranno veri e propri luoghi comuni, come quello che al tempo pieno non si impara a studiare[5].

Scrive Rodari: «tempo pieno, ma pieno di che, si domandava qualche anno fa Bruno Ciari, pareva una battuta da spiritaccio toscano ed era invece la domanda più importante, la freccia che colpiva il centro del bersaglio [...]. Perché se il tempo pieno dovesse essere una mera estensione dell'attuale giornata scolastica servirebbe soltanto a chi assegna alla scuola funzioni subalterne: fare da area di parcheggio per milioni di ragazzi, socializzare, nel più limitato senso di adattare le nuove generazioni al mondo così com'è»[6]. Ma la scuola così come è, dice Rodari, va messa tra parentesi (lessico mutuato da Franco Basaglia): tre ore di matematica non sono meglio di due se si continua a lavorare nello stesso modo. Anche spezzare le giornate in due lasciando al pomeriggio le attività più leggere «sarebbe una truffa» perché è la gerarchia delle materie che va in sé rifiutata[7].

Prendiamo i decreti delegati, approvati il 1° giugno 1974: un corpus di sei provvedimenti che cambiano, in teoria, la scuola in modo radicale ridisegnando il rapporto fra direttori (presidi) e insegnanti e aprendo le porte a sindacati, associazioni, amministrazioni comunali o provinciali, studenti e famiglie[8]. Scrive il «Corriere della Sera»: «da ora in poi gli insegnanti saranno svincolati dal monopolio della gestione della scuola. Questo non costituiva più un privilegio, ma minacciava, al contrario, sotto le spinte della emancipazione comunitaria, di far considerare la classe docente non come un complesso di operatori sociali ma come un anacronistico corpo di spedizione tenuto ad occupare costantemente la scuola e a presidiarne le sopravvivenze giuridico-pedagogiche più ambigue»[9]. Gli insegnanti dovranno condividere insomma la gestione della scuola con componenti fino ad oggi 'sottomesse'. Ma cosa succede veramente? Lo racconta Rodari nel suo articolo *La prof.ssa allergica e il padre aggressivo*:

«Io sono diventata allergica ai genitori», ci confida senza mezzi termini l'amica professoressa. «Per il momento, e per me, il solo risultato dei decreti delegati è questo: che ormai, quando debbo incontrarmi con dei genitori, sono presa da una specie di orticaria morale, irresistibile. Tu sai che in linea di principio io non ero contro. Vedevo nei consigli scolastici qualcosa di buono. Non prevedevo che avrei dovuto assumere la parte dell'imputata, per venire giudicata con animosità, con rozzezza, nel caso migliore con una diffidenza viscerale. Alla prima sorpresa è seguita una reazione di rigetto. La sola cosa che mi trattiene dal dare le dimissioni e cambiar mestiere è la simpatia per i ragazzi, che per fortuna sono riuscita a conservare. Per ora. Ma non garantisco». A questa 'allergia' corrisponde sull'altro fronte, quasi per una legge fisica, una reazione uguale e contraria. «Con questi insegnanti – dichiara l'amico presidente di un consiglio di circolo – non c'è niente da fare. Hanno più spine di un istrice. Ignoranti, presuntuosi, attaccati alle loro abitudini, ai pregiudizi di casta, ai privilegi del sovrano assoluto. Appena apri bocca ti beccano, dall'alto, dal basso, della loro cosiddetta esperienza. Provinciali, retrogradi, pettegoli, personalisti. Non ci si intende. L'idea che la scuola debba diventare qualcosa di radicalmente diverso da ciò che è sempre stata non li penetra per nulla. Noi genitori dovremmo star lì solo per farci spiegare da loro le cose. Sempre col permesso del signor direttore». Le due posizioni qui riportate esprimono un rigetto reciproco, altrettanto globale. Allergia e contro-allergia. Nessuna possibilità di comunicare. La scuola dei consigli come scuola dei risentimenti dove ci si conosce solo per disprezzarsi più intensamente[10].

Posizioni estreme, scrive Rodari, ma che fanno parte della realtà e la influenzano. Eppure nell'incontro tra genitori e insegnanti c'è una forma concreta dell'incontro tra società e scuola. Se questo incontro fallisce, la struttura non vive[11]. Rodari prova a formulare quattro consigli: saper ascoltare («L'etichetta ci serve per anticipare le sue conclusioni, per schematizzare il suo discorso. E così ci vietiamo di capire se in ciò che sta dicendo c'è, o non c'è, qualche cosa che può essere vero e utile anche per noi»), saper parlare («Parlare per dire, non per ascoltarsi. Parlare per comunicare, non per sfogarsi. Parlare per cercare, non per auto-affermarsi, non per proclamare»), non cercare la vittoria («ma l'intesa, la decisione possibile e opportuna. Discutere per avere assolutamente, sempre e su ogni punto, completa ragione, è puerile»): mettersi alla pari («per i genitori e per gli insegnanti. E mettersi alla pari con gli studenti»). E poi non affidarsi alla delega ma al gruppo: Rodari ha in mente il regolamento delle scuole di Reggio Emilia e il ruolo in esso attribuito alle famiglie: «I diritti dei genitori di partecipare attivamente, e con libera adesione ai principi statutari, alle esperienze di crescita, cura, formazione dei propri figli affidati all'istituzione pubblica. Niente delega, niente estraneazione. Conferma invece di una presenza e di un ruolo dei genitori avvalorati dalla nostra lunga tradizione istituzionale»[12].

Il 19 febbraio 1975, a pochi giorni dalle prime elezioni degli organi collegiali, Gianni Rodari viene invitato dal programma radiofonico *Il convegno dei Cinque* a intervenire sul tema: la partecipazione salverà la scuola dell'obbligo dai mali che l'affliggono? I mali, stando alla premessa del conduttore, derivano dalla mancata attuazione della riforma del 1963: secondo il Censis nel 1974 i ripetenti fra elementari e medie sono 400.000. La speranza è che gli organi collegiali possano annullare queste differenze, ma nessuno dice come. Rodari è drastico: i genitori eletti negli organi collegiali si muovono a disagio, non hanno armi per battersi contro la burocrazia, le circolari ministeriali piovono imprevedibili sulle loro teste; molti i presidi e i direttori che boicottano la legge tuonando contro l'assemblearismo, troppi i professori che, pur accogliendo la riforma, continuano a usare la scuola come strumento di selezione, bocciando[13].

Appare necessario rilanciare «Il Giornale dei genitori», adesso più utile che mai: Rodari ne parla con Mario Lodi, che ricorda una passeggiata serale a Campo de' fiori: i due amici parlano dell'ultimo libro di Lodi, *Il paese sbagliato*, «del significato che il lavoro di Lodi ha avuto dopo il '68, quando sembrava che tutto fosse finito nel niente», e rilanciano «l'idea della necessità concreta di cambiamento che deve attraversare le istituzioni pubbliche per mezzo delle persone che vogliono realmente cambiare sé stesse e le cose e non solo parlare di rivoluzione»[14].

«Cambiare sé stesse e le cose e non solo parlare di rivoluzione», un problema che non riguarda soltanto chi lo critica da sinistra ma tutta la politica che conosce: «nel '74 ci fu un incontro al Pci con Napolitano, Chiarante e Codignola per rilanciare la rivista», scrive Lidia De Grada, «mi promisero che avrebbero liberato Rodari dal lavoro a 'Paese Sera', in modo da potersi dedicare esclusivamente al 'Giornale dei genitori'. Rodari ci aveva creduto e fece un piano per rilanciare il giornale. Senonché i due partiti coinvolti nella realizzazione della rivista, Pci e Psi, ignorarono completamente quegli impegni». Rodari, ricorda De Grada, aveva creduto molto alla gestione sociale della scuola e «mi sembrò di capire che non fosse precisamente entusiasta di come il Partito non avesse pensato al ruolo che avrebbe potuto svolgere uno scrittore come lui in questo movimento. Rimase deluso»[15].

Scrive a De Grada e Chiarante:

Cari compagni, da quando si è messa in moto la discussione sull'opportuna riorganizzazione del «Giornale dei genitori» le cose sono per me molto cambiate. In primo luogo è mutato il mio lavoro a «Paese Sera», lasciandomi meno tempo libero di prima, in un tipo di rapporto che esclude ormai, da parte del giornale, la possibilità di considerare una mia diversa utilizzazione. In secondo luogo si è fatta sentire la salute. Procedendo nell'età si farà sentire anche di più. Provo un crescente bisogno di dedicare impegno alla mia attività di scrittore per i bambini, concentrando in essa quello che mi rimane di energie creative. In conclusione debbo concentrarmi. Due lavori, al «Paese Sera» e con i libri, sono più che assorbenti. Il «Giornale dei genitori», nella nuova fase di sviluppo che può avere, a parere mio con successo purché non sia lasciato completamente solo da tutti, ha bisogno di una direzione più presente, più continuativa, in grado di affrontare le questioni redazionali più seriamente e di contribuire alla soluzione dei problemi editoriali, organizzativi, diffusionali, promozionali, più di quanto io abbia mai potuto fare (senza contravvenire con questo ai patti, ovviamente, nei quali non mi sono mai state attribuite funzioni organizzative). Bisogna dare al «Giornale» un altro direttore. [...] Questo direttore non posso assolutamente essere io[16].

Lettera del 1° novembre 1976 a Lidia De Grada:

Cara Lidia, vengo finalmente a confermarti e ribadirti per iscritto le dimissioni – non formali, ma senza possibilità di ritorno. Le ragioni? Potrei elencarne molte. [...] Ho bisogno di scrivere le mie storie: sono anni che ho sacrificato volentieri il mio lavoro e le mie esigenze di scrittore ad altre esigenze, politiche, di attivismo, eccetera. Questi anni sono arrivati alla fine. Ho dei libri da scrivere e voglio scriverli: non sono la *Divina Commedia* e per questo hanno potuto aspettare per anni, cedendo il passo ad altre cose, ma adesso non aspettano più, non mi lasciano tenere la testa ad altro considerando che in ogni giorno la debbo dedicare al giornale che mi paga uno stipendio, anche troppo, ma non è colpa mia, non sono io che faccio i contratti dei giornalisti. Ho cominciato a scrivere per i bambini, più o meno, per obbligo di Partito: io stavo bene anche all'«Unità» di Milano, nel '50, non avevo nessuna voglia di occuparmi di bambini. Qualcosa ho fatto. Senza falsa modestia.

Se quando in Italia si parla di letteratura infantile bisogna fare al primo posto il nome di un comunista, con tutto quel che la cosa comporta, qualche merito ce l'ho anch'io. A cinquantasei anni suonati avrei quasi il dovere di prendere questo ruolo sul serio, e non come un caso curioso che mi è capitato solo per non aver tenuto troppo d'occhio i casi personali. A questo punto, insomma, posso al massimo dividermi in due, con rigorosa esclusione di ogni altro impegno, piccolo o grosso: fare il giornalista a «Paese Sera» e nel tempo libero scrivere i miei libri. Punto e basta. A «Paese Sera», ovviamente, fin che mi tengono, o fin che avrò maturato una pensione reversibile sulla futura vedova (sono conti che bisogna fare, perché nessuno li fa per te)[17].

Mario Lodi ricorda le preoccupazioni di Rodari di fronte alla nuova serie del «Giornale dei genitori»: intravede già il pericolo del distacco dai problemi reali (ma i bambini dove sono?), la perdita di contatti con la gente («Il Giornale» è di tutti i genitori), la chiusura della scuola in sé stessa (la scuola istituzione invece della scuola 'grande come il mondo'). E nel n. 7 della rivista pubblica *Dalla parte del bambino*, un richiamo, un avvertimento:

quello che i bambini imparano a scuola rappresenta la centesima parte di quello che imparano dai genitori, dai parenti, dagli amici, dall'ambiente fisico e sociale in cui crescono, dalle strade, dalla televisione, dai giochi, dagli oggetti, da tutto e da tutti; [...] un bambino, ogni bambino, bisognerebbe accettarlo come un fatto nuovo, con il quale il mondo ricomincia ogni volta da capo: [...] il concreto, nell'educazione, è il bambino; non il progetto educativo, non il programma scolastico, non la tecnica didattica in sé.

E aggiunge: «sono cose banali, ma ce ne dimentichiamo ad ogni passo»[18]. Il timore più grande di Rodari, ricorda Lodi, è tutto in questa domanda: «è possibile che proprio nel momento in cui la gente ha conquistato la possibilità di esporre le proprie aspirazioni, i propri dubbi, i propri desideri, proprio quando i lavoratori hanno finalmente diritto di parola, la scuola si chiuda sempre più a riccio impedendo il dialogo, il confronto, la collaborazione?»[19].

Neanche al partito comunista la questione interessa davvero; scrive ancora a Lidia De Grada, dopo essersi dimesso dalla direzione della rivista:

Cara Lidia, si capisce che resterò un collaboratore affezionato del «GdG». Anzi, potrò farlo tanto meglio di prima, sentendomi utile, mentre ora mi sento solo a disagio. Purtroppo le cose vanno a rilento e il giornale va a ramengo. Io non riesco più, in nessun senso, a occuparmene. Sarà una nevrosi, ma non so che farci. Il P[artito] non sta per niente studiando la cosa. [...] Il nocciolo è sempre lo stesso o il P. punta qualcosa sul «GdG» – o non ci punta per niente e vuole che sia un'iniziativa autonoma. Benissimo. Ma allora ci vuole Rizzoli, ci vuole un industriale, ci vogliono soldi. Bisogna scegliere. Se la scelta deve durare un pezzo, io non ci sto. Firmerò ancora il numero di febbraio (che è già in fabbricazione). Dopo BASTA. È il solo modo per ottenere risposte. Se poi al P. il giornale non interessa, e la Nuova Italia vuole la gloria ma non la fatica, io che c'entro più?[20]

La nuova ondata di manifestazioni che scuotono la scuola e l'università fra il 1976 e il 1977, lo strano movimento di strani studenti, è salutato da Gianni Rodari con attenzione e curiosità[21]:

come giovani hanno ragione di voltarsi contro una condizione giovanile che si è fatta oggi in Italia insopportabile. Come studenti, hanno ragione di rifiutare l'università ridotta senza prospettive. Colpisce negativamente il rifiuto non generale ma certo assai diffuso di ogni ragionamento politico. Ma qualcuno ha saputo seriamente spiegare ai giovani perché bisogna fare politica? Si tiene conto, in qualche modo, dei loro bisogni reali, dei loro interessi reali e quotidiani, della loro 'cultura'? Essi cercano uno spazio autonomo. Noi glielo promettiamo. Di fatto però non sappiamo mai ascoltarli in tempo per quello che hanno da dire. Il dissenso giovanile potrebbe e dovrebbe rappresentare una fonte preziosa di rinnovamento. Una cura permanente contro la sclerosi. Sbagliano sicuramente quando scelgono avversaria dei loro fischi la sinistra, la sua parte a cui possono trovare alleati[22].

«Gianni Rodari una volta disse tra l'ironico e il serio che i giovani contestatori avevano imparato a fare gli slogan sulle sue filastrocche, nel corso dell'intervista fatta a Tullio De Mauro, ci ha detto che in molti slogan si possono trovare oltre al ritmo e alla rima molta fantasia, molta ironia, qualità indispensabili secondo lui per dei bravi rivoluzionari o perlomeno per dei bravi democratici»[23]. Ma alla nuova mobilitazione si risponde con la vecchia ricetta della repressione, delle bocciature, della 'Restaurazione' (è Rodari a usare la maiuscola).

Parallelamente, intanto, qualcuno si presterà a far risuonare amplificato il sospiro di dolore di tanti insegnanti delle elementari e della media inferiore che piangono desolati la scomparsa del voto, strumento comodo e collaudato, con il quale fingere di far scuola era semplicissimo: un quattro o un dieci, in ogni caso, documentavano una valutazione, preceduta da un'interrogazione, preceduta a sua volta da una lezione; il numerino era la prova dell'esistenza della pedagogia e della didattica. Perfino i bambini saranno chiamati a testimoniare che la scuola senza voti è triste come il focolare senza mamma, o per lo meno come il brodo senza tortellini[24].

Le bocciature tornano ad essere un fiore all'occhiello per identificare le scuole serie da quelle meno serie, appelli alla serietà sono arrivati anche da sinistra[25], persino lo spauracchio del sei politico sventolato da gruppi di studenti è un'esca alla quale abboccano gli apocalittici di ogni dove. Un sasso gettato nello stagno, per vedere cosa succederà, quali onde si allargheranno in cerchio, quali ranocchi salteranno, quali si metteranno a gracidare. Ma quanti sei politici vengono dati veramente a scuola? Dove sarebbe la scuola senza voti? Cosa c'è, dopo quasi dieci anni dal Sessantotto, da 'restaurare'? Niente di niente: «non bisognerebbe mai stancarsi di chiarire che la scuola è nel caos non perché ci siano state in essa troppe innovazioni rivoluzionarie, ma al contrario perché essa è rimasta vecchia, e da vecchia è diventata decrepita, e da decrepita sta diventando marcia. C'è invece, nella scuola dell'obbligo, da andare avanti con minore timidezza, togliendo l'iniziativa delle riforme dalle mani di un ministro confusionario. E c'è, nella scuola secondaria, da cambiare ogni cosa, dalle fondamenta. I cadaveri vanno seppelliti, non rivivono a imbellettarli»[26].

Così, profetizza Rodari, da un lato la sacrosanta deplorazione della violenza insensata si rovescerà in rimpianto dei vecchi tempi, di prima del Sessantotto, quando la scuola e tutto ciò che conteneva – presidi, bidelli, programmi, metodi – era sacro e inviolabile. E ogni atto governativo aprirà la strada alla nostalgia per la scuola del libro *Cuore*. E a questo punto, l'appello per il ritorno alla serietà, all'ordine, alla disciplina, alla tradizione, alle buone vecchie abitudini, risuonerà irresistibile come le trombe del *Dies irae*. E quando il *Dies irae* arriverà veramente, il giorno del rapimento di Aldo Moro, molti saranno i politici e gli insegnanti che invocheranno un ritorno all'ordine a partire dalla scuola.

«È di moda l'Apocalisse», scriverà Rodari, «le classi che vedono tramontare il loro dominio vivono questo tramonto in chiave di catastrofe universale, leggendo nelle carte ecologiche come nell'Anno Mille gli astrologi leggevano nelle stelle»[27]. Lo aveva già capito benissimo Giacomo Leopardi, dice Rodari, che nel 1827 trascriveva una lettera del 1683 nella quale un nobile si lamentava del fatto che «le stagioni non sono più quelle d'una volta»[28]. La verità è che i vecchi sono spesso egocentrici. Odiano i bambini «perché possono essere così spensierati, i ragazzi perché si mostrano entusiasti e aggressivi, i giovani perché non si accorgono nemmeno più dell'esistenza degli adulti, passano vicino a loro senza vederli, vivono alla loro presenza come se stessero su un altro pianeta. [...] Ci vuole molta generosità per non invidiare i ragazzi, per non approfittare del potere di cui disponiamo nei loro confronti, per aiutarli con il disinteresse indispensabile perché l'aiuto sia efficace. E naturalmente essere generosi non è obbligatorio»[29].

19.

Burattinaio

Nico Orengo:
«Quando smetterai di lavorare
e diventerai grande,
qual è il mestiere che vorrai fare?».
Gianni Rodari: «Ho un progetto sicuro, molto
serio, importante: la prima cosa sarà di farmi
crescere una grande barba bianca, e se non
sarà bianca la tingerò di bianco, ma lunga,
molto lunga e voglio fare il burattinaio: cioè
voglio andare a lavorare con una compagnia di
burattinai e scrivere storie solo per burattini,
storie di qualsiasi tipo, anche avventure
fantascientifiche, storie dell'orrore, di vampiri,
ma tutto con i burattini».

Buonasera con Gianni Rodari

Il 24 dicembre del 1976 Rai Due trasmette il programma *Scena contro scena* dedicato al teatro dei burattini: in studio, con Enza Sampò che conduce, ci sono, fra gli altri, Mauro Sarzi, fondatore del Teatro delle mani di Reggio Emilia, e Gianni Rodari, al quale viene chiesto che senso possano avere i burattini in anni nei quali i bambini sono 'abituati a tutto' e 'non si stupiscono più di niente'[1]. «Ma chi lo dice che non si stupiscono», risponde Rodari: lo stupore dei bambini, oggi come ieri, si può alimentare di fiabe tradizionali e di fiabe moderne, vanno ancora bene il lupo, che fa paura, e l'orco, e va bene andare a teatro per subire l'incantesimo della scena e dopo andare dietro le quinte a vedere come è fatto. La mente dei bambini ha bisogno di tutte queste cose insieme, oggi più che mai, il bambino non è una freccia puntata in un'unica direzione, guardarsi dall'unilateralità è una 'mozione d'ordine' assoluta[2].

Ancora una volta Rodari si trova a rispondere a una domanda che, posta in termini di verità incontrovertibile, nasconde stereotipi, luoghi comuni che si diffondono «con la tecnica semplice e persuasiva del 'Reader's Digest', che non afferma mai nulla se non può recare contemporaneamente la testimonianza del signor X.Y. di Boston, o del pastore W. di Atlanta, o del professor Tizio dell'Università di Vattelapesca. Testimonianze, si badi bene, che sono opinioni, non risultati di ricerche scientifiche. Diventano scientifiche quando sono presentate con lo stile che si riserva alle citazioni scientifiche»[3].

E non ce l'ha con la televisione Rodari, anzi cita come esempio di serietà nel parlare di ragazzi due inchieste televisive: «la televisione di recente ci ha mostrato dei bambini (nell'inchiesta di Gandin) e degli adolescenti (nell'inchiesta di Collodi-Sabel) molto diversi, a volte drammaticamente diversi dalle idee che la gente si fa di solito su quel che sono bambini e ragazzi. Sono loro la realtà nuova con cui dobbiamo misurarci, abbandonando i vecchi tranquilli schemi di giudizio. Del resto il compito dei giovani è proprio quello di portare al mondo il nuovo di cui esso ha bisogno per non marcire su sé stesso»[4].

Rodari è stanco di un modo di parlare dell'infanzia generico, che appartiene in modo trasversale a tanti, uno sguardo sempre rivolto verso il passato, che sceglie come modello l'infanzia di chi parla. Rodari davvero è stanco, e così appare in quello studio televisivo nel dicembre 1976, ma non solo di rispondere sempre alle stesse domande: a soli cinquant'anni ha iniziato a soffrire di una radicolite all'arto inferiore sinistro che gli provoca dolori atroci e lunghi periodi di riposo forzato[5], ha mille progetti ma riesce a portarne a termine solo una esigua parte, ma il suo progetto più importante, o quantomeno il suo sogno più ricorrente, sembra consolarlo anche della malattia: pensa di trasferirsi a La Spezia e fare il burattinaio![6] («Rodari disse una volta, qualche anno fa a Bologna, mentre si conversava nell'intervallo d'un convegno sulla scuola, qual era la sua vocazione, come si era venuta precisando recentemente: fare il pubblico novellatore, per esempio il novellatore ufficiale d'una regione. Andare in giro a raccontare novelle e a farle raccontare dai bambini e dalla gente»[7].)

Il teatro (non solo quello dei burattini) è da sempre oggetto di attenzione da parte di Rodari, fin dai tempi del Teatro di massa[8]. Ma se inizialmente fa parte di quel lavoro culturale di partito che impegna il giovane scrittore nei primi anni Cinquanta, col tempo Rodari coglie, del teatro (dal vivo o con i burattini), l'aspetto più sovversivo: il teatro è per tutti, può raggiungere ogni luogo, ogni bambino, non solo quelli che leggono; quella del teatro è una tecnica liberatrice, che coinvolge il bambino, gli dà cittadinanza piena, non lo riconosce soltanto come scolaro ma anche come individuo capace di guardare, indagare e raccontare. Del resto, ricorda Mariano Dolci, Rodari era molto competente «perché aveva letto tutti i sacri testi, da Kleist a Obratsov, aveva viaggiato in Russia, dove queste cose erano molto diffuse, sapeva della possibilità di esprimere con i burattini opere più serie, da García Lorca a Radio Ottobre»[9].

Ha ben presenti gli scritti di Walter Benjamin su un teatro proletario per i bambini: Benjamin, nel 1927-28, scrive una nota sull'argomento,

> nella quale sottolinea la necessità di oltrepassare la comunicazione dell'ideologia – che 'raggiunge il bambino soltanto come frase' – e di creare uno spazio di rappresentazione che coinvolga il bambino nelle tensioni reali della vita e lo proietti verso il futuro. La dimensione reale e quella ideale dell'educazione si congiungono nel teatro, attuando un processo autoeducativo di gruppo. Nel teatro si forma la moralità del fanciullo, ma anche si manifesta la sua natura legata all''attimo', alla 'forma fugace'. I bambini, che fanno del teatro in questo modo, nel corso della rappresentazione diventano liberi. Nel gioco scenico la loro infanzia si realizza»[10].

Nel 1969, prendendo le difese di un burattinaio, Gianni Colla, senza più un teatro, costretto allo sciopero della fame per attirare l'attenzione dell'opinione pubblica sulle sue precarie condizioni di lavoro, Rodari aveva scritto: «Sappiamo già che cosa ci diranno: che non è il caso di fare chiasso per quattro teste di legno; che le marionette non servono a niente. E invece noi siamo del parere che le cose che non servono a niente sono preziose e vanno salvate ad ogni costo: sono il controveleno a una civiltà che, con il suo utilitarismo, ci logora e ci inaridisce (a tutto vantaggio dei burattinai nascosti che manovrano i centomila fili cui siamo legati così bene che non ce ne accorgiamo neppure)»[11].

E nella *Grammatica della fantasia*: «tre volte in vita mia sono stato burattinaio: da bambino, agendo in un sottoscala che aveva una finestrella fatta apposta per assumere il ruolo di boccascena; da maestro di scuola, per i miei scolari di un paesetto in riva al lago Maggiore (uno di loro, ricordo, quando andava a confessarsi raccontava nel quaderno del 'diario libero' l'intera confessione, domande e risposte); da uomo fatto, per qualche settimana, con un pubblico di contadini che mi regalavano uova e salsicce. Burattinaio, il più bel mestiere del mondo»[12].

Nei primi anni Settanta, il teatro si trasforma in un cavallo di Troia per forzare le mura dell'istituzione scuola che rischia di chiudersi di nuovo su sé stessa: «una tecnica didattica facilmente comunicabile, di strumenti che si prestano ad un'ampia socializzazione. E qui non vale, più che non valga in altri analoghi casi, l'obiezione che una tecnica nuova, nata in contesto operativo di eversione della scuola tradizionale, può facilmente essere usata per difendere l'istituzione, anziché per liberare il bambino della sua oppressione»[13]. La tecnica di ricerca da cui nascono certi spettacoli teatrali non può ridursi a diventare un nuovo saggio finale, con omaggio al sindaco e alle patronesse. «E le sue leggi interne non sono compatibili con la scuola autoritaria e con la scuola bigotta. La sua è una logica di contestazione. Il bambino che passa per un'esperienza del genere non è più il bambino obbediente, acritico, passivo a cui si possono dettare lezioni da una cattedra: nelle sue mani la macchina fotografica è diventata un'arma di liberazione, il complesso lavoro per la costruzione dello spettacolo si è tramutato in un lavoro irreversibile per la costruzione della sua personalità»[14].

Dopo Reggio Emilia, Rodari continua a seguire il lavoro di Mariano Dolci, Franco Passatore e Giuliano Scabia che ricorda la sua sorpresa quando, nell'estate del 1974, vede arrivare Gianni Rodari nella casa che ha affittato nell'Appennino modenese. Scabia è lì con un gruppo di studenti per scrivere il libro del *Gorilla quadrùmano*. Rodari arriva in corriera: «sono venuto qua a vedere cosa fate», dice. Ricorda Scabia la sorpresa e anche il disappunto, il rimorso di aver avuto lì, Rodari, di non aver saputo lavorare con lui[15].

Sono solo alcune delle tappe di un percorso di avvicinamento che porta Rodari, il 2 marzo 1976, ad annunciare a Einaudi un piccolo volume di teatro[16] che però viene 'catturato' da Rosellina Archinto: un testo teatrale pedagogico nato a La Spezia intorno a un'esperienza collettiva voluta dal comune e che ha coinvolto circa millecinquecento scolari delle varie classi[17]. Un gruppo di attori della Cooperativa Teatro aperto '74 ha incontrato nell'arco di un anno i bambini a turno in una grande sala (il Centro Allende). «Gli attori si erano coscienziosamente preparati a questi incontri: avevano seguito un rapido corso, con Angelo Corti, sulle maschere della Commedia dell'Arte; avevano partecipato a riunioni con l'équipe pedagogica comunale e con i consigli di circolo. Durante gli incontri gli attori-maschere e i bambini giocavano e creavano insieme, inventavano e rappresentavano storie, disegnavano, progettavano situazioni fantastiche, producendo così, settimana dopo settimana, una notevole quantità di 'materia prima'». Nessuna esperienza viene scartata per principio: per esempio, quando arriva carnevale, tutti i bambini si vestono da Zorro, in quel momento uno degli eroi più amati della televisione italiana, così Rodari decide che se ai bambini Zorro piace, allora anche Zorro starà dentro lo spettacolo[18].

Su questa abbiamo lavorato insieme, attori, educatori, bambini ed io, per estrarre, da quell'esperienza e dai materiali prodotti, un significato unitario, una storia che potesse diventare uno spettacolo di favola senza alcun tema particolare. Abbiamo invece facilmente scoperto che le immagini e i problemi presenti nelle loro creazioni si aggiravano regolarmente intorno ai grandi temi della crescita: la nascita, le paure, l'incontro con il mondo adulto, con il linguaggio, con i pericoli e le forze ostili. In ogni loro storia finiva per esserci un viaggio, e questo viaggio simboleggiava da presso il viaggio nel tempo che è la crescita di ogni bambino. *La storia di tutte le storie* (che si chiama così perché vorrebbe appunto riassumere e rappresentare tutte le storie inventate dagli scolari della Spezia) ha la struttura di un viaggio, che è contemporaneamente l'avventura iniziale di ogni uomo che viene a questo mondo. Protagonisti sono le maschere classiche (Colombina, Arlecchino, Pulcinella eccetera) scelte per la loro disponibilità a interpretare qualsiasi ruolo e a subire qualsiasi destino. Le maschere, con i loro vari caratteri, rappresentano il bambino nelle sue diverse manifestazioni.

Patrimonio di tutti – maestri, genitori, bambini –, *La storia di tutte le storie* ha come scenografo Emanuele Luzzati con il quale Rodari ha stretto amicizia anni prima quando ha messo in scena al Teatro Carignano di Torino *Le storie di Re Mida*[19]. Ora però è tutto diverso: non uno spettacolo calato dall'alto, ma una storia scritta insieme.

Il segreto con i bambini e con i ragazzi, scrive Rodari, non è di truccarsi da bambini, ma di essere e di restare adulti. Questo segreto Lele lo possiede spontaneamente. Con lui i bambini parlano perché li ascolta con simpatia e li capisce, capisce cosa vogliono arrivare a dire e a fare anche quando essi stessi non lo sanno troppo bene. In una scuola elementare romana abbiamo lavorato insieme per diverse settimane a un'iniziativa organizzata dal Teatro di Roma. Era un incontro sul tema del teatro, al quale partecipavano i ragazzi di una quinta, un gruppo di attori, Luzzati come scenografo, io come autore di storie e altri ancora. Bisognava parlare e fare insieme. Con Luzzati i ragazzi fecero maschere, costumi, scene. Ritagliavano, incollavano, disegnavano, dipingevano, verniciavano. Ed era lui il personaggio con cui essi si incontravano più liberamente e più gioiosamente, non solo perché con lui potevano manipolare oggetti, inventare giochi, ma proprio per come lui sapeva stare con loro e per come essi potevano imparare da lui, da un adulto, che non aveva assolutamente nulla del maestro, o dell'esperto che deve insegnare qualcosa dall'alto[20].

Un altro episodio legato a questo periodo lo racconta, ancora una volta, Mariano Dolci: «Ma il ricordo più bello che ho è quando siamo andati in Spagna (di questo si parla poco eppure, secondo me, è stato un periodo importante anche per Rodari. Nemmeno il libro di Argilli ne parla)». Nel 1977 il franchismo è caduto, Franco è morto e, da due mesi, i partiti politici erano tornati legali.

I catalani, per rivendicare la loro identità avevano fatto una scuola estiva a cui s'erano iscritte 9.500 persone. Queste scuole d'estate, che avevano sede presso conventi di suore, esistevano già da dieci anni ma erano clandestine, con insegnanti anarchici, comunisti e socialisti. Questa fu la prima pubblica e allora ebbero l'idea di invitare degli stranieri, soprattutto italiani. Invitarono Rodari, Fiorenzo Alfieri (che poi divenne assessore a Torino e che scrisse quel libro molto bello dove divulgò questa animazione), Francesco Tonucci, Franco Passatore [...]. Purtroppo non potei assistere ai 300 corsi di fantasia di Rodari perché io contemporaneamente facevo quello dei burattini ombre, ma era straordinario la sera e a pranzo quando ci vedevamo con gli amici spagnoli e soprattutto i weekend che facemmo sulla Costa Brava, che ci diedero la possibilità di vedere un Rodari quotidiano. Rodari diceva di essere moralista (a quell'epoca 'moralista' era l'insulto più atroce) ma era chiaro che non intendeva la morale tradizionale: aveva la sua morale e su quello era veramente fermissimo[21].

Nel 1977 a Monaco di Baviera si tiene la Fiera del libro per l'infanzia, un'occasione, ha ricordato Pino Boero, fortemente voluta da Carla Poesio per presentare il meglio della produzione italiana del settore. In quella circostanza Rodari sottolinea un aspetto di cui sembra essere sempre più convinto:

> L'ideale sarebbero libri capaci di impegnare, divertire, sfidare, mettere in moto tutte le energie della personalità infantile così come riesce a fare un buon giocattolo. Chiarisco ancora: non vorrei mai che un bambino lasciasse la sua palla, o il suo pallone, per leggere un libro, ma che fosse così contento, così intero nella lettura come è contento e intero nel gioco. Si può dire di più. Se il buon giocattolo è quello che chiede di essere superato, di servire da pretesto e trampolino per un gioco di cui il bambino stesso diventa protagonista e creatore, anche il buon libro non deve spegnersi all'ultima pagina: dopo la parola 'fine' ci dev'essere spazio per il bambino che crea e inventa. Egli, a un certo punto, metterà da parte il libro e si accingerà a fare qualcosa che il libro gli ha suggerito (spesso senza saperlo). Questa non sarà una sconfitta per il libro, ma una vittoria: il giocattolo avrà cessato di essere tale per diventare vita, il libro apparterrà per sempre al vissuto, all'esperienza del bambino. In fin dei conti non vogliamo mica bambini al servizio dei libri, ma libri al servizio dei bambini[22].

Il burattinaio Rodari, del resto, aveva già scritto nella edizione del 1971 delle *Favole al telefono*: vorrei che i miei libri fossero letti «in famiglia, prima di tutto, tra genitori e figli vorrei arrivare come un compagno di giochi, come uno che accende un fuoco, che tiene vivo un dialogo, che aiuta a guardare il mondo, ad amare la vita. A scuola vorrei che il mio libro potesse essere un elemento del colloquio tra insegnante e scolari, come la prima pagina di una storia che dovrebbero poi scrivere loro, senza usare la penna, parlando di tante cose, criticando quel che capitasse loro di criticare, anche rifiutando, cambiando, senza alcun rispetto per la carta stampata, che troppe volte è venerata solo perché stampata»[23].

Sembra incredibile che il Rodari raccontato da Mariano Dolci in Spagna o da Pino Boero a Monaco sia lo stesso che, in una lettera a Einaudi del giugno 1977, si dichiara praticamente invalido: circolazione, supertensione, colesterolo, esaurimento nervoso, di cui ha già sofferto in altri momenti della sua vita, come ricorda Marcello Argilli. In questa non facile condizione fisica prende tre mesi di vacanza da «Paese Sera» e inizia a lavorare a un nuovo progetto, «una storia metafisica che si svolge sul lago d'Orta partendo dalle Piramidi d'Egitto e dalle Banche di Zurigo»[24]. In realtà non riesce a stare fermo e parte subito dopo per la Bulgaria, dove dice di essere stato accolto trionfalmente: «nella celeberrima valle delle rose è stata creata una rosa cui la più bella ragazza del paese ha imposto il nome di Giulio, in onore, *ex aequo*, di Giulio Einaudi e di Giulio Bollati»[25].

Passa il resto dell'estate a scrivere e a novembre annuncia di aver finito un nuovo, importantissimo manoscritto, *C'era due volte il barone Lamberto*, a cui aggiungere il sottotitolo: *I misteri dell'Isola di San Giulio*[26]. Il nuovo libro, insieme alla raccolta di tre racconti già pubblicati, arriva in casa editrice nel novembre 1977 ed esce nel 1978[27]. Il barone Lamberto è un omaggio ai ricordi, al loro potere salvifico ma anche infernale: nell'idea che «l'uomo il cui nome viene ripetuto non muore mai» riecheggia una delle *Novelle fatte a macchina*: «Lui non voleva la città, voleva la gloria. Voleva un poeta per fargli la biografia. Passare alla storia non gli bastava: voleva passare anche alla poesia»[28].

Scrive a Einaudi: «Diventando vecchio diventerò sempre più capriccioso, vi avverto». In realtà capriccioso non diventerà mai, ma al tono sempre allegro e ironico per la prima volta sostituisce l'insofferenza nei confronti di un trattamento economico che gli appare ingiusto: la casa editrice gli propone una percentuale del cinque per cento di guadagno sulle copie dei nuovi libri e manda in stampa un'edizione senza illustrazioni delle *Filastrocche* dettata, secondo Rodari, da «pigrizia e sventatezza» più che da una precisa scelta editoriale[29]. Ma è un'ira che immediatamente rientra; numerose sono infatti le lettere nelle quali Rodari, parlando di edizioni non einaudiane, pare scusarsi: annuncia un libro con la Biblioteca di lavoro di Mario Lodi e propone però contemporaneamente gli *Esercizi di fantasia*, sorta di prontuario da unire alla *Grammatica*.

Il 20 febbraio 1979 scrive a Carlo Carena di essere quasi pronto a spedire una nuova raccolta di filastrocche che sarà l'ultima. «Dopo tutto cambierà, sarò in pensione e farò il burattinaio. Il libro del 1980 o 1981 sarà dunque una raccolta di *pièces* per burattini, tra cui *La caffettiera folle*, *Gli amori di un merluzzo* ecc.»[30]. E quando chiederà a Einaudi di cedere i diritti della *Gondola fantasma* a Otello Sarzi per uno spettacolo di burattini, Cerati risponderà: «credo proprio che non faremo storie con Otello Sarzi. Parti pure tranquillo, rassicurati e rassicuralo. Più i burattini fanno mostra di sé, e più il mondo migliora, gira, va avanti ed andando avanti leggerà anche più libri. Buon viaggio a te ed a tua moglie. Mandami un saluto da là»[31].

«Come vedi sto finalmente imparando un mestiere, l'anno prossimo avrò 60 anni e mi sembra l'età giusta per cominciare»[32].

20.
Giochi nell'Urss

Ora seguiamo il poeta sulla motonave Georgia: naviga il Volga in un paesaggio di boschi e di acque, non c'è linea nell'orizzonte, le steppe, l'erba, la terra sembrano oceani, sul fiume le chiatte salutano zattere, i rimorchiatori le barche piccole e grandi, i battelli s'incrociano andando laggiù e venendo di là, e al poeta viene in mente il primo pensiero, ma questo pensiero non è leninista, Gianni Rodari già disubbidisce al manualetto sovietico?, Gianni Rodari ha il problema della fantasia.

Davide Orecchio

Quello che va fatto va fatto, sempre, senza mai perdere la speranza.

Gianni Rodari

Il 29 agosto 1979 Gianni Rodari parte per un lungo viaggio in Unione Sovietica: è sua intenzione scrivere un libro sui giochi dei bambini russi: «In primo piano saranno i bambini come sono, quello che dicono, pensano, sognano, i loro rapporti con il mondo adulto. Cercherò di giocare con loro, d'inventare con loro». «Sarebbe una specie di 'dalla Russia con fantasia' [...] perché conto di imperniarlo sugli incontri tra me e i ragazzi nelle scuole sul Volga e nel Caucaso»[1].

Il suo legame con l'Urss non si è mai interrotto, Rodari ha continuato a viaggiare nel paese dei Soviet diventando sempre più noto, grazie alla circolazione dei suoi personaggi diventati, nel tempo, protagonisti di cartoni animati e di film per la televisione. Ha stretto amicizie importanti, come quella con la traduttrice della *Grammatica della fantasia*, Giulia Dobrovolskaja, che ricorda la partecipazione biennale dello scrittore al Festival del cinema di Mosca:

Rodari veniva a Mosca ogni due anni, membro della giuria del festival del cinema, sezione ragazzi. Sergej Michalkov, scrittore per bambini sempre ligio al regime, sognava (invano, ahilui) che Rodari lo traducesse in italiano e ogni volta si metteva alle dipendenze della famiglia offrendosi come autista. Bisognava sentirlo, Rodari, mentre difendeva con le unghie e con i denti il miglior film del festival, *Pippi calzelunghe*. Sergej Michalkov lo aveva attaccato a testa bassa, rovesciando una valanga di critiche su Pippi. Istigava i ragazzi alla disobbedienza, diceva. Guarda che senza la disobbedienza e l'anticonformismo non c'è movimento, non c'è vita, non c'è progresso! insisteva Rodari. E la ebbe vinta. *Pippi calzelunghe*, film svedese, vinse il primo premio[2].

Negli anni Rodari ha visto il paese cambiare, ha raccontato le sue trasformazioni, ha riflettuto in un viaggio in Cina sull'essenza del socialismo reale, sa bene, come tutti i comunisti italiani, che non vivrebbe mai in Urss, perché «se rifiuto il catechismo religioso (che è altra cosa dallo spirito religioso) debbo rifiutare anche il catechismo politico, ogni altro tipo di catechismo. Se condanno un dogmatismo, li debbo condannare tutti». Il viaggio di Rodari del 1979 è organizzato dalla casa editrice Progress, che commissiona il libro sui giochi nell'Urss. Rodari decide di tenere un diario nel quale appunta quello che vede ma anche idee per nuovi racconti e poesie, o le bozze di discorsi da fare, come quello che ha intenzione di rivolgere al suo editore russo: «Al mio interprete e a quelli che mi accompagnano sarò sembrato un po' indisciplinato, insofferente di programmi troppo stretti, nemico delle cerimonie, della diplomazia. Il fatto è che sono già un po' dentro il libro, e tutto quello che non lo riguarda mi dà fastidio, la radio, la tv, i giornali. Non sono qui per parlare, ma per ascoltare; sono qui per vedere, non per farmi vedere. Credo che l'ordine e la disciplina siano socialmente indispensabili, ma non dimentico che sono stati sempre i grandi indisciplinati a cambiare il mondo: i rivoluzionari sono dei disobbedienti»[3].

Questo è lo spirito che lo accompagna fin dalla prima nota: «Volo Roma-Mosca: 12,45-17,25 ora locale. Arabi, giapponesi, Italia-Urss. Accolto a Sceremietevo da Nicola, direttore della collana 'Testimonianze sull'Urss', della casa editrice Progress, e dall'interprete Sascia (Alexandr Vassilievic Kuziatov). Redattrice di Radio Mosca, inviata da Ilià Petrov con i suoi saluti; prima, e spero unica, intervista (genericità, insistenza)»[4].

Sono le prime parole ed è già chiara l'insofferenza di Rodari verso l'aspetto più istituzionale della visita, mentre inizia da subito ad annotare i cambiamenti della società sovietica rispetto a come l'ha conosciuta: la diffusione del lavoro nero, un'economia parallela e sommersa che riguarda soprattutto il turismo, una disinvolta libertà di ricerca che hanno gli studiosi dell'Istituto di scienze pedagogiche di Mosca che si affianca al conformismo di molti maestri e maestre che incontrerà nel corso della sua visita. Ma ciò che più lo colpisce è la distanza fra vecchi e giovani, come annota dopo una serata a casa Dobrovolskaja: «una cosa che non sopporto è l'apparente facilità con cui giovani intellettuali vivono una doppia verità, cioè vivono nell'ipocrisia. Se hanno un alibi è nell'assorbimento della doppia verità fin da piccoli. E, a quel che dicono, nell'estensione di massa di questa doppia verità. Ma c'è qualcosa di profondamente sbagliato nella loro assuefazione, in fondo, a una recita quotidiana, a una rottura totale tra pubblico e privato. Un fatto è sicuro: non sono comunisti. E non si comportano da comunisti. Pare che non vedano via d'uscita, che aspettino solo la fine naturale della gerontocrazia»[5].

Non sono comunisti: ma cosa è il comunismo, nel 1979, per Gianni Rodari? Un orizzonte ancora possibile? Una pratica di militanza quotidiana? Un modo dialettico di concepire la storia, la realtà? Certo è che ben poco ha a che vedere con la democrazia socialista: «faccio obiezioni alle uniformi uguali, rispondono 'l'uniforme educa, serve alla disciplina'. Mai esprimere un parere personale. Tutti accettano le spiegazioni date. Non so come in una scuola del genere possa mai nascere un movimento, un'iniziativa dal basso. Del resto, è un problema di tutto il sistema di democrazia socialista»[6].

Da tempo Rodari ha preso commiato dal marxismo come filosofia della storia, il binomio rivoluzione/socialismo non è inscritto nelle cose, non è necessario: lo spazio della Rivoluzione, ha scritto Franco Cambi, da dato 'scientifico' (del materialismo storico) si fa compito, obiettivo etico, senza perdere né la propria cogenza né la propria centralità. Viene in mente una poesia di quelle pubblicate tanti anni prima sul «Caffè»:

> La signora B dovette scendere a Brest
> le mancava il timbro dell'albergo
> compagni compagni cos'è come accade
> non avete fatto una rivoluzione
> per aumentare i timbri
> ma per distruggerli
> io non vi farò la lezione
> non dirò al russo che ha pagato per me
> che nella sua rivoluzione mancava qualcosa
> anch'io sono comunista
> tale mi chiamo per dare un nome alla speranza.

Viene in mente la malinconica riflessione di Italo Calvino quando, ripubblicando nel 1980 i suoi interventi su riviste e quotidiani, scrive che per un certo numero d'anni lui da scrittore ha creduto di lavorare alla edificazione d'una società attraverso il lavoro di edificazione d'una letteratura. Ma poi il tempo è passato e la società intorno a lui si manifesta come 'collasso', come 'frana', come 'cancrena': la società italiana, (ma sempre vista in relazione con le trasformazioni in atto nel mondo) è qualcosa che risponde sempre meno a progetti o previsioni, qualcosa che è sempre meno padroneggiabile, che rifiuta ogni schema e ogni forma. E la letteratura è anch'essa refrattaria a ogni progettazione, non si lascia contenere in nessun discorso: «Per un po' il protagonista del libro cerca di tener dietro alla complessità crescente architettando formule sempre più dettagliate e spostando i fronti d'attacco; poi a poco a poco capisce che è il suo atteggiamento di fondo che non regge più. Comincia a vedere il mondo umano come qualcosa in cui ciò che conta si sviluppa attraverso processi millenari oppure consiste in avvenimenti minutissimi e quasi microscopici»[7]. Rodari non condivide lo stesso pessimismo cosmico e in un articolo prende in giro Calvino che, come Mao Tse-Tung, usa il millennio come unità di misura per valutare le trasformazioni del mondo[8]; ma certo anche Rodari ha creduto di lavorare alla costruzione d'una società attraverso il lavoro di costruzione d'una letteratura.

Prima di iniziare la visita ad alcune città russe, a Mosca visita la biblioteca Lenin che conserva trenta milioni di libri in 247 lingue (nel deposito principale gli scaffali hanno un fronte di 165 chilometri). Lì Rodari trova un grosso pacco di schede a suo nome nel catalogo per autori in lingue straniere, una anche più grande nel catalogo in lingua russa (nove milioni di copie, più di qualsiasi altro autore). Lo scrittore pensa che un capitolo del suo libro potrebbe pure riguardare le sue fortune letterarie in Urss: «circostanze, motivi, carattere»[9]. Quanto sia ancora amato e conosciuto in Unione Sovietica è qualcosa a cui non riesce ad abituarsi: «c'è un vero affetto, che mi sembra incredibile, per me»[10].

Il viaggio prosegue a tappe fissate: prima verso Jaroslavl', Uglič, a nord di Mosca, poi con un trasferimento a Pjatigorsk e Krasnodar, nel sud, con ritorno a Mosca il 22 ottobre. L'obiettivo di Rodari, l'abbiamo visto, è scrivere un libro su come immaginano, creano, giocano i bambini sovietici ma la prima scoperta che fa è che la questione della libertà, della sua mancanza è determinante per intuire la logica delle fiabe con premesse assurde, come per esempio accade quando propone di sviluppare il tema 'storia di un pane che balla'[11]. Nel paese di Gogol' un vero paradosso. Forse i piccoli giocano troppo poco, per questo non riescono a cogliere lo schema della storia che ai grandi appare chiaro: «l'impegno pre-scolastico preparatorio è intenso (i più grandi hanno tre lezioni tutte le mattine), giocheranno abbastanza? Non vedo cavalletti, spazi per dipingere, nessun disegno infantile alle pareti. Qualche pitturina su foglietti minuscoli è tutto»[12].

In una scuola pedagogica a Uglič domanda i motivi dell'assenza di più tempo dedicato al gioco, gli rispondono che nella scuola elementare il gioco occupa molto spazio nelle ore e organizzazioni extrascolastiche, non nella normale didattica. La distinzione tra gioco e lavoro regola tutta la vita scolastica: («È una questione della scienza esperimentare queste cose»). Il direttore è però d'accordo che tutto l'insegnamento deve creare le condizioni per «far nascere domande». Come però, si domanda Rodari, solo a partire dal lavoro?[13] Nella libreria nota testi di Pestalozzi e Rousseau, chiede se ci sono anche il poeta futurista Velimir Chlebnikov e Osip Mandel'stam, vittima delle purghe staliniane, ma non ci sono.

Scrive, senza alcun legame con le pagine che precedono: «Disperata infelicità dei genitori quando i figli crescono e si staccano, forzatamente cessando di amarli. È questa la vera morte»[14].

Il 27 settembre arriva a Pjatigorsk, «Montecatini del sud della Russia», una città invecchiata, povera di commerci e divertimenti. La sera, un deserto. Molto verde, molto silenzio. «Con un sole romano, un cielo italiano, alberi come i nostri». Lo attendono i bambini delle scuole elementari: «nell'aula magna c'è la terza e un gruppo di genitori». Viene accolto col pane e il sale. Un enorme pane, fatto dal *kolchoz* Lenin. Un monumento al pane. Recitano la poesia sul pane «grande come il sole». C'è una bambina che ha, in modo impressionante, la stessa espressione un po' malinconica «che aveva Paola da piccola»[15]. Gli chiedono di raccontare di sé, del suo fidanzamento con Teresa, del padre e della madre, un momento inaspettato e intenso, intorno a questo grande pane che lo porta a scrivere, la sera stessa, *Festa d'autunno*:

> Oggi ho rivisto mio padre.
> Sulla porta del Caucaso
> ho visto d'improvviso
> mio padre bambino,
> lontano da casa, diviso dai suoi,
> operaio di otto anni in un forno
> tra le dure montagne dell'Ossola.
> Io l'ho riconosciuto nei bimbi sorridenti
> che mi offrivano danzando il pane
> della festa d'autunno.

Scrive Marcello Argilli: «non era immaginabile, neppure per chi ha conosciuto personalmente Rodari, la latenza di certe memorie, questo riaffiorare di remote radici dolorose, anche se mitizzate dalla commozione di una rivisitazione poetica, e neppure questa sorta di rapporto amore-odio col mondo sofferto della sua giovinezza e dei luoghi del suo farsi uomo»[16]. Eppure la latenza di certe memorie attraversa tutta l'opera di Rodari: i gatti, il pane, la fame, l'ingiustizia, la miseria, sono ovunque, nelle filastrocche e nelle favole. Non è strano ritrovarle in questo componimento, privato, che è arrivato a noi soltanto perché il libro *Giochi nell'Urss* è stato pubblicato postumo nel 1984[17]. L'emozione di Rodari è avvertita anche dai bambini che incontra; una di loro ricorda il silenzio, e lui che cammina fra i banchi, componendo con loro filastrocche e storie: «C'era silenzio in classe, tutto era silenzioso, calmo, la lezione modello che qualsiasi insegnante vorrebbe vedere. Tatyana Viktorovna Yarkina afferma di aver parlato a bassa voce. Ricordo che stava parlando di sua figlia. Per sua figlia, ha investito molta anima, ci ha provato molto e questo è stato sentito»[18].

Durante il viaggio Rodari lamenta spesso il freddo intenso e vari malesseri fisici; la pressione alta, il fegato ingrossato, dolori alle gambe, vede medici, cerca di riposarsi ma il programma è intenso e a lui interessa portarlo a termine: con i ragazzi dell'istituto pedagogico di Pjatigorsk parla di Stalin. Le posizioni sono diverse, c'è chi lo ammira, c'è chi lo accusa di aver portato il paese in guerra e fatto morire i 'veri figli' della Russia. C'è chi ricorda Stalin padre che non accetta di scambiare il proprio figlio prigioniero con un generale. Un ragazzo dice: «Approvo il fatto che il Partito ha giudicato e criticato Stalin, ma non dimentichiamo che siamo i primi che costruiscono il socialismo, e per la prima volta». Uno chiede a Rodari quando ha sentito parlare di Stalin. «Rispondo brevemente su di me, su Stalin, Trockij, ecc., sulla discussione tuttora aperta su Stalin, sullo stalinismo e sulle sue conseguenze. Penso che per rappresentare Stalin e la sua tragedia ci vorrebbe Shakespeare»[19].

Il 12 ottobre, a Krasnodar, si sveglia col sole, sereno. La luce chiara entra dalle tendine sottili: non ci sono scuri alle finestre, le notti sono sempre invase dalla luce. A dieci giorni dalla fine del viaggio Rodari si rende conto della difficoltà di scrivere un libro senza, contemporaneamente, criticare duramente l'organizzazione della scuola sovietica.

Dovrei 'nascondermi dietro una betulla' per parlare solo dei bambini e ragazzi, della società che li educa ma anche li condiziona psicologicamente, li priva d'immaginazione e spirito critico, li abitua al trionfalismo, alla retorica, a vivere perennemente in una specie di 'villaggio di Potëmkin' (metafora corrente, che ricorda come il principe Potëmkin allestisse una scenografia di villaggio modello per accogliere l'imperatrice Caterina). La gente tollera qualsiasi cosa senza protestare, aspettando che altri, in alto, agiscano. Crede nell'impresa grandiosa di fondo e nelle grandi imprese che la costruiscono, ma sopporta con una pazienza sconfinata il distacco tra quei progetti e la realtà quotidiana, i cento piccoli e grandi problemi della vita individuale. La sicurezza del lavoro, di un tetto qualsiasi, di un cibo qualsiasi, è pagata con la pazienza per tutte le cose che non vanno, considerate e fatte considerare «particolari» di scarsa importanza[20].

Il 23 ottobre 1979 Gianni Rodari torna a Mosca, fa una passeggiata sulla via Gor'kij, con giaccone di pelo e calze di lana. Fa freddo. Le spinte dei pedoni lo frastornano e infastidiscono, così come la ressa di gente nei negozi dalle grandi vetrine con poche e brutte merci. «Torno dopo un'ora e mezza con i piedi gelati e le gambe che non mi reggono. Ogni dieci passi mi dovevo fermare. [...] Avevo dimenticato che oggi è il mio compleanno e Nicola dalla Progress mi telefona per farmi gli auguri e invitarmi a pranzo al Metropol. [...] Serata da Giulia Dobrovolskaja con il suo seminario di giovani traduttori italianisti. Si può parlare, capiscono. Ma subiscono, non credono nell'utilità di farsi sentire in qualche modo. Ritorno all'albergo alle 23,45. La neve è cessata, freddo. Strade che cominciano a gelare»[21].

Visto allo specchio, è identico il ricordo riferito da Julia Dobrovolskaja dopo la telefonata e l'incontro con Rodari:

«Posso passare oggi?». «Vieni per le sei. Farai felici i miei ragazzi!». Invece dei soliti undici si presentarono in venti. Gianni aveva una brutta cera, si lamentava del freddo. Si sedette al tavolo e parlò per diverse ore di fila, senza interruzione, di quel che aveva passato in quei tre mesi. Due delle ragazze trafficavano in cucina e ogni tanto ci portavano dei panini per rifocillarci: non c'era modo di arginarlo. Era un fiume in piena: parlò per un'ora, due, tre, ci disse del triste spettacolo della scuola sovietica, delle scuole-caserme e dei ragazzini intruppati. «Ho fatto i salti mortali per scuoterli, ma non ci sono mai riuscito: parevano congelati...». I miei giovani traduttori ascoltavano trattenendo il fiato. Quel che stava dicendo era una sorpresa per tutti. Si aspettavano l'allegro narratore di fiabe che adoravano da che erano bambini, e invece avevano di fronte un uomo sconvolto. Il suo sfogo durò fino alle dieci. E non terminò con il classico «Ci sono domande?» ma «Oggi è il mio compleanno»[22].

21.

Chi sono io

Non è possibile riassumere in breve
tutto quello che Rodari è stato per noi.

Mario Lodi

So bene che il futuro non sarà quasi mai bello
come una fiaba. Ma non è questo che conta.
Intanto, bisogna che il bambino faccia provvista
di ottimismo e di fiducia, per sfidare la vita.
E poi, non trascuriamo il valore educativo
dell'utopia. Se non sperassimo, a dispetto di
tutto, in un mondo migliore, chi ce lo farebbe
fare di andare dal dentista?

Gianni Rodari

Il 14 novembre 1979 Gianni Rodari scrive a Carlo Carena. Einaudi sta per pubblicare per la dodicesima volta le *Favole al telefono* e si domanda se l'autore non voglia rivederne, almeno, l'introduzione. Rodari risponde che no, non vuole rivederla, magari potrebbe aggiornare la biografia, poi si accorge dell'errore, cancella, scrive sopra: la bibliografia, e commenta: «Ha visto l'errore qui sopra? La 'biografia', essendo ormai in discesa, ha cercato di riprendere il primo posto»[1]. Carena insiste, ci sono piccole correzioni da fare, ma Rodari risponde l'8 gennaio 1980: «Caro Carena, oggi ho accompagnato mia moglie in clinica per un'operazione, quando uscirà lei dovrò entrarci io, per colpa di un'arteria occlusa, vede che non ho lo spirito adatto per rifare la prefazione alle *Favole al telefono*. La programmerò per l'edizione tredicesima, anche se doveste interrogarmi con i tavolini»[2].

Tornato dall'Urss non è più stato bene, i dolori alla gamba sono sempre più forti: sono causati da problemi circolatori risolvibili con un'operazione piuttosto semplice. Almeno così sembra. Sta accarezzando l'idea di tornare a Omegna e passare lì del tempo, scrive in una lettera: «è l'ultimo giorno del 1979: una bufera di neve, assolutamente insolita nel territorio della Tuscia, mi ha appena abbattuto un pino, mia moglie sta per entrare in clinica per un'operazione alla cistifellea, dopo di lei ci entrerò io per un complicato affare alla circolazione arteriosa della gamba sinistra... Così comincia allegramente l'anno bisestile. Ma il pezzo mi ha aiutato a finire alla macchina l'anno vecchio, mi ha perfino fatto nascere progetti in versi, in prosa, in treno e in automobile: mi pare proprio che non convenga affatto morire»[3].

Concede un'ultima intervista a una giovane studiosa, Matilde Germani, che sta scrivendo una tesi su di lui: lei gli chiede che spazio abbia il mistero nella sua vita, il senso religioso. Rodari, che da ragazzo è stato cattolico, risponde:

Ho scelto di vivere senza una religione e di impegnarmi in una direzione che mi sembra assorbire abbastanza sia la capacità di impegno morale sia la capacità di autocritica, per me essenziale come l'esame di coscienza per i cattolici. In realtà credo che questo problema durerà molto di più dei disagi sociali, perché, anche quando avremo risolto tutti i problemi sociali e non esisteranno ingiustizie, prepotenze, errori nei rapporti umani, esisterebbe poi sempre il problema dell'individuo di fronte alla morte. La religione sarà sempre un terreno su cui è possibile che nascano domande. Anzi, sono convinto che in una società migliore queste domande prenderebbero più rilievo di quanto non ne abbiano ora. Tuttavia mi sembra che adesso queste domande e questo tipo di impegno siano usati molto spesso per distogliere l'attenzione dai problemi reali che si possono risolvere, dalle ingiustizie reali che si possono combattere, dalle prepotenze reali a cui si può mettere fine. Cominciamo a fare questo, poi se è il caso penseremo a Dio. Può darsi che in futuro Dio esista, non lo so. Oggi ritengo che sia più importante risolvere i nostri rapporti fra uomini, fra classi e fra Paesi, anche se sono convinto che questo non metterà fine ai problemi individuali. Non è facile essere completamente laici[4].

L'intervista di Matilde Germani uscirà sul «Giornale dei genitori» qualche mese dopo. Rodari non ci sarà già più. Fa in tempo, però, ad assistere, e anche a prendere la parola, sull'ultima polemica del decennio, quella contro i cartoni animati giapponesi accusati da un gruppo di genitori di essere la causa di violenza e maleducazione dilagante: «I ragazzi non salutano più, quando ti incontrano ti sferrano un pugno atomico nello stomaco»; «Impersonano gli eroi dei telefilm e si esprimono solo a base di bing, bang, smash e crash»; «I ragazzi sono plagiati: i supereroi riempiono temi e disegni»; i bambini anche per la latitanza degli adulti non hanno gli strumenti della decodifica e il risultato sarà «un ragazzo chiuso in se stesso, egocentrico e aggressivo, che parla soltanto con il televisore e non con i coetanei, che imposta i suoi rapporti con i genitori sulla prepotenza e il capriccio, perché ha imparato la lezione di Goldrake»[5].

È l'8 aprile 1980. Dice Rodari: «solitamente di queste trasformazioni si mettono in luce solo le conseguenze negative; non so perché ma non siamo mai oggettivi nei confronti del televisore, forse perché lo subiamo talmente e la nostra lotta quotidiana col televisore è così impegnativa che siamo portati a vederne solo l'aspetto negativo»[6]. Rodari, da tempo, ha fatto suo il punto di vista di Tullio De Mauro che non si stancava di ripetere: «Io non credo che sia giusto parlare di un impoverimento del linguaggio dei giovani, credo che sia una via pericolosa, qualunquista ma soprattutto sbagliata anche se qualche volta viene da posizioni ideologicamente di sinistra che non capiscono bene la sostanza della questione. In verità i mezzi di comunicazione di massa (e non significa assolverli da qualunque peccato, tutt'altro) hanno aperto l'accesso a una quantità enorme di informazioni alle giovanissime generazioni»[7].

Rodari viene ricoverato il 10 aprile. Racconta Julia Dobrovolskaja che lo va a trovare in ospedale: «Gianni mi disse: 'quel giorno a Mosca il vento ghiacciato mi ha tagliato le gambe. È cominciato tutto da lì'. Il giorno dopo, un lunedì, giorno nefasto per i russi, avrebbe subìto un'operazione. 'Hai paura?' 'Molta. Temo che non tornerò... Fatemi fumare l'ultima sigaretta!'»[8].

L'operazione si rivela più difficile del previsto, Rodari presenta un grosso aneurisma di cui i dottori non si sono accorti prima: un intervento di routine si trasforma in un'operazione di sette ore. Muore tre giorni dopo, il 14 aprile, per un collasso cardiaco. Ha soltanto sessant'anni.

«Della morte avevo saputo nella serata del 14, quando Lilli Bonucci dell''Unità' mi aveva telefonato a casa chiedendomi di scrivere un necrologio. Era morto nel pomeriggio. Sapevo che doveva operarsi ma niente faceva presagire un esito simile. Non è stato facile scrivere quell'articolo, ma mi è venuto di getto lamentare che la sua opera, fino ad allora, non avesse avuto un'adeguata considerazione»[9]: Marcello Argilli dà la notizia della morte ma è Tullio De Mauro a scrivere l'articolo a lui dedicato sulla terza pagina dell'«Unità». «Ha ragione Marcello Argilli: Gianni Rodari è stato sottovalutato dalla nostra critica. Tuttavia, la sottovalutazione ha tali dimensioni che, a misurarla, per quanto la si dia in anticipo per scontata si resta sorpresi lo stesso. Tra Rod Edouard e Rodighieri, tra Rodomonte e Rodenbach, si cerca inutilmente il nome di Gianni Rodari».

Ma forse, scrive De Mauro, Rodari non dobbiamo cercarlo solo fra i letterati, perché la sua scrittura è plurilingue, vicina agli inglesi, ai tedeschi, cosa assai difficile da collocare per una critica tutta italocentrica. Dobbiamo cercarlo fra gli intellettuali: «ricordiamo quanta parte ha avuto Rodari, il suo esempio, le sue idee, nel rinnovamento sia pratico e programmatico sia culturale e propriamente teorico dell'educazione linguistica nella scuola di base italiana. Un libro pilota di questo rinnovamento, il *Libro d'italiano* di Raffaele Simone non per caso si inaugurò, nel 1973 con una splendida poesia-riflessione di Gianni Rodari: 'C'è una scuola grande come il mondo./ Ci insegnano maestri, professori, avvocati, muratori,/ televisori, giornali'»[10].

Su «la Repubblica» Paolo Mauri scrive in un breve trafiletto: «viene subito alla memoria quella sua favola recente, *C'era due volte il barone Lamberto*, che in chiave bonariamente comica rilanciava, nel mistero della morte, le divisioni di classe, il dissidio tra il ricco che può voler tutto, anche il diritto di non morire, e i poveri, i proletari, che lavorano appunto per non farlo morire». Come? Ripetendo all'infinito il suo nome: l'uomo il cui nome è pronunciato resta in vita, come è scritto in un papiro egizio. Ripetere all'infinito il suo nome per non dimenticarlo: Gianni Rodari, Gianni Rodari, Gianni Rodari...

Lucio Lombardo Radice decide di lanciare un appello affinché il nome di Rodari risuoni in tutte le scuole d'Italia, e sulle pagine di «Riforma della scuola» chiede di inviare copia della corrispondenza che lo scrittore ha avuto, negli anni, con i bambini. Arriva una valanga di lettere, come quella ricevuta dal professor Francesco Ciprini della classe I C scuola media di Piccione:

Cari ragazzi (o bisogna chiamarvi piccioncini o piccionisti) un po' in ritardo vi ringrazio molto della vostra antica lettera, nella quale mi mandavate i finali da voi immaginati per la storia del gambero che voleva camminare in avanti. Come la concluderei io? Onestamente, mi piacerebbe che tutte le persone che vivono come i gamberi imparassero a guardare in avanti e a far qualcosa per migliorare il mondo: ma questo non è ancora successo, si può soltanto sperare che succeda. Il gambero della storia non perde il coraggio: questo mi pare importante. Fine della gamberologia. Noto che il vostro paese è buono da mangiare come Pastina (Toscana), Gallina (Bari) e tanti altri paesi commestibili. C'è anche la frutta: Mele (Genova), Pesche (Abruzzo), Mango (Cuneo). E in provincia di Firenze c'è Tavola. Scusate lo scherzo, che non è spiritoso. Ma come ha preso il suo nome il vostro paese? A parte questo ho sentito parlare di un signore di Piccione che mentre faceva la doccia suonava il trombone. Lo conoscete?[11]

E arrivano memorie di insegnanti: «Chiarissimo professore, ho letto gli articoli dedicati a Gianni Rodari su 'Riforma della scuola'. La lettura di essi mi ha spinto a ricordare quanto gli devo della mia formazione di maestro. Tutta la sua opera (e in particolare quel libretto tutto d'oro e d'argento che è la *Grammatica della fantasia*), oltre ad essere una preziosa ed inesauribile fonte di stimoli per la mia attività didattica ha contribuito in modo notevolissimo alla mia maturazione di educatore e di uomo». «Caro Lucio, abbiamo appreso dai giornali che il nostro Gianni Rodari è morto. Ci aveva chiesto di scrivere una filastrocca, su un giovanotto di Caposele, eccola qua», scrive il maestro Valentino della scuola elementare Pascoli di Marcianise in provincia di Caserta: i suoi allievi hanno pubblicato delle *Conversazioni sulla poesia* dove la scoperta delle regole capovolte, spezzate, delle parole «mescolate in modo nuovo» nasce dalla lettura comparata di Rodari e García Lorca che scrive «un silenzio fatto a pezzi da risa d'argento nuovo». Mentre guardando la notte di van Gogh, i bambini hanno scritto che «lassù stelle esplodono e incendiano il cielo»[12].

Gianni Rodari, Gianni Rodari, Gianni Rodari...

«Mi sono impegnato con me stesso a seguire l'esempio di Gianni Rodari», scrive Lombardo Radice nel suo taccuino: «entrare nelle classi, discutere di ricerca e di sperimentazione, farlo con i bambini», anche di didattica della matematica. Niente è più rodariano di questo. Il resto, scrive Marcello Argilli, rischia di essere costituito da formulette che consolano: «se certe novità immesse da Rodari nella nostra letteratura infantile sono ora accettate da tutti non può significare che sono diventate luogo comune, relativamente stimolante?». E Carmine De Luca: «diciamolo chiaramente: che Rodari piaccia a tutti, che tutti apprezzino incondizionatamente le sue proposte facendo violenza alla loro essenza più vera, è un fatto un tantino preoccupante».

A Rodari, dice Tullio De Mauro, è accaduto qualcosa di simile a quanto capitò a don Milani e a Pasolini. Subito dopo la morte, c'è stata un'esplosione di interesse, di ricerche, di libri. Una autentica riscoperta come se «tutti noi, solo dopo, avessimo finalmente capito che cosa quegli uomini ci avevano voluto dire»[13].

Eppure quello che Rodari ci ha voluto dire ce lo ha detto, senza giri di parole, senza misteri, in tutte le cose che ha scritto, per tutta la vita. Se poi ci sono cose tra le righe, «chi avrà voglia di scavare un po', le troverà senza sudare, perché a scavare sotto le parole si fa molto meno fatica che scavare gallerie sotto le montagne, o a zappare la terra. Chi non ha voglia di significati nascosti è libero di trascurarli e non perde nulla: secondo me la storia sta tutta quanta nelle parole visibili e nei loro nessi»[14].

Un metodo, una postura intellettuale, uno sguardo: domandarsi sempre «chi sono io» come fa Alice alla fine del suo viaggio nel paese delle meraviglie; sforzarsi di vedere il mondo come se lo si vedesse per la prima volta[15]. Una lezione imparata tanti anni prima dall'amatissimo Viktor Šklovskij, uno straniamento sistematico, praticato fino alla fine, guidato da una sempre nuova curiosità verso il presente e una speranza mai sopita per il futuro. Gianni Rodari, come Bertolt Brecht, si pone per tutta la vita una domanda che è la domanda del secolo: quando arriverà il nuovo? Un nuovo più giusto e felice per tutti. Perché arriverà, dipende soltanto da noi, se non possiamo esserne sicuri almeno non dobbiamo smettere di immaginarlo.

Questa storia non è ancora accaduta, ma accadrà sicuramente domani. Ecco cosa dice.

Domani una brava, vecchia maestra condusse i suoi scolari, in fila per due, a visitare il Museo del Tempo Che Fu, dove sono raccolte le cose di una volta che non servono più, come la corona del re, lo strascico della regina, il tram di Monza, eccetera.

In una vetrinetta un po' polverosa c'era la parola 'Piangere'.

Gli scolaretti di Domani lessero il cartellino, ma non capivano.

Signora, che vuol dire?

È un gioiello antico?

Apparteneva forse agli Etruschi?

La maestra spiegò che una volta quella parola era molto usata, e faceva male. [...]

Sembra acqua, disse uno degli scolari.

Ma scottava e bruciava, disse la maestra.

Forse la facevano bollire prima di adoperarla?

Gli scolaretti proprio non capivano, anzi cominciavano già ad annoiarsi. Allora la buona maestra li accompagnò a visitare altri reparti del Museo dove c'erano da vedere cose più facili come: l'inferriata di una prigione, un cane da guardia, il tram di Monza, eccetera, tutta roba che nel felice paese di Domani non esisteva più[16].

Note

Introduzione

[1] G. Rodari (d'ora in avanti GR), *I giornali a fumetti e la scuola*, in «Riforma della scuola», n. 7, dicembre 1966, ora in GR, *Il cane di Magonza*, a cura di C. De Luca, Editori Riuniti, Roma 1982, pp. 98-103.

[2] GR, *Grammatica della fantasia*, Einaudi, Torino 1973, p. 6 (d'ora in avanti GDF).

[3] M. Lodi, *Una favola, un metodo*, in AA.VV., *Il favoloso Gianni*, Nuova Guaraldi, Firenze 1982, p. 59. Non affronterò in questo studio la storia delle pubblicazioni postume di Rodari, né della sua antologizzazione, che meriterebbe un libro a sé. Rimando, per uno studio preliminare, a P. Boero, *Rodari in pentola*, in «L'indice dei libri del mese», 1985, sul legare il «nome di Gianni Rodari ad un'operazione di bassa cucina editoriale e questo non può lasciare indifferenti coloro che nel 'favoloso Gianni' riconoscono non solo un classico della letteratura per l'infanzia, ma anche uno degli intellettuali più lucidi di quella generazione venuta fuori dalle macerie della guerra».

[4] GR, *Manuale per inventare storie*, in «Paese Sera», 9 e 19 febbraio 1962.

[5] F.G., *Non solo un omaggio*, in *Leggere Rodari*, supplemento a «Educazione oggi», a cura di G. Bini, Ufficio scuola, Pavia 1981, p. 5.

[6] GR, *Perché ho dedicato il mio ultimo libro alla città di Reggio Emilia*, conferenza a un anno dagli Incontri con la Fantastica, Reggio Emilia, 17 aprile 1974, ora in «Riforma della scuola», 5, 1981, col titolo *Scuola di fantasia*, p. 26.

[7] Cfr. P. Boero, *Una storia, tante storie. Guida all'opera di Gianni Rodari*, Einaudi Ragazzi, Trieste 2020 (I ed. 1992), d'ora in avanti USTS. Anche Id., *La letteratura per l'infanzia e la 'svolta' di Rodari*, in E. Catarsi, *Gianni Rodari e la letteratura per l'infanzia*, Edizioni del cerro, Pisa 2002, pp. 23-36.

[8] G. Bini, *Leggere e trasgredire*, in *Leggere Rodari*, cit., p. 7.

[9] *Ibid.*

[10] USTS, p. 171.

[11] GDF, p. 3. Sulla scoperta di Novalis v. *infra*, pp. 28-29. Il frammento di Novalis sta in *Schriften: nach den Handschriften erganzte und neugeordnete Ausgabe*, v. 2, Bibliografisches Institut, Leipzig 1928, p. 131.

[12] GR, *A colloquio con Gianni*, a cura di M. Germani, 6 novembre 1979.

Ora in «Il Giornale dei genitori», novembre 1982-1983, nn. 87-88, pp. 23-24.

[13] Cfr. M. Piatti, *Saperi artistici e mutamenti sociali: attualità di Gianni Rodari*, Edizioni del cerro, Pisa 2008.

[14] Ivi, p. 23.

[15] GR, *Manuale per inventare storie*, cit.

[16] A. Faeti, *Uno scrittore senza il suo doppio*, in *Leggere Rodari*, cit., pp. 51-64.

[17] R. Denti, *La corsa del burattino: breve storia delle letture per bambini*, in *I libri per ragazzi che hanno fatto l'Italia*, a cura di Hamelin, Bologna 2011, p. 17.

[18] GR, *James Bond litigherà con il lupo cattivo?,* in «Paese Sera», 11 dicembre 1970, p. 3 (terza parte di un approfondimento sulle fiabe, le altre due puntate sono nei numeri dell'8 e del 9 dicembre). Rodari e Sartre sono peraltro legati dalla ricerca sull'immaginazione: cfr. GDF, p. 168; J.-P. Sartre, *L'immaginazione*, Bompiani, Milano p. 104: «l'immaginazione è un atto non una cosa».

[19] Sulla definizione di classico nella storia della letteratura cfr. G. Ferroni, *Dopo la fine. Una letteratura possibile*, Donzelli, Roma 2006, pp. 26-29, e alla bibliografia ivi citata.

[20] Una riflessione, invece, sulle influenze in altri scrittori (per l'infanzia) in alcuni saggi contenuti in Catarsi, *Gianni Rodari*, cit.

[21] Anonimo (ma GR), *Materia prima*, in *Favole al telefono*, Einaudi, Torino 1971, p. v. Le citazioni delle *Favole* sono tratte da questa edizione. Lo scritto *Materia prima* non è presente nella prima edizione delle *Favole*, quella del 1962. Viene inserito nell'edizione del 1971, quella degli 'Struzzi', da cui traggo le citazioni. Compare anche nell'edizione 1972 delle *Filastrocche in cielo e in terra*. L'unica differenza fra le due versioni è il sesto paragrafo dedicato specificamente ai due libri. Sulla fortuna di Rodari cfr. USTS, pp. 134 sgg. Interessante C. Schwartz, *Capriole in cielo. Aspetti fantastici nell'opera di Gianni Rodari*, tesi di dottorato, Università di Stoccolma, 2005.

[22] GDF, pp. 31-32.

[23] A. Zanzotto, *Infanzia, poesia, scuoletta*, in «Strumenti critici», febbraio, 1973, pp. 52-77. Ora in Id., *Fantasie di avvicinamento*, Mondadori, Milano 1991, p. 199. Cfr. A. Zanzotto, *Poesie e prose scelte*, a cura di S. Dal Bianco e G. M. Villalta, Mondadori, Milano 1999, pp. 1161-1190. Ringrazio Simone Giusti che sta studiando il rapporto fra Gianni Rodari e Andrea Zanzotto.

[24] *Ibid.* Cfr. anche Id., *Il sorriso pedagogico di Rodari*, in *Se la fantasia cavalca con la ragione*, a cura di C. De Luca, atti del convegno nel decennale della *Grammatica della fantasia* (Reggio Emilia, 10-12 novembre 1982), Juvenilia, Bergamo 1983, pp. 24-25, e C. De Luca, *Anche la poesia ha un corpo. Intervista ad Andrea Zanzotto*, in «Italiano e oltre», 5, 1987, pp. 233-237 (intervista del 17 ottobre 1982, in occasione del convegno *Se la fantasia cavalca con la ragione* dedicato dalla città di Reggio Emilia a Rodari; in coda una *Nota* del 1987 di Zanzotto).

[25] GR, *Le cose difficili*, in «Il Giornale dei genitori», gennaio 1975, p. 3. Poi *Lettera ai bambini*, in *Parole per giocare*, Manzuoli, Torino 1979, p. 31.

[26] GR, Presentazione di *C'era due volte il barone Lamberto*, Einaudi, Torino 1978, p. 00.

1. *Dove si parla di un forno, di gatti e di antifascismo*

[1] GR, *La matematica delle storie*, in GDF, pp. 135-139. GR, *Chi sono io*, Einaudi, Torino 2015 (I ed. Editori Riuniti, Roma 1987). V. anche *Chi sono dunque io? Ditemi questo prima di tutto (Alice) – Saperi a confronto per garantire cittadinanza ai diritti e alle potenzialità dei bambini e degli adulti*, Teatro Municipale di Reggio Emilia, 1990. Sugli insiemi cfr. E. Sanguineti, *Dialettica della fantasia*, in *Il cavallo saggio. Poesie epigrafi esercizi*, a cura di C. De Luca, Einaudi, Torino 2011, p. VIII.

[2] Faeti, *Uno scrittore senza il suo doppio*, cit., p. 52.

[3] *Ibid.*

[4] *Ibid.* Un tema su cui Rodari torna in *I ragazzi leggono. Dibattito sulle letture dei ragazzi*, a cura di M. Pallotti, in «Panorama», n. 36, 1971.

[5] *Ibid.* Cfr. J. Meda, *Per una storia della stampa periodica per l'infanzia e la gioventù in Italia fra '800 e '900*, in F. Loparco, *I bambini e la guerra: il «Corriere dei Piccoli» e il primo conflitto mondiale (1915-1918)*, Nerbini, Firenze 2011, pp. 7-24.

[6] GR, *Pinocchio nella letteratura per l'infanzia*, in «Studi collodiani», atti del I convegno internazionale (Pescia, 5-7 ottobre 1974), Fondazione Nazionale Carlo Collodi, Pescia 1976, pp. 37-58.

[7] *Buonasera con Gianni Rodari*, 7 giugno 1979, Rai 2.

[8] *Ibid.*

[9] M. Argilli, *Gianni Rodari*, Einaudi, Torino 1990 (d'ora in avanti MA), p. 3. Cfr. M. Rossitto, *Non solo filastrocche. Rodari e la letteratura del Novecento*, Bulzoni, Roma 2011, pp. 15-17.

[10] L. De Grada, *Signora compagna*, Teti Editore, Roma 1994, p. 96.

[11] MA, p. 4.

[12] GR, *Ricordi e fantasie fra Nigoglia e Mottarone*, in «Lo Strona», 4, ottobre-dicembre 1979; ora in P. Macchione, *Storia del giovane Rodari*, Macchione Editore, Varese 2013, pp. 401-407.

[13] *Ibid.*

[14] GR, *Facevo la terza elementare*, in A. Gianni e G. Galleno, *L'avventura. Antologia italiana per la scuola elementare*, La Nuova Italia, Firenze 1968, vol. I, p. 30.

[15] GR, *Prefazione*, in M. Argilli, *Il teatro delle maschere*, Edizioni Verso la Vita, Firenze 1952, pp. II-III.

[16] Dal dépliant di presentazione dello spettacolo *Marionette in libertà* della Compagnia teatrale La Contrada di Trieste, 1978. Cfr. P. Boero, *Gianni Rodari oltre la Nigoglia*, in *Rodari e la sua terra*, atti del convegno (Omegna, 26-27 maggio 1983), a cura di Lino Cerutti, Amministrazione comunale, Omegna 1984, pp. 12-13.

[17] GR, *Ricordi e fantasie*, cit., p. 402.

[18] Ivi, p. 403. Cfr. GR, *Facevo la terza elementare*, cit.; P. Maulini, *Omegna cara*, prefazione di GR, edizioni a cura della rivista «Lo Strona», Valstrona (Novara) 1978. I testi sono citati in MA, p. 27. Cfr. anche GR, *L'armonica e il tamburo*, in «Pioniere», 42, 1958, p. 3.

[19] GR, *Relazione dibattito Ascoli,* 28 febbraio 1979, cfr. L. Marucci, A.M. Novelli, *Rodare la fantasia con Rodari ad Ascoli*, Provincia di Ascoli Piceno, Ascoli Piceno 2001.

[20] GR, *Ricordi di una presa di coscienza. Quel giorno sotto il fascismo*, in «Paese Sera», 1° maggio 1975, p. 9.

[21] *Ibid.*

[22] *Ibid.* GR, *L'armonica e il tamburo*, cit.

[23] GR, *Perché mia madre vota comunista*, in «L'Ordine nuovo», 1° giugno 1953, p. 3.

[24] GR, *Ricordi e fantasie*, cit., p. 406.

[25] GDF, pp. 68-69.

[26] Ivi, p. 36.

[27] GR, *Una scuola grande come il mondo*, discorso ai giovanissimi, Firenze, 4 marzo 1956, Edizioni Potente-Fgci, Firenze 1956.

[28] GR, *Ricordi di una presa di coscienza*, cit.

[29] *Ibid.*

[30] Questa fase è stata minuziosamente raccontata da Caimi al quale rimando: *Gianni Rodari: gli anni della formazione e della prima militanza comunista*, Nicolini, Gavirate 1995.

[31] Macchione, *Storia del giovane Rodari*, cit., pp. 329 sgg.

[32] Ivi, pp. 40-41.

[33] GDF, pp. 8-9. Un ricordo di questi anni di Rodari per radio: *RP 1. Incontro radiofonico pomeridiano*, 26 dicembre 1978, Radio Uno.

[34] USTS, pp. 56-60.

[35] A. La Penna, *I giovanissimi e la cultura negli ultimi anni del fascismo*, in «Società», I, 2, 7-8, luglio-dicembre 1946, p. 680.

[36] N. Ajello, *Intellettuali e PCI. 1944-1958*, Laterza, Roma-Bari 1979, p. 120. Cfr. G. Simonetti, *Dopo Montale. Le «Occasioni» e la poesia italiana del Novecento*, Maria Pacini Fazzi Editore, Firenze 2002.

[37] GR, *Ricordi di una presa di coscienza*, cit.

[38] B. Zevi, *Presentando i quaderni*, in «Quaderni italiani», I, 1, gennaio 1942, pp. 5-6, cit. in Ajello, *Intellettuali e PCI. 1944-1958*, cit., p. 6.

[39] MA, pp. 10-11. L'autobiografia per il Pci è pubblicata in Macchione, *Storia del giovane Rodari*, cit., pp. 223-327.

[40] C. Cassola, *La generazione degli anni difficili*, Laterza, Bari 1962, p. 90. Cfr. R. Zangrandi, *Il lungo viaggio attraverso il fascismo: contributo alla storia di una generazione*, Feltrinelli, Milano 1962.

[41] MA, pp. 10-11. I titoli sono sbagliati così come la cronologia, evidentemente Rodari si riferisce a *Le vie nuove del socialismo* di Ivanoe Bonomi (Sandro, Napoli 1907) e *La rivoluzione proletaria e il rinnegato Kautsky* di Lenin, uscito nel 1947 (Edizioni lingue estere, Mosca).

[42] De Grada, *Signora compagna*, cit., p. 96.

[43] GR, *Autobiografia*, cit., p. 233.

[44] F. Onofri, *La nostra scuola durante la guerra*, in «l'Unità», 12 febbraio 1954, p. 5. Id., *Esame di coscienza di un comunista*, Milano-Sera, Milano 1949. Su Onofri molto belli i ritratti di P. Spriano, *Le passioni di un decennio*, Garzanti, Milano 1986, p. 56, e De Grada, *Signora compagna*, cit., p. 65.

2. *Il maestro*

[1] GR, *Relazione al corso CEMEA a Rimini*: 26-28 marzo 1964 (trascrizione da nastro non corretta dall'autore, senza data).

[2] *Ibid.*

[3] GR, *Autointervista*, in *Il cane di Magonza*, cit., p. 184.

[4] «Hatten (Hätten) wir auch eine Phantastik, wie eine Logik, so Ware (wäre) die Erfindungkunst – erfunden. Zur Phantastik gehrst (gehört) auch die Asthetik gewissermessen (gewissermassen) wie die ve-rumftiehre (Vernunftlehre) zur logik (Logik)».

[5] GR, *Preparazione al saggio sulla fantastica*, manoscritto inedito, databile 1942/43 conservato dalla famiglia. GR, *Per il libro per ragazzi*, manoscritto inedito, databile 1942-43, identificabile col "quaderno di Fantastica" di cui Rodari parla nell'"antefatto" della *Grammatica*. Cfr. P. Diamanti, *Da Breton a Rodari... passando per Marx. Il surrealismo fonte della "Grammatica della fantasia"*, in *Gianni Rodari: una favola di pace*, a cura di Giorgio Diamanti, in «Il calendario del popolo», 60, 720, giugno 2007, pp. 16-20. Il lavoro di Pina e Giorgio Diamanti smonta l'impianto interpretativo di Argilli relativo all'invenzione di una genealogia: Argilli nega infatti la possibilità dell'ispirazione surrealista di Rodari a partire dalle sue prime filastrocche di sapore neorealista (al limite debitrici verso il realismo magico di Bontempelli o l'ironia di Palazzeschi), arriva addirittura a negare l'esistenza del frammento stesso di Novalis che invece esiste. Cfr. MA, p. 58.

[6] *Ibid.* Per inquadrare il rapporto fra Rodari e il surrealismo in termini storici cfr. F. Califano, *Lo specchio fantastico*, Einaudi, Torino 1998, pp. 21 sgg.

[7] GR, *Relazione al corso CEMEA*, cit.

[8] Cfr. B. Salotti, *L'Archivio Maria Maltoni*, in J. Meda, D. Montino, R. Sani (a cura di), *School Excercise Books: a Complex Source for a History of the Approach to Schooling and Education in the 19th and 20th Centuries*, Polistampa, Firenze 2010, pp. 73-88. Cfr. *I Quaderni di San Gersolé*, a cura di M. Maltoni, con la collaborazione di G. Venturi, prefazione di I. Calvino, Collana Libri per ragazzi n. 4, Einaudi, Torino 1959. Cfr. F. Bettini, *La scuola di San Gersolé*, La Scuola, Brescia 1939. A. Santoni Rugiu, *Tre esperienze pedagogiche innovative dopo la Liberazione*, in P.L. Ballini, L. Lotti, M.G. Rossi (a cura di), *La Toscana nel secondo dopoguerra*, FrancoAngeli, Milano 1991; L. Bellatalla, *Maria Maltoni e la scuola di San Gersolé dal 1923 al 1945: un modello di educazione ambientale*, in M. Tomarchio, L. Todaro, *Spazi formativi, modelli e pratiche di educazione all'aperto nel primo Novecento*, Maggioli Editore, Ravenna 2017, pp. 141-154.

[9] GR, *Come è nato il libro degli errori*, in «Noi donne», 45, 14 novembre 1964, p. 108.

[10] L. Caimi, *Gianni Rodari: gli anni della formazione e della prima militanza comunista (1920-1946)*, in «Annali di Storia dell'Educazione e delle Istituzioni Scolastiche», 1, La Scuola, Brescia 1994.

[11] *Ibid.*

[12] MA, p. 35.

[13] Cfr. C. Macchi, *Resistenza contro il nazifascismo nella zona di Varese. La 121ª Brigata Garibaldi Walter Marcobi*, Macchione Editore, Varese 2003. E Id., *Le prime azioni del Gruppo garibaldino d'assalto Gastone Sozzi*, in Istituto varesino per la storia della resistenza e dell'Italia contemporanea, *La Resistenza in Provincia di Varese, 1943*, Consorzio Artigiano LVG Azzate, Varese 1983, p. 148.

[14] MA, p. 14.

[15] GR, *Ricordi di una presa di coscienza*, cit.

[16] A. Vaghi, *Insieme alla redazione de L'Ordine nuovo*, in *Gianni Rodari: una favola di pace*, cit., pp. 34-37.

[17] Era il giornalino «Cinque punte».

[18] Vaghi, *Insieme alla redazione de L'Ordine nuovo*, cit., p. 34.

[19] De Luca, *Un giornalista con il gusto di raccontare*, in *Leggere Rodari*, cit., p. 162.

[20] Vaghi, *Insieme alla redazione de L'Ordine nuovo*, cit., p. 35.

[21] Gli scritti di questo periodo sono raccolti in *Gianni Rodari e la signorina Bibiana: i racconti e gli scritti giovanili 1936-1947*, a cura di C. Zangarini, P. Macchione, A. Vaghi, Macchione Editore, Varese 2010. Sulla democratizzazione dell'elzeviro cfr. B. Pischedda, *Due modernità. Le pagine culturali dell'Unità 1945-1946*, FrancoAngeli, Milano 1995, p. 103; e N. Ajello, *Dalla terza pagina al supplemento letterario*, in «Nord e Sud», 33, settembre 1962, p. 109.

[22] Vaghi, *Insieme alla redazione de L'Ordine nuovo*, cit., p. 36.

[23] Q. Bonazzola, *Quella prima filastrocca pubblicata quasi per caso dall'«Unità»*, in «l'Unità», 16 aprile 1980, p. 3. Cfr. anche *La vita politica dei giovani varesini (1944-1950). Dal Fronte della Gioventù alla FGCI, testimonianza di A. Chiesa*, raccolta da P. Macchione (marzo 1978), p. 48; P. Macchione, *Capitoli di storia varesina (1945-1955)*, Lativa, Varese 1986, p. 13.

[24] B. Brecht, *La linea politica*, trad. di G. Rodari e G. Carta, in *Gianni Rodari e la signorina Bibiana*, cit., p. 375. Sull'opera, uno dei primi drammi didattici, cfr. A. Badiou, *Il secolo*, Feltrinelli, Milano 2006, pp. 135-137. Badiou restituisce il senso della rivoluzione linguistica di questo poema brechtiano a partire dallo studio di R. Jakobson, *La structure grammaticale du poème de Bertolt Brecht 'Wir sind sie'*, in «Paragone», 198, 1966, pp. 3-22.

[25] La testimonianza di Natoli è in Ajello, *Intellettuali e PCI. 1944-1958*, cit., p. 156.

[26] E. Vittorini, *Editoriale senza titolo*, in «Il Politecnico», I, 5, 27 ottobre 1945, p. 5.

[27] Su Concetto Marchesi è ora disponibile un ampio studio biografico di L. Canfora, *Il sovversivo. Concetto Marchesi e il comunismo italiano*, Laterza, Bari-Roma 2019. Su Banfi cfr. A. Crisanti (a cura di), *Banfi a Mi-*

lano. L'università, l'editoria, il partito, Edizioni Unicopli, Milano 2015. Intervento di C. Marchesi, *Atti del V Congresso del Pci*, Fondazione Gramsci, pp. 1249-1259.

[28] Cfr. R.Martinelli, *Il 'Partito nuovo' e la preparazione del V congresso. Appunti sulla rifondazione del Pci*, in «Studi Storici», 31, 1, pp. 27-51.

[29] Vaghi, *Insieme alla redazione de L'Ordine nuovo*, cit., p. 24.

[30] Su questa fase cfr. Macchione, *Capitoli di storia varesina 1945-1955*, cit.

[31] MA, p. 58. Cfr. USTS, pp. 16 sgg.

[32] GR, *Il celebre scrittore*, in «Corriere Prealpino», II, 12 maggio 1946, ora in P. Macchione, *Letteratura e popolo*, Lativa, Varese 1984, pp. 137-142.

[33] *Ibid.*

[34] Vaghi, *Insieme alla redazione de L'Ordine nuovo*, cit., p. 37.

3. Il giornalista comunista

[1] GR, *Materia prima*, in *Favole al telefono*, Einaudi, Torino 1971, p. VII.

[2] M. Argilli, *Quando Rodari era il diavolo*, in *Leggere Rodari*, cit., p. 23. Sulla periodizzazione di Argilli che divide fra un Rodari 'don Chisciotte' e un Rodari meno politico, sono intervenuti in molti. Ma Rodari è uno: «una precisa e chiara continuità caratterizza la sua attività di poeta e narratore e che nessun cedimento possa in esso registrarsi», scrive C. De Luca, *Rodari fa discutere*, in «Riforma della scuola», 5, 27, 1981, p. 18.

[3] Denti, *La corsa del burattino*, cit., pp. 10-22.

[4] GR, *Materia prima*, cit., pp. VI-VII.

[5] F. Fortini, *Dieci inverni 1947-1957. Contributo a un discorso socialista*, Quodlibet, Roma 2018, p. 61.

[6] F. Gambetti, *La grande illusione. 1945-1953*, Mursia, Milano 1976, p. 29. Aldo Tortorella sarà fra i più importanti dirigenti della cultura del Pci. Sarà lui a pronunciare l'orazione funebre di Gianni Rodari.

[7] *Ibid.*

[8] Ivi, p. 36.

[9] *Ibid.*

[10] Quella di Torino ne tira 150-200.000 nel Piemonte soltanto; quella di Genova limitata alla Liguria intorno a 100.000. L'edizione romana, diffusa in Lazio, Toscana, Marche, Umbria e Campania e in qualche zona del Sud, intorno alle 200.000 copie. Gambetti, *La grande illusione*, cit., p. 30.

[11] *Ibid.*

[12] Cfr. A. Gatto, *Alfonso Gatto presenta Gianni Rodari*, in «Il giornale della Libreria», 18, dicembre 1965, p. 1.

[13] Cfr. Fondazione Gramsci, APC (Archivi del Partito comunista italiano), Archivio Mosca (AM), Segreteria, *In merito al compagno Orecchio*, 15 dicembre 1951, mf. 295.

[14] C. De Luca, *Un giornalista con il gusto di raccontare*, in *Leggere Rodari*, cit., p. 13, e V. De Marchi (a cura di), *Le domeniche di Gianni Rodari: scritti e racconti degli anni de l'Unità*, Nuova iniziativa editorale, Roma 2005. Su

Carmine De Luca cfr. G. Pistoia, *Quel bel convoglio della fantasia. Omaggio a Carmine De Luca*, Youcanprint, 2017; USTS, pp. 193-194. E C. De Luca, *Meglio c'era due volte*, Fondazione C. De Luca, Corigliano Calabro (Cs) 2005.

[15] Cfr. S. Gundle, *I comunisti italiani tra Hollywood e Mosca: la sfida della cultura di massa, 1943-1991*, Giunti, Firenze 1995. Sulla virata verso la cronaca nera e l'adesione a modelli più consumistici dell'«Unità», cfr. Pischedda, *Due modernità*, cit., pp. 99 sgg. Sulla terza pagina e i suoi debiti verso rotocalchi e tv cfr. Ajello, *Dalla terza pagina*, cit., pp. 106-107.

[16] GR, *Filastrocche in cielo e in terra*, Einaudi, Torino 1972, (1 ed. 1960), p. VII. Cfr. Pischedda, *Due modernità*, cit.

[17] MA, p. 33.

[18] Fondazione Gramsci, APC (Archivi del Partito comunista italiano), Archivio Mosca (AM), fasc. Rodari Gianni, 8 febbraio 1947.

[19] Ivi, 12 febbraio 1947.

[20] *Ibid.*

[21] Fondazione Gramsci, APC (Archivi del Partito comunista italiano), Archivio Mosca (AM), fasc. Rodari Gianni, 14 marzo 1947.

[22] Argilli, *Quando Rodari era il diavolo*, in *Leggere Rodari*, cit., p. 27.

[23] Bonazzola, *Quella prima filastrocca pubblicata quasi per caso dall'«Unità»*, cit., p. 3.

[24] Gambetti, *La grande illusione*, cit., p. 108.

[25] P. Spriano, *I suoi libri restano nelle nostre case*, in «l'Unità», 16 aprile 1980, p. 3. Cfr. anche G. Boffa, *Memorie dal comunismo: storia confidenziale di quarant'anni che hanno cambiato volto all'Europa*, Ponte alle Grazie, Milano 1998, pp. 88-89.

[26] *Al Compagno Ruggiero Greco*, in Fondazione Gramsci, APC (Archivi del Partito comunista italiano), Archivio Mosca (AM), fasc. Rodari Gianni, cit. Il 13 novembre 1948 Davide Lajolo sostituisce Mieli alla direzione milanese del giornale, cfr. Pischedda, *Due modernità*, cit., p. 49.

[27] Gambetti, *La grande illusione*, cit., p. 109. L'articolo cui si riferisce è GR, *Quarantasette bambini affogano durante una tragica gita in mare*, in «l'Unità», 17 luglio 1977, p. 1.

[28] GR, *Rodari parla della sua attività di scrittore*, dattiloscritto inedito, conferenza tenuta a Ferrara il 25 maggio del 1962.

[29] Gambetti, *La grande illusione*, cit., p. 112.

[30] In Pischedda, *Due modernità*, cit., p. 103.

[31] Fortini, *Discorso indiretto*, in *Dieci inverni 1947-1957*, cit., p. 61.

[32] GR, *Voltaire in Romagna*, in «l'Unità», 25 febbraio 1950, p. 3.

[33] *Ibid.*

[34] *Ibid.*

[35] GR, *Caro padrone*, 8 marzo 1971, AST, AE, f. 298. Ora in *Lettere a don Julio Einaudi. Hidalgo editorial e ad altri queridos amigos (1952-1980)*, a cura di S. Bartezzaghi, Einaudi, Torino 2008, p. 98.

4. Tutto il mondo in filastrocca

[1] Bonazzola, *Quella prima filastrocca pubblicata quasi per caso dall'«Unità»*, cit., p. 3.

[2] GR, *Materia prima*, cit., p. VI.

[3] Fin dall'immediato dopoguerra nel Pci si avverte la necessità di un periodico umoristico. La discussione in Fondazione Gramsci, APC (Archivi del Partito comunista italiano), Archivio Mosca (AM), Segreteria, mf.

[4] GR, *Rodari parla della sua attività di scrittore*, cit.

[5] GR, *Relazione al corso CEMEA*, cit.

[6] GR, *Materia prima*, cit., p. VII.

[7] GR, *Storia delle mie storie*, in «il Pioniere dell'Unità», 9, III, 4 marzo 1965, p. 4. Sulla prima produzione cfr. MA, pp. 48-83; USTS, pp. 11 sgg. Cfr. Pischedda, *Due modernità*, cit., pp. 98-99. Il saggio più esaustivo sulle rubriche per bambini nella stampa comunista è quello di M. Argilli, *Gli inizi della pubblicistica e della letteratura di sinistra per l'infanzia. Rassegna delle pubblicazioni per bambini degli anni '50*. Il saggio è stato pubblicato diviso in tre puntate sui numeri 1/2, 3 e 4 (1982) della rivista «LG Argomenti».

[8] Intervista a L. Lajolo, 4 settembre 2019.

[9] *Ibid.*

[10] GR, *Com'è nato il Novellino*, in «l'Unità», 4 settembre 1952, p. 8. Il Novellino del giovedì viene pubblicato fino al 1955.

[11] GR, *Tolstoj maestro elementare*, in «Paese Sera», 13 ottobre 1961, p. 5. *Il libro dei perché* è stato pubblicato per la prima volta da Editori Riuniti nel 1984 con le illustrazioni di Emanuele Luzzati, la prima edizione di Einaudi ragazzi con le illustrazioni di Giulia Orecchia è del 2010.

[12] GR, *Il libro dei perché*, in «l'Unità», 1° marzo 1956, p. 8.

[13] Diretto allora da Luigi Longo, «Vie nuove» conteneva una rubrica dedicata ai bambini, *Piccolo mondo nuovo*, in cui comparvero anche testi di Bilenchi, Calvino, Saba, Gatto, Tozzi, Govoni.

[14] S. Gundle, *Il PCI e la campagna contro Hollywood (1948-1958)*, in *Hollywood in Europa. Industria, politica, pubblico del cinema 1945-1960*, a cura di D.W. Ellwood e G.P. Brunetta, La Casa Usher, Firenze 1991, pp. 125-130.

[15] GR, *Le menzogne di Scelba smentite una ad una*, in «l'Unità», 13 gennaio 1950, p. 1.

[16] La sorella di Arturo Malagoli sarà adottata da Palmiro Togliatti.

[17] GR, *Mitragliatori a fuoco incrociato contro cinquecento operai inermi*, in «l'Unità», 10 gennaio 1950, p. 1, e Id., *Le menzogne di Scelba*, cit.

[18] GR, *Il bimbo di Modena*, in «l'Unità», ediz. Milano, 29 gennaio 1950.

[19] GR, *Educazione e passione*, in «Il Giornale dei genitori», 11/12, 1966, p. 6.

[20] Bini, *Leggere e trasgredire*, in *Leggere Rodari*, cit., p. 12.

[21] Fondazione Gramsci, APC (Archivio del Partito comunista italiano), Archivio Mosca, MF. Verbale n. 55, 12 settembre 1950, Fondo Mosca. MA, p. 17. Su Dina Rinaldi molto belle le pagine di S. Franchini, *Diventare grandi con il «Pioniere» (1950-1962). Politica, progetti di vita e identità di genere nella piccola posta di un giornalino di sinistra*, Firenze University Press, Firenze

2006, pp. 243 sgg. Una bellissima selezione di testi di Rodari sul «Pioniere» è quella di W. Fochesato a tema 'lupo': *Lupus in fabula*, Titivillus Edizioni, Verona 2004, pp. 94-96.

[22] GR, *Scrivere oggi per i bambini*, conferenza di Gianni Rodari registrata il 23 febbraio 1979 a Bitonto, nella scuola elementare Felice Cassano, in occasione della «Settimana del libro», ora in GR, *Esercizi di fantasia*, a cura di F. Nibbi, con una prefazione di T. De Mauro, Einaudi, Torino 2016 (I ed. Editori Riuniti, Roma 1981), p. 89. «Poi ho dovuto, controvoglia, dirigere un giornale per bambini, ma, come succede, quel lavoro l'ho preso molto sul serio e lì sono nati quei personaggi che dopo sono diventati romanzi, Cipollino e Pomodoro», cfr. GR, *Relazione al corso CEMEA*, cit., senza numero di pagina. Cfr. USTS, pp. 22 sgg.

[23] Sul «Pioniere» cfr. Archivio Gramsci per dati diffusione, MF 218, Diffusione settimanali e riviste 1948-52. GR, *La «verità» nell'educazione del bambino*, in «Gioventù nuova», 9-10, 1951, pp. 25-27. Per un inquadramento storico Franchini, *Diventare grandi con il «Pioniere»,* cit.

[24] L. Lombardo Radice, *Sei impressioni di un viaggio nell'Urss*, in «Rinascita», maggio 1951, pp. 239-242.

[25] «Mi sono improvvisamente reso conto che stavo approvando le critiche al 'rincretinimento' dei figli e dei nipoti subito dopo aver chiuso il televisore sulla sigla finale dell'episodio *Volo d'angelo* della interminabile serie *Charlie's Angels*, vizio segreto dei miei giovedì sera. Ma non c'è solo questo: come sottolinea Bettelheim i personaggi negativi, mostruosi, sono proiezioni simboli di problemi reali del bambino e dell'adulto stesso», L. Lombardo Radice, *Goldrake contro i bambini*, in «l'Unità», 13 aprile 1980, p. 8.

[26] GR, *Fumetti o no?*, in «l'Unità», ediz. Roma, 18 agosto 1950, p. 3.

[27] *Ibid.* Cfr. Franchini, *Diventare grandi con il «Pioniere»*, cit., pp. 8-9.

[28] M. Dallari, *Rodari pedagogista e poeta*, in «Riforma della scuola», 1980, 9, p. 27. In realtà Argilli parla molto del *Manuale* in termini entusiastici nel saggio *Quando Rodari era il diavolo*, cit., p. 34, paragonandolo alla *Grammatica della fantasia*. Il paragrafo sul *Manuale* scomparirà comunque dalla biografia. Cfr. USTS, p. 25.

[29] GR, *Da quando cominciarono le calunnie DC i pionieri aumentano di mille al giorno*, in «l'Unità», 20 giugno 1950, p. 4; citato senza riferimento anche in C. De Luca, *La gaia scienza della fantasia*, Abramo, Catanzaro 1991, pp. 33-34. Sui parroci che bruciano «Il Pioniere» in piazza cfr. GR, *Ritornano i personaggi del Pioniere*, in «Almanacco del Pioniere», a cura di Dina Rinaldi, 1, 1973.

[30] Cfr. per un inquadramento generale F. Cambi, *Rodari e l'infanzia*, in «Scuola e città», 1980, p. 11. E Id., *L'immagine 'formale' della pedagogia nell'opera di Rodari*, in *Se la fantasia cavalca con la ragione*, cit., pp. 45-52. Per alcune valutazioni della pedagogia rodariana cfr. Dallari, *Rodari pedagogista e poeta*, cit.; M. Di Rienzo, *Opinion-maker per la scuola*, in AA.VV., *Il favoloso Gianni*, cit., pp. 93-115.

[31] GR, *Manuale per inventare storie*, cit., p. 48.

[32] Ivi, p. 26. USTS, pp. 173 sgg.

[33] I. Calvino, *Le fiabe italiane*, ora in Id., *Sulla fiaba*, Mondadori, Milano 2011, p. 53.

[34] GR, *Stampa e letteratura infantile*, in *Scuola e pedagogia nell'Urss. Atti del convegno di studi sulla scuola e la pedagogia sovietica (Siena 8-9 dicembre 1951)*, Associazione Italia-Urss, Roma 1952, pp. 251-252. Rodari riprenderà spesso la suggestione leopardiana del 'pastore errante', parlando dell'Urss.

[35] GR, *Manuale per inventare storie*, cit., p. 50.

[36] GDF, pp. 68-69.

[37] Argilli, *Quando Rodari era il diavolo*, cit., p. 27.

[38] Min. Int. Api, Gabinetto del Ministro, Attività dell'associazione pionieri d'Italia, 21 settembre 1953.

[39] *Sig. Prefetto di Bologna*, 21 gennaio 1949, conservata in Acs, Associazione Pionieri d'Italia.

[40] Anonimo, *Un bugiardo*, in «l'Unità», 9 maggio 1950, p. 1. Le lezioni di ballo dell'Api preoccupano in particolare la curia romana, il cardinale vicario Micara scrive una lettera al questore di Roma che si affretta ad assicurarlo che mai si darà il permesso all'Api di organizzare lezioni di ballo, in Acs, Api, 29 novembre 1953.

[41] Anonimo, *Con le mani nel sacco*, in «l'Unità», 11 maggio 1950, p. 1. Cfr. L. Bedeschi, *Dissacrano l'infanzia i Pionieri d'Italia*, ABES, Bologna 1951.

[42] GR, *Il Pioniere, strumento di conquista e di lavoro*, in *Il Consiglio nazionale dell'Api*, 1951, p. 30.

[43] E. Berlinguer, *Le menzogne clericali e la difesa dell'infanzia*, in «l'Unità», 16 maggio 1950, p. 4.

[44] GR, *I bambini smentiscono le bugie della stampa gialla*, in «l'Unità», 20 giugno 1950, p. 4.

[45] *Ibid.*

[46] *Ibid.* Cfr. S. Tutino, *Cipollino ha conquistato i diritti di cittadino*, in «l'Unità», 26 aprile 1951, p. 5.

[47] GR, *Lettere*, in «Il Pioniere», 20 settembre 1950, p. 3. L. Viviani, *A chi spetta l'educazione dell'infanzia*, coll. «Noi donne», 1950, pp. 19-23. Cfr. S. Bellassai, *La morale comunista: pubblico e privato nella rappresentazione del PCI. 1947-1956*, Carocci, Roma 2001, e M. Fincardi, *Pionieri e falchi rossi dai gruppi reggiani alla rete nazionale*, in «Almanacco. Rassegna di studi storici», 29-30, 1998, pp. 19 sgg.; J. Meda, *Falce e fumetto: storia della stampa periodica socialista e comunista per l'infanzia in Italia (1893-1965)*, Nerbini, Firenze 2013.

[48] De Grada, *Signora compagna*, cit., p. 84.

[49] GR, *Fumetti o no?*, cit.

[50] USTS, p. 11. Cfr. A. Barbieri, *Considerazioni sullo stato attuale della letteratura giovanile*, in «Schedario», 14, 1955, pp.1-6.

[51] G.C. Pajetta, *I fumetti*, in «Gioventù nuova».

[52] N. Jotti, *La questione dei fumetti*, in «Rinascita», 12, 1951, p. 583.

[53] GR, *Lettera al direttore: la questione dei fumetti*, in «Rinascita», 1, 1952, p. 51.

[54] Anonimo (ma P. Togliatti), *Postilla*, ivi, p. 52.

[55] GR, *I giornali a fumetti e la scuola*, in «Riforma della scuola», 7 dicembre 1966, p.45.

[56] GDF, p. 114.

[57] Per la polemica Jotti-Rodari-Togliatti sui fumetti cfr. MA, pp. 66-69 e, per uno sguardo all'evoluzione successiva del pensiero di Rodari sui fumetti, E. Detti, *Il fumetto fra cultura e scuola*, La Nuova Italia, Firenze 1984, pp. 20-24.

[58] C. Pagliarini, *Binomio fantastico: bicicletta-fiore*, in C. De Luca, *Testimonianze su Gianni Rodari*, Litograf. 5, Reggio Emilia 1982, p. 9.

[59] *Ibid.*

[60] *Ibid.* Cfr. GR, *Vieni con noi verso la vita*, in «Il Pioniere», 8 luglio 1951, p. 6.

[61] Pagliarini, *Binomio fantastico,* cit., p. 9.

[62] De Grada, *Signora compagna*, cit., p. 88.

[63] Ivi, p. 97.

[64] A. Jacoviello, *Tutto il mondo in filastrocca*, in «l'Unità», 19 gennaio 1951, p. 3. «La prima raccolta di poesie è *Il libro delle filastrocche*, illustrazioni di V. Berti, Toscana nuova, 1950 (di questo libro esiste anche un'edizione, introvabile, pubblicata dal "Pioniere"). Seguono *Il treno delle filastrocche*, Ed. cultura sociale, 1952; *Le carte parlanti*, Toscana nuova, 1952 (poi Mursia 1963 Il castello di carte), i due dépliant cartonati *Cipollino e le bolle di sapone* e *Il libro dei mesi*, Edizioni di Cultura sociale, 1952. *Il Libro* e *Il treno delle filastrocche* sono indubbiamente i due più bei libri che Rodari abbia pubblicato»: Argilli, *Quando Rodari era il diavolo*, cit., p. 35.

[65] GR, *Rodari parla della sua attività di scrittore*, cit.

[66] USTS, pp. 95-98.

[67] GR, *Storia delle mie storie*, cit.

[68] L. Ingrao, *Il romanzo di Cipollino*, in «l'Unità», 1° novembre 1951, p. 3.

[69] Celeste Ingrao, nata a Roma il 30 maggio 1945, figlia primogenita di Pietro Ingrao (Lenola 1915-Roma 2015) e Laura Lombardo Radice (Fiume 1913-Roma 2003).

[70] Intervista a C. Ingrao, raccolta dall'autrice, luglio 2019. Altra memoria di lettura quella di L. Benini, *Il giocattolo fiaba di Rodari ha un piede nella realtà*, in *Se la fantasia cavalca con la ragione*, cit., pp. 161-163.

[71] G. Pontremoli, *Il prezzemolo Rodari*, in «Linea d'ombra», giugno 1988, pp. 22-23. C. Zavattini, *Totò il buono. Romanzo per ragazzi (che possono leggere anche gli adulti)*, Bompiani, Milano 1943. Dal libro è tratto il film *Miracolo a Milano* di Vittorio De Sica (1951).

[72] P. Boero, *Gianni Rodari: invenzione e ideologia*, in *L'illusione impossibile: la serie B. Autori contemporanei di letteratura giovanile*, La quercia Edizioni, Genova 1980, p. 9.

[73] GR, *Storia delle mie storie*, cit.

5. Il lavoro culturale

[1] B. Munari, *Arte come mestiere*, Laterza, Roma-Bari 1995 (I ed. 1966), p. 7.

[2] GR, *Caro padrone*, cit., p. 98.

[3] Sul giocattolo poetico cfr. USTS, p. 60; Schwartz, *Capriole in cielo*, cit., pp. 95-119.

[4] Spriano, *Le passioni di un decennio*, cit., p. 54.

[5] Cfr. A. Vittoria, *Il lavoro culturale: Franco Ferri direttore della Biblioteca Feltrinelli e dell'Istituto Gramsci*, Carocci, Roma 2000.

[6] Sui legami di Rodari con la letteratura del suo tempo cfr. USTS, pp. 120 sgg. Molto bella l'intervista che Nico Orengo fa a Giulio Einaudi dopo la morte di Rodari, *Trentaminuti giovani*, 19 giugno 1980, Rai Due, A87160.

[7] Manca una ricostruzione della storia degli Editori Riuniti.

[8] GR, *Muy querido y distinguido*, AST, AE, senza data f. 42. Cfr. *Lettere*, cit., p. 17.

[9] USTS, pp. 202-217.

[10] I. Calvino, *Lezioni americane. Sei proposte per il prossimo millennio*, Garzanti, Milano 1988, ora in Id., *Saggi*, Mondadori, Milano 1995, tomo I, p. 631.

[11] Sul rapporto tra i due cfr. USTS, pp. 145 sgg e 208 sgg. V. anche I. Calvino, in GR, *Il gioco dei quattro cantoni*, Einaudi, Torino 1980.

[12] A. Banfi, *Sul fronte della cultura*, in «l'Unità», 27 gennaio 1946, p. 3.

[13] Per i riferimenti alla cultura pedagogica cfr. L. Todaro, *Cultura pedagogica e istanze di emancipazione: tra gli anni '60 e '70 del Novecento*, Anicia, Roma 2018.

[14] GR, *Buon viaggio*, in «Il Pioniere», 18 gennaio 1959, p. 3.

[15] M. Scelba, riportato in «l'Unità», 28 aprile 1948. P. Secchia, *Il partito comunista e gli intellettuali*, in «l'Unità», 5 febbraio 1948, p. 3.

[16] La ricostruzione di questa vicenda in «Belfagor», *Il 'Libro bianco' di una vendetta nera*, VI, 1948 e I, 1949.

[17] L. Russo, *Gonnella buffone. Notizie di Luigi Russo su un birbante matricolato*, in «l'Unità», 1 gennaio 1949, p. 3. Cfr. Pischedda, *Due modernità*, cit., pp. 119-120.

[18] F. Fortini, *Col senno di poi*, in *Dieci inverni, 1947-1957*, cit., p. 38.

[19] Cfr. C. Bermani, *O carcerier che tieni la penna in mano. La ricerca sul canto sociale di Gianni Rodari e Ernesto De Martino (1949-1953)*, Edizioni città di Omegna, Omegna 1990.

[20] E. De Martino, *Intorno a una storia del mondo popolare subalterno*, in «Società», 3, V, 1949, pp. 411-435.

[21] Ivi, p. 420.

[22] USTS, p. 173.

[23] Fortini, *Dieci inverni, 1947-1957*, cit.

[24] Archivio Gramsci, 25 novembre 1948, Direzione.

[25] GR, *Il cammino di Pavese*, in «Pattuglia», 36, 10 settembre 1950, p. 5.

[26] Sul rapporto fra militanza e suicidio cfr. R. Jakobson, *Una generazione che ha dissipato i suoi poeti: il problema Majakovskij*, Einaudi, Torino 1975.

[27] MA, pp. 33-34.

[28] GR, *Due rose per un manifesto*, in «Rinascita», 5, 1953, ora in Id., *Il cane di Magonza*, cit., p. 57.

6. *Dalla parte delle fate*

[1] Sulla linea fantastica nella letteratura italiana cfr. Schwartz, *Capriole in cielo,* cit. pp. 28-94. USTS, pp. 121 sgg. Cfr. anche Califano*, Lo specchio fantastico*, cit.

[2] E. Sereni, in «l'Unità», 6 luglio 1947. Per la discussione sul realismo cfr. Pischedda, *Due modernità*, cit., pp. 89-90.

[3] A. Gatto, in «l'Unità», 7 dicembre 1948, cit. in Pischedda, *Due modernità*, cit., p. 90.

[4] I. Calvino, *Le origini della fiaba*, in «l'Unità», 23 luglio 1949, p. 3. Sulle scelte einaudiane su studi religiosi, etnologici e folklore cfr. L. Mangoni, *Pensare i libri. La casa editrice Einaudi dagli anni Trenta agli anni Sessanta*, Bollati Boringhieri, Torino 1999, pp. 510-540.

[5] GR, *Rodari parla del suo lavoro*, cit.

[6] A Forlì, nel 1951, si tiene il primo convegno nazionale sul teatro di massa. Cfr. B. Schacherl, *Migliaia di attori in scena raccontano la vita di ogni giorno*, in «l'Unità», 20 ottobre 1951, p. 3. Un estratto di *Stanotte non dorme il cortile* è ora in GR, *Scuola, teatro, società*, in Id., *Il mio teatro. Dal teatro del «Pioniere» a La storia di tutte le storie*, a cura di A. Mancini e M. Piatti, Titivillus, Pisa 2006, pp. 55-63. Nello stesso volume, molto bello, il saggio di A. Mancini, *Un teatro altro, un altro teatro*, pp. 161-174, e *Il teatro di massa. Conversazione con Luciano Leonesi*, pp. 175-180. Per un inquadramento generale L. Meldolesi, *Fondamenti del teatro italiano. La generazione dei registi*, Sansoni, Firenze 1984.

[7] M. P. (sic), *Bambini e fate in un cortile italiano*, in «l'Unità», 11 marzo 1951, p. 3.

[8] GR, *La capra Penelope*, in «l'Unità», 31 maggio 1951, p. 6.

[9] GR, *Le belle fate*, in *Filastrocche in cielo e in terra*, cit., pp. 125-128.

[10] S. Pivato, *Favole e politica. Pinocchio, Cappuccetto rosso e la guerra fredda*, il Mulino, Bologna 2015, p. 240.

[11] GR, *Pinocchio nella letteratura per l'infanzia*, cit., p. 37.

[12] *Ibid.*

[13] *Ibid.*

[14] Denti, *La corsa del burattino*, cit., p. 31.

[15] *Ibid.* B. Croce, *La letteratura della nuova Italia*, Laterza, Bari 1940, p, 362.

[16] Pivato, *Favole e politica*, cit., p. 240.

[17] L. Lombardo Radice, *Attacca Chiodino I. Borzi*, in «La discussione», 31, 1954. *Le avventure di Chiodino* sono presentate da Giampiccolo (Rodari) su «l'Unità» il 4 dicembre 1952, p. 6. I. Borzi*, Chiodino Pinocchio bolscevico non sente la voce del grillo parlante*, in «La discussione», 31, 1954. Cfr. P. Boero, *Uomini e cose sui binari della fantasia*, in «Riforma della scuola», n. 9, 1980.

[18] GR, *Caro Calvino*, 4 agosto 1952, AST, AE, f. 1. Cfr. *Lettere*, cit., p. 3.

[19] I. Calvino, *A Gianni Rodari*, AST, AE, f.3. La lettera non è citata nel volume delle lettere di Calvino, *Lettere 1940-1945*, Mondadori, Milano 2000. Cfr. L. Baglioni, *Gianni Rodari 'favolista delle cose vere'*, in AA.VV., *Libri e*

scrittori di via Biancamano: casi editoriali in 75 anni di Einaudi, Educatt, Milano 2009, pp. 131-133. Sui tanti progetti non realizzati cfr. MA, pp. 123 sgg.

[20] R. Cerati, *Un ricordo*, in *Rodari. Le storie tradotte*, Interlinea, Novara 2002, p. 13.

[21] GR, *Rodari parla del suo lavoro*, cit.

[22] GR, cit. in. A. Faeti, *Fiaba, 'nonsense' e 'grammatica' in Rodari*, in «Scuola e città», 6/7, 31 luglio 1980, pp. 23-24.

7. *Quella vita (o sul mito dell'Urss)*

[1] Rodari è oggi tradotto in tutto il mondo. Un primo contributo è quello raccolto da Cerati, *Rodari. Le storie tradotte*, cit. Particolarmente bello il saggio di R. Salomon, *La fantasia di Rodari passa le Alpi*, pp. 37-56. Per la ricezione in Urss cfr. G. de Florio, *Emblematic Journeys: Gianni Rodari's translations in the USRR*, in «Cognition, Communication, Discourse», n. 18, 2019, pp. 24-33. Sulla censura: https://st.ilsole24ore.com/art/notizie/2014-04-16/da-gianni-rodari-opera-lirica-censura-russa-crisi-ucraina-143210.shtml?uuid=ABZHWTBB.

[2] Cfr. V. Sheveltev, *Children's Magazines in the Soviet Union*, in «Bookbird», 2, 1968, pp. 56-58.

[3] L'archivio della «Pravda» è digitalizzato e disponibile online. Gli articoli di Gianni Rodari sono interamente leggibili.

[4] MA, pp. 48-49. G. Bini, *Breve guida al mondo di Rodari*, in «l'Unità», 12 gennaio 1984, p. 14.

[5] MA, p. 23. Rodari è presente sulla stampa e nella Tv russa.

[6] Cfr. F. Gori-S. Pons, *Dagli archivi di Mosca: l'Urss, il Cominform e il Pci, 1943-1951*, Carocci, Roma 1998.

[7] Un giudizio generale della PS su Italia-Urss: «L'associazione si fa promotrice di convegni nazionali di carattere scientifico sotto parvenza dell'apoliticità per convertirli in riunioni di propaganda filosovietica», in ACS, Min. Interno Direzione generale della pubblica sicurezza, Divisione affari generali e riservati. Archivio generale, Categorie permanenti, G1 Associazioni, Italia-Urss, 29 dicembre 1951.

[8] M. Flores, *1956. Un anno di svolta*, in *1966. La crisi del secolo breve*, Annali della Fondazione La Malfa, Unicopli, Milano 2016, pp. 9-22.

[9] Pischedda, *Due modernità*, cit., p. 165.

[10] P. Hollander, *Political Pilgrims: Western Intellectuals in Search of the Good Society* (1st ed., Oxford University Press, Oxford 1981), New Brunswick, London 2009, pp. 107-108.

[11] Per una visione negativa – scrittori come vittime –, cfr. L. Di Nucci, *I pellegrinaggi politici degli intellettuali italiani*, in P. Hollander, *Pellegrini politici. Intellettuali occidentali in Unione Sovietica, Cina e Cuba*, il Mulino, Bologna 1988, pp. 636-637.

[12] Interessante la ricostruzione che fa L. Mangoni del rapporto fra la casa

editrice Einaudi e l'Urss in *Pensare i libri*, cit. Cfr. C. Levi, *Il futuro ha un cuore antico. Viaggio nell'Unione sovietica*, Einaudi, Torino 1956.

[13] Gramsci, *Quaderni del carcere*, cit., I, p. 635. F. Biddle, *Paura della libertà*, Edizioni di Comunità, Milano 1953; E. Kefauver, *Il gangsterismo in America*, Einaudi, Torino 1959. Cfr. M. Nacci, *L'antiamericanismo in Italia negli anni Trenta*, Bollati Boringhieri, Torino 1989. Sull'affare Rosenberg, *Hanno assassinato i Rosenberg*, in «l'Unità», 20 giugno 1953, p. 5.

[14] Rodari dedica la pagina Lettere al direttore a Mike e Robbie nel n. 29 del «Pioniere», 1953, p. 15. Su Rodari e i Rosenberg cfr. Franchini, *Diventare grandi con il «Pioniere»*, cit., p. 28.

[15] Intervista a Charlie Chaplin, *In America la vita è impossibile per un liberale*, in «l'Unità», 8 maggio 1953, p. 3, cit. in Pischedda, *Due modernità*, cit., p. 200. Cfr. T. Chiaretti, *Un gangster a Cannes*, in «l'Unità», 25 aprile 1953, p. 3.

[16] W. Saroyan, *La vita a New York*, in «l'Unità», 27 luglio 1952 (poi ripubblicato il 10 aprile 1955), p. 5.

[17] A. Banfi, in «l'Unità», 16 febbraio 1953, p. 3.

[18] MA, p. 13.

[19] GR, *Stampa e letteratura infantile*, cit., pp. 246-247. Cfr. D. Bertoni Jovine, *Grande contributo alla conoscenza della scuola sovietica*, in «l'Unità», 11 dicembre 1951, p. 3.

[20] *Ibid.*

[21] Cfr. I. Sicari, *La ricezione di Italo Calvino in Urss (1948-1991). Per una microstoria della diffusione della letteratura straniera in epoca sovietica*, tesi di dottorato, Università Ca' Foscari, Venezia 2017. I. Kal'vino, *Sud'by istorii v rukach narodov*, «Literaturnaja gazeta», 15 nojabrja 1951, p. 1.

[22] I. Calvino, *Le ragazze di Lvov. Taccuino di un viaggio nell'Unione Sovietica di Italo Calvino*, in «l'Unità», 3 febbraio 1952, p. 3. Ora in Id., *Saggi*, cit., pp. 2407-2496. Per la cronologia cfr. ivi, p. 3019.

[23] I. Calvino, *Primi passi per Mosca*, in «l'Unità», 5 febbraio 1952, p. 3.

[24] Id., *Sui monti Lenin*, in «l'Unità», 6 febbraio 1952, p. 3.

[25] Id., *Negozi di Mosca*, in «l'Unità», 8 febbraio 1952, p. 3.

[26] Hollander, *Political Pilgrims*, cit., p. 56.

[27] S. Aleramo, *Ritorno da Mosca*, in «l'Unità», 25 settembre 1952, p. 3.

[28] I. Calvino, *Teatro dei ragazzi*, in «l'Unità», 16 febbraio 1952, p. 3.

[29] Id., *La città del petrolio*, 22 febbraio 1952, p. 3.

[30] GR, *Arrivo ad Alma Atà*, in M. Alicata, *Viaggio nel Kazakistan sovietico*, Edizioni Italia-Urss, Roma 1952, p. 19.

[31] Ivi, p. 28.

[32] V. Glotser, *Pisatel' Dzhanni Rodari detjam stihi*, in «Pionier», n. 2, 43, 1957, in de Florio, *Emblematic Journeys,*cit., p. 26.

[33] P. Robotti, *Cipollino nel paese dei Soviet*, in «l'Unità», 20 dicembre 1952, p. 3. L'originale in «Literaturnaja Gazeta», 22 novembre 1952, p. 1. L'archivio di Maršak è integralmente online: http://s-marshak.ru/.

[34] Boffa, *Memorie dal comunismo*, cit., p. 89.

[35] Maršak, *Stihi Dzhanni Rodari v pjerjevodah*, in «Literaturnaja gazeta», 141, 22 novembre 1952, p. 1. Sulle traduzioni nei paesi dell'Est cfr. E.

Nicewicz-Staszowska, *Non vorrei che tu tardassi all'incontro con i bambini polacchi*, in L. Todaro, Atti del convegno, Catania, 14-15 gennaio 2020 (in corso di pubblicazione).

[36] «Pionierkaia Pravda», cfr. GR, *Stampa e letteratura infantile*, cit., pp. 249-250.

[37] GR, *Giochi nell'Urss*, Einaudi, Torino 1984, p. 93.

[38] *Caro Ponchiriele*, 25 gennaio 1964, AST, AE, f.130. Cfr. *Lettere*, cit., p. 38. Ponchiriele nasce dall'unione di Ponchiroli e Daniele, di lui parlerò nel capitolo dedicato a Einaudi. Vorrei tuttavia ricordare il suo *La parabola dello Sputnik. Diario 1956-1958*, a cura di T. Munari, Edizioni della Normale, Pisa 2017, e Id., *Le avventure di Barzamino*, Einaudi, Torino 1979, libro per ragazzi.

8. Guerre fredde, inverni caldi

[1] L. Sciascia, *La morte di Stalin*, in *Gli zii di Sicilia*, in *Opere. 1956-1971*, Bompiani, Milano 2004, p. 243; il racconto fu pubblicato nei 'Gettoni' del 1948. Cfr. L. Macaluso, *Leonardo Sciascia e i comunisti*, Feltrinelli, Milano 2010. Cfr. G. Gozzini, *Il PCI e il 1956*, in M. Flores, *1956. Un anno di svolta*, pp. 172-196.

[2] *Ibid.*

[3] A. Gambino, *Orfani di Stalin*, in «L'Espresso», 1° aprile 1956, p. 5. Cfr. Gozzini, *Il PCI e il 1956*, cit., pp. 182-183.

[4] F. Fortini, *Col senno di poi*, in *Dieci inverni, 1947-1957*, cit., p. 38. Sullo storicismo e la necessità del Pci, cfr. Gozzini, *Il PCI e il 1965*, cit., pp. 179 sgg.

[5] Intervista a A. Tortorella, 19 luglio 2019.

[6] M.T. Ferretti, *L'eredità difficile. Uscire dal terrore e salvare il regime: il rapporto segreto di Chruščëv al XX Congresso e la destalinizzazione*, in Flores, *1956. Un anno di svolta*, cit., p. 43.

[7] I. Calvino, *Sono stato stalinista anch'io?*, 16 dicembre 1979, p. 3. Su Calvino cfr. M. Flores, *La crisi comunista del '56 tra indipendenza e obbedienza: il ruolo degli intellettuali*, in «Bollettino di italianistica», I, 2019, pp. 23-31.

[8] GR, *Amici e nemici. Ecco Avanguardia*, in «Avanguardia», 1, 13 dicembre 1953, p. 1.

[9] GR, *Il cane di Magonza*, cit., p. 83.

[10] C. Pagliarini, *Binomio fantastico*, cit., p. 9.

[11] *Ibid.* Su Rodari e la storia C. Bermani ha raccolto *La storia degli uomini scritta da Gianni Rodari per i ragazzi ma dedicata anche ai grandi*, Amministrazione comunale di Omegna, Omegna 1990. *La storia degli uomini* era uscita a puntate su «Vie nuove» dal 25 ottobre del 1958 al 25 luglio 1959.

[12] Pagliarini, *Binomio fantastico*, cit., p. 10.

[13] Fondazione Gramsci, APC (Archivi del Partito comunista italiano), Archivio Mosca (AM), Segreteria, mf. 194, 26 febbraio 1955.

[14] Ivi, F. Gambetti a Ufficio di segreteria, 22 febbraio 1955: «Comun-

que, in ogni caso – conclude Gambetti – sarebbe il caso di rivedere tutta la stampa periodica, dove non mancano ripetizioni, e un'offerta che si rivolge allo stesso pubblico inutilmente. Ovviamente salvaguardando 'Vie nuove': valga come tipico esempio il concorso 'alla ricerca di volti nuovi per il cinema italiano', che si può dire, non è una frase, è ormai entrato nella tradizione». «Vie nuove» nel 1952, anno del passaggio a colori, vende 30.000 copie. Nel 1953 passa da 24 a 28 pagine. E non c'è alcun utile.

[15] Sulla chiusura di «Avanguardia», cfr. MA, p. 42.

[16] M. Argilli, *Alla scoperta di Gianni Rodari*, in E. Petrini, M. Argilli, C. Bonardi, *Gianni Rodari*, Giunti Marzocco, Firenze 1981, p. 8.

[17] GR, *Il rinnovamento del partito nel congresso provinciale di Livorno*, in «l'Unità», 28 novembre 1956, p. 5.

[18] R. Battaglia, *I fatti d'Ungheria e la lotta su due fronti del nostro partito*, in «l'Unità», 11 novembre 1956, p. 3.

[19] Benelux, *Una pagina nera*, in «Paese Sera», 21 agosto 1968, p. 1.

[20] Benelux, in «Paese Sera», 22 agosto 1968, p. 1.

[21] Benelux, in «Paese Sera», 1° settembre 1968, p. 1.

[22] MA, p. 19.

[23] Ivi, p. 40.

[24] *Caro Paolo* (Spriano), 7 settembre 1964, AST, AE. f. Cfr. *Lettere*, cit., p. 44. Nell'edizione Einaudi il nome di Lalli è sbagliato.

[25] MA, p. 30. Cfr. GR, *Una scuola grande come il mondo*, cit.

[26] I. Calvino, *Rodari e la sua bacchetta magica*, in «la Repubblica», 6 novembre 1982, p. 3, ora in Id., *Saggi*, cit., pp. 1245-1249.

[27] Argilli, *Alla scoperta di Gianni Rodari*, in *Gianni Rodari*, cit., p. 12.

[28] «Negli anni '50 i libri di Rodari sono brevemente recensiti, anche se in toni molto elogiativi, da Carlo Salinari, Laura Ingrao, Ada Marchesini Gobetti, Dina Bertoni Jovine, G. Deltor, W. Lattes, ecc. Marina Sereni nel suo *I giorni della nostra vita*, Editori Riuniti, 1955. In una lettera dalla clinica di Losanna, dove è ricoverata in fin di vita, scrive al marito il 15 novembre 1951: 'Fammi mandare subito il libro delle *Filastrocche* di Rodari, perché è l'unica cosa che mi aiuta a distrarmi un po'; ne ho tradotta una a memoria e le compagne di qui ne sono entusiaste'»: MA, p. 119.

[29] Lettera di Rodari a Renée Reggiani cit. ivi, pp. 94 sgg.

[30] Una bella raccolta di articoli di questo periodo è *Il giudice a dondolo*, Editori Riuniti, Roma 1989.

[31] GR, *Il treno degli emigranti*, in Id., *Filastrocche in cielo e in terra*, cit., p. 116.

9. Il Movimento di cooperazione educativa

[1] GR, *Si avvicina il giorno del ritorno a scuola*, in «l'Unità» Roma, 11 settembre 1952, p. 3.

[2] *Ibid.*

[3] Su Makarenko cfr. A. Banfi, *Scuola e società*, in *Scuola e pedagogia*

nell'Urss, cit., pp. 9-29, e L. Lombardo Radice, *Anton Semenovic Makarenko*, ivi, pp. 46-64.

[4] Su Gramsci e la scuola cfr. il recente *Gramsci per la scuola*, a cura di G. Benedetti e D. Coccoli, L'Asino d'oro, Roma 2018.

[5] F. Cambi, *Collodi, De Amicis, Rodari: tre immagini d'infanzia*, Dedalo, Bari 1985, p. 117.

[6] Sul Mce, R. Rizzi, *Pedagogia popolare. Un itinerario di ricerca e azione cooperative*, Sandhi Editore, Cagliari 2015.

[7] Cfr. Roghi, *La lettera sovversiva*, cit., pp. 11-13. Galfré, *Tutti a scuola*, cit., pp. 153-158.

[8] Sul marxismo pedagogico italiano del secondo dopoguerra, alcuni testi che valgono come fonti: T. Tomasi, *Scuola e pedagogia in Italia 1948-1960*, Editori Riuniti, Roma 1977; G. Bini, *La pedagogia attivistica in Italia*, Editori Riuniti, Roma 1971; A. Semeraro, *Dina Bertoni Jovine e la storiografia pedagogica del dopoguerra*, Lacaita, Manduria 1979. Cfr. Galfré, *Tutti a scuola*, cit., pp. 132 sgg.

[9] GR, *Perché dicono le bugie*, in «Noi donne», 7, 15 febbraio 1953, p. 3.

[10] L. Lombardo Radice, *Riforma della scuola*, in «Riforma della scuola», 1, 1, p. 1. Nel 1955 il comitato centrale del Pci dà per la prima volta indicazioni precise in tema di scuola. Il dibattito all'interno del partito continuerà e assumerà carattere conclusivo nella relazione di M. Alicata al Comitato centrale del Pci del novembre 1955, che pone «al centro della nostra attenzione la questione dell'obbligo e [l'esigenza] di prendere questa come partenza per una riforma democratica generale di tutto l'ordinamento scolastico italiano». Cfr. Galfré, *Tutti a scuola*, cit., pp. 196-197. E G. Bini, *Trenta anni per la riforma*, in «Riforma della scuola», 21, 8-9, 1975, pp. 14-23.

[11] Lombardo Radice, *Riforma della scuola*, cit.

[12] M. Lodi, *La scuola di fantasia*, in *Gianni Rodari e la scuola della fantasia*, a cura di L. Righetti, Società Editrice del Ponte Vecchio-Marzio e Luca Casalini Editori, Cesena 2012, p. 4. Su Lodi cfr. J. Meda, *Educare all'umanità*, in *A&B la parola ai bambini. Storia e attualità di un giornale-progetto educativo ideato da Mario Lodi*, a cura di M. Bufano, T. Colombo, C. Lodi, A. Pallotti ed E. Platè, Casa delle Arti e del Gioco – Mario Lodi, Drizzona 2019, pp. 28-33.

[13] *Ibid.*

[14] GR, *Le bambine di Fonni*, in «Riforma della scuola», 10, 1956, p. 10.

[15] GR, *Problemi di stagione*, in *Filastrocche in cielo e in terra*, cit., p. 34. Lodi, *La scuola di fantasia*, cit., p. 5.

[16] M. Lodi, *C'è speranza se questo accade al Vho*, Einaudi, Torino 1963, p. 56.

[17] *Ibid.* Su distacco fra posizioni del Pci e Rodari cfr. E. Cambi, *Rodari e la creatività: attualità di un modello*, in *Atti della giornata di studi* (Ascoli Piceno, 25 maggio 2000), pp. 15-21.

[18] GR, *Dal treno*, in *Il libro degli errori*, Einaudi, Torino 1964, p. 87.

10. *«Paese Sera»*

[1] F. Coen, *Una vita, tante vite*, Rubbettino, Soveria Mannelli 2004, p. 139.

[2] Boffa, *Memorie dal comunismo*, cit., p. 89.

[3] Coen, *Una vita*, cit., p. 139.

[4] Cfr. C. De Luca, *Introduzione* a GR, *Il cane di Magonza*, cit., pp. XIII sgg. V. anche MA, *Alla scoperta*, cit., p. 8.

[5] Bianciardi, *Il lavoro culturale*, cit., p. 86.

[6] GR, *L'astante*, in «l'Unità», 14 luglio 1957, p. 3, ora in *Il cane di Magonza*, cit., pp. 39-42.

[7] *Ibid.* Cfr. GR, *Parole vere*, in *I bambini e la poesia*; su Calvino cfr. Roghi, *La lettera sovversiva*, cit., pp. 73 sgg.

[8] «Il Paese. Quotidiano democratico del mattino» nasce il 21 gennaio 1948 e chiuderà nel 1963, mentre «Paese Sera» nasce il 5 dicembre 1949 ed è un quotidiano del pomeriggio. Direttore nominale è Tomaso Smith ma, di fatto, fin dal primo giorno il direttore è Fausto Coen. La prima sede del «Paese» e di «Paese Sera» è in via Quattro Novembre a Roma, ospite dello stabilimento tipografico U.E.S.I.S.A., fino al 1956 quando si trasferisce a via dei Taurini, nello stesso stabile dell'«Unità».

[9] E. Parpaglioni, *C'era una volta «Paese Sera»*, Editori Riuniti, Roma 1998, p. 5.

[10] GR, *Do-re-mi-fa-sol-letico*, in «Paese Sera», 12 dicembre 1959, p. 3.

[11] GR, *Favole minime*, in «Paese Sera», 23 gennaio 1962, ora in GR, *Il cane di Magonza*, cit., pp. 75-82.

[12] Benelux, *Cercasi Perpetua*, in «Paese Sera», 4 febbraio1961, p. 1.

[13] Id., in «Paese Sera», 5 novembre 1960, p. 1.

[14] Id., *La pizza in cielo*, in «Paese Sera», 20 febbraio 1962, p. 1.

[15] Id., *Quando perdiamo,* in «Paese Sera», 30 novembre 1965, p. 1.

[16] Id., *Il cittadino Benelux*, cit.

[17] T. De Mauro, *Tutti gli usi della parola a tutti*, intervista a cura di M. Di Rienzo, in L. Righetti, *Gianni Rodari e la scuola della fantasia. Atti del convegno, Cesena 6-7 maggio 2005*, Il ponte vecchio, Cesena 2007, p. 29.

[18] Parpaglioni, *C'era una volta «Paese Sera»*, cit., pp. 29-30.

[19] Per questa e per la successiva citazione cfr. GR, *Presentazione* a A. Biscardi, *Da Bruno Roghi a Gianni Brera. Storia del giornalismo sportivo*, Guaraldi, Rimini 1973, pp. 17-18.

[20] *Ibid.*

[21] *Ibid.*

[22] Lettera di Rodari riportata senza riferimenti bibliografici da De Luca, *La gaia scienza*, cit., pp. 18-19.

[23] Intervista a Paola Arduini del 5 giugno 2019.

11. Lo Struzzo n. 14

[1] Sull'importanza specifica della parola come via rodariana alla linguistica cfr. S. Gensini, *Il cosmo che non tiene*, in *Leggere Rodari*, cit., p. 73; e T. De Mauro, *Al centro sta la parola*, in «Riforma della scuola», 9, 1980, p. 10.

[2] Anche Bini, *Leggere e trasgredire*, in *Leggere Rodari*, cit., p. 11.

[3] A.M. Bernardinis, *Il contributo di Rodari alla pedagogia*, in *Se la fantasia cavalca con la ragione*, cit., pp. 20-23.

[4] GR, *Nove modi per insegnare ai ragazzi a odiare la lettura*, in «Il Giornale dei genitori», 58-59, 1980, p. 11; cfr. anche Cambi, *Collodi, De Amicis, Rodari: tre immagini d'infanzia*, cit., p. 95.

[5] B. Fenoglio, *Lettere 1940-1962*, a cura di L. Bufano, Einaudi, Torino 2002, pp. 118-119, n. 1.

[6] Sulla storia relativa rimando a P. Boero, C. De Luca, *La letteratura per l'infanzia*, Laterza, Roma-Bari 2007.

[7] N. Saita, *Natalia Ginzburg: la fedeltà di una vita con 'passo da soldato'*, in *Libri e scrittori di via Biancamano*, cit., pp. 106-107.

[8] Baglioni, *Gianni Rodari 'favolista delle cose vere'*, cit., pp. 125-126 e note pp. 155-156.

[9] Cerati, *Un ricordo*, in *Rodari. Le storie tradotte*, cit., p. 13.

[10] GR, *Rodari parla della sua attività di scrittore*, cit.

[11] Cfr. USTS, pp. 56 sgg. Cfr. Bernardinis, *Il contributo di Rodari alla pedagogia*, cit.

[12] GR, *Caro Bollati*, s.d., AST, AE, f. 7. Cfr. *Lettere*, cit., p. 5.

[13] GR, *Caro Arpino*, 8 agosto 1960, AST, AE, f. 6. Cfr. *Lettere*, cit., p. 82.

[14] *Ibid.*

[15] M. Lodi, *Rodari in classe*, in *Leggere Rodari*, cit., p. 145.

[16] GR, *Caro Einaudi,* 6 gennaio 1961, AST, AE f. 10. Cfr. *Lettere*, cit., p. 6.

[17] G. Einaudi, *Carissimo Rodari*, AST, AE, f. 12, 13 gennaio 1961.

[18] GR, *Filastrocche in cielo e in terra*, in «Noi Donne», 9 aprile 1961.

[19] *Ibid.*

[20] *Ibid.*

[21] Sul «Corriere dei piccoli» cfr. USTS, pp. 36 sgg.

[22] *Caro Calvino*, senza data, AST, AE, f. 9.

[23] Sulla «Via migliore» cfr. M. Di Rienzo, *Maestro su una via migliore*, in «Riforma della scuola», 4 aprile 1990, pp. 36-37.

[23] *Sire*, 10 aprile 1961, p. 10.

[25] *Ibid.*

[26] *Ibid.*

[27] GR, *Muy querido y distinguido*, senza data, AST, AE, f. 76 in *Lettere*, cit., pp. 18-19.

[28] GR, *Monsignore*, sd, AST, AE, f. 21.

[29] GR, *Queridos amigos*, 31 luglio 1961, AST, AE, f. 37. Cfr. *Lettere*, cit., pp. 13-14.

[30] G. Bollati, *Caro Rodari*, 8 settembre 1961, AST, AE, f. 39.

[31] G. Einaudi, *Caro Rodari*, 22 settembre 1961, AST, AE, f. 43.

[32] Id., *Caro Rodari*, 28 settembre 1961, senza firma, AST, AE, f. 44.

[33] GR, *Materia prima*, cit., pp. X-XI. A. Gatto presenta Gianni Rodari in «Il giornale della Libreria», 18, dicembre 1965, p. 1.

[34] GR, *Favole al telefono*, cit., p. 3.

[35] *Ibid.*

[36] GR, *Rodari parla della sua attività di scrittore*, cit.

[37] *Ibid.*

[38] *Ibid.*

[39] *Ibid.*

[40] *Ibid.* Cfr. GR, *Caro don Giulio*, 5 giugno (1962), AST, AE, f. 48. Cfr. *Lettere*, cit., p. 23 (la data riportata è errata).

[41] *Ibid.*

[42] GR, *Introduzione* a *Gip nel televisore*, Mursia, Milano 1962.

[43] GR, *Presentasion al sior editore*, senza data, *Lettere*, cit., p. 61.

[44] GR, *Introduzione* a *Il pianeta degli alberi di Natale*, Einaudi, Torino 1962.

[45] F. Mereta, *Angelo Del Boca tra «numi» e «tutori». L'esordio narrativo di Dentro mi è nato l'uomo*, in *Libri e scrittori di via Biancamano*, cit., p. 234.

[46] V. La Mendola, *Leonardo Sciascia e la scrittura delle idee: l'illuminismo siciliano in casa Einaudi*, in *Libri e scrittori di via Biancamano*, cit., p. 182.

[47] Saita, *Natalia Ginzburg: la fedeltà di una vita con 'passo da soldato'*, in *Libri e scrittori di via Biancamano*, cit., p. 115.

[48] GR, *Caro Bollati*, 12 novembre 1962, AST, AE, f.101. Cfr. *Lettere*, cit., p. 26. Bellissima, fra le tante, la lettera disegnata da Daniele Ponchiroli del 23 novembre 1970, AST, AE, f. 290: «Ti ho spedito con urgenza dei soldi così puoi ritirare dal lastrico della città tentacolare la famiglia in condizioni di estrema miseria».

[49] G. Davico Bonino, *Le allego per conoscenza*, AST, AE, 28 novembre (senza anno), f. 180.

[50] G. Einaudi, *Caro Rodari*, 3 marzo 1971, AST, AE, f. 295.

[51] GR, *Caro padrone*, 8 marzo 1971, AST, AE, f. 298. Cfr. *Lettere*, cit., p. 98.

[52] GR, *Caro padrone*, 13 dicembre 1971, AST, AE, f. 325. Cfr. *Lettere*, cit., p. 101.

12. La via sbagliata al socialismo

[1] MA, p. 41.

[2] GR, *Come è nato il 'Libro degli errori'*, cit.

[3] GR, *Caro ed efficiente Bollati*, 11 agosto 1963, AST, AE, f. 115. Cfr. *Lettere*, cit., pp. 35-36.

[4] Marcello Argilli è ricco di ricordi personali e a lui rimando per una visione più intima dell'uomo Rodari: MA, pp. 33-47.

[5] *Caro Ponchiriele*, 25 gennaio 1964, AST, AE, f. 149. Cfr. *Lettere*, cit., p. 38.

[6] *Caro Ponchiroli*, 17 febbraio 1964, AST, AE, f. 134.

[7] *Caro Bollatius*, 23 novembre 1962, cit., p. 28. Il libro viene insignito del premio Rubino.

[8] GR, *Come è nato il 'Libro degli errori'*, cit.

[9] *Ibid.*

[10] Cfr. Roghi, *La lettera sovversiva*, cit., pp. 95 sgg.

[11] Davico Bonino, *Dottor Gianni Rodari, Chiarissimo scrittore*, 1° agosto 1963, Archivio Einaudi, f. 113.

[12] GR, *Presentazione*, in *Il libro degli errori*, Einaudi, Torino 1964.

[13] GR, *Caro ed efficiente Bollati*, 21 agosto 1963, AST, AE, f. 130. Cfr. *Lettere*, cit., p. 34.

[14] GR, *Caro comandante in capo*, 8 dicembre 1962, AST, AE, f. 103. Cfr. *Lettere*, cit., p. 29.

[15] GR, *Caro e gentile amico*, 4 novembre 1964, AST, AE, f. 157. Cfr. *Lettere*, cit., pp. 49-50.

[16] G. Einaudi, *Caro Rodari*, 11 novembre 1964, AST, AE, f. 150.

[17] GR, *Caro Paolo*, 7 settembre 1964, AST, AE, f. 170. Cfr. *Lettere*, cit., p. 45.

[18] *Ibid.* Cfr. P. Dallamano, *Niente pere dal però*, in «Paese Sera», 4 dicembre 1964, p. 7.

[19] GR, *Caro Einaudi*, 11 aprile 1964, AST, AE, f. 150. Degli Editori Riuniti scrive che lo hanno costretto a «un'orribile traduzione di tre volumi di favole».

[20] T. De Mauro, *Scripta sequentur (a proposito degli sbagli di ortografia)*, in *Scuola e linguaggio*, Editori Riuniti, Roma 1977, p. 55.

[21] Bini, *Leggere e trasgredire*, in *Leggere Rodari*, cit., p. 13.

[22] GR a G. Vicari, senza data, lettera conservata nell'Archivio privato Vicari custodito dalla figlia Anna Busetto Vicari.

[23] Rodari ha conosciuto Vivaldi molti anni prima, quando il poeta ligure ha scritto un *Manuale del teatro di massa*, Edizioni di cultura sociale, Roma 1951.

[24] Calvino, *Rodari e la sua bacchetta magica*, cit.

[25] GR a G. Vicari, 15 novembre 1962, Archivio Vicari. Cfr. GR, *Il cavallo saggio*, a cura di C. De Luca, introd. di E. Sanguineti, Editori Riuniti, Roma 1990, e F. Palmieri, *I satiri al «Caffè». Cronache di una rivista satirica in un'epoca tragica*, Ares, Milano 1994.

13. La torta in cielo (capitolo breve ma necessario)

[1] USTS, pp. 166 sgg. Su *La torta in cielo* cfr. GR, *Autointervista*, cit.

[2] M.L. Bigiaretti, *Teatro alla borgata del Trullo*, in «Riforma della scuola», n. 3, 1957, pp. 16-17. Su M.L. Bigiaretti cfr. M. Di Rienzo, *Gli scritti umili di Rodari*, in *Le provocazioni della fantasia. Gianni Rodari scrittore e educatore*, a cura di M. Argilli, C. De Luca, L. Del Cornò, Editori Riuniti, Roma 1993, pp. 168-176.

[3] Cfr. M.L. Bigiaretti, in *La scuola anti trantran: imparare divertendosi: una maestra racconta*, Nuove Edizioni Romane, Roma 2006.

[4] GR, *Cipì passero eroico*, in «Paese Sera», 2 febbraio 1962, p. 3.

[5] GR, *La letteratura per l'infanzia oggi*, in «La voce della libreria», 18, dicembre 1956, pp. 18 sgg.

[6] GR, *Cari amici einaudieri, Bollati, Ponchiroli e tutti*, 13 luglio 1964, AST, AE, f. 57. Cfr. *Lettere,* cit., p. 42.

[7] A. Faeti, *Torte in cielo e torte in faccia*, in *Se la fantasia cavalca la ragione*, cit., pp. 26-32.

[8] GR, *Un autore fra gli alunni*, in «Didattica della riforma», n. 9, 1968.

[9] *Ibid.*

[10] Cfr. GR, *Scrivere oggi per i bambini,* Conferenza per la Settimana del libro, Bitonto, 3 febbraio 1979, in *Esercizi di fantasia*, cit., pp. 89-97.

14. La grande disadattata

[1] M. Lodi, *Il paese sbagliato*, Einaudi, Torino 1970, p. 23. Cfr. G. Petter, *Conversazioni psicologiche con gli insegnanti*, Giunti Barbèra, Firenze 1974, vol. 1, p. 263.

[2] GDF, p. 28.

[3] GDF, p. 205.

[4] GR intervistato in «Spazio. Settimanale dei più giovani», 2 settembre 1971, Rai 2.

[5] «C'è nella 'pedagogia' rodariana un elogio della scuola, netto, deciso. È nella scuola, come luogo di approccio alla cultura formalizzata, sistematica, che avviene lo sviluppo della mente, anche se la scuola deve sempre più aprirsi a procedure di apprendimento creativo, a cominciare dall'infanzia»: F. Cambi, *Rodari e i saperi*, in M. Piatti (a cura di), *Un secchiello e il mare. Gianni Rodari, i saperi, la nuova scuola*, Edizioni Del Cerro, Tirrenia 2001, p. 19.

[6] Cfr. Galfré, *Tutti a scuola*, cit., pp. 183 sgg.

[7] GR, *Padre da dieci anni*, in «Il Giornale dei genitori», 11/12, 1967, p. 7.

[8] Cfr. Lodi, *Rodari in classe*, cit., p. 149. Un anno dopo, in seguito all'alluvione, Rodari firmerà la prefazione a un'altra raccolta di disegni dei bambini toscani; cfr. I. Pescioli, L. Borghi, GR, *Com'era l'acqua. I bimbi di Firenze raccontano*, La Nuova Italia, Firenze 1967.

[9] G. Tamagnini, *Didattica operativa. Le tecniche Freinet in Italia*, Movimento di cooperazione educativa, 1965; la recensione di A. Bernardini è in «Riforma della scuola», 3, 1966, p. 35. Su Rodari e Bernardini cfr. A. Bernardini, *Domande dei bambini e razionalità degli adulti*, in *Se la fantasia cavalca con la ragione*, cit., pp. 181-185.

[10] Le citazioni di GR che seguono sono tratte da *Postilla a una recensione a 'La didattica operativa' di Giuseppe Tamagnini*, in «Riforma della scuola», 4, 1966, pp. 23-24.

[11] In *Tutti libri* 1973, Rai 2.

[12] GR, *Il libro degli errori*, cit., p. 45.
[13] GR, *Postilla a una recensione*, cit.
[14] *Ibid.* Più in generale su questi temi cfr. G. Bini, *La pedagogia attivistica in Italia*, Editori Riuniti, Roma 1971; D. Bertoni Jovine, *Storia della didattica: dalla legge Casati ad oggi*, a cura di A. Semeraro, Editori Riuniti, Roma 1979; C. Covato, *L'itinerario pedagogico del marxismo italiano: studi sulla storia della pedagogia marxista in Italia dal 1960 ad oggi*, Argalia, Urbino 1983.
[15] GR, *Il montaggio Ciari Lodi*, in Centro Studi e Iniziative Bruno Ciari (a cura di), *Bruno Ciari e la nascita di una pedagogia popolare in Italia*, interventi al convegno tenuto a Certaldo il 5-2/18-3 1971, Certaldo 1971. Continua Rodari: «La contestazione non colse di contropiede né lui né gli altri del Movimento di cooperazione educativa, che per tanti anni aveva rappresentato non già soltanto il centro della sperimentazione didattica più avanzata, ma una quotidiana contestazione della scuola autoritaria, del suo formalismo burocratico, del suo carattere di classe. [...] Il Movimento, e Ciari con esso, hanno lavorato con molti anni di anticipo su tutti a una critica totale della scuola tradizionale, alla costruzione paziente e ostinata di un'altra realtà, all'elaborazione degli strumenti e dei concetti di una pedagogia popolare, che salga cioè dal basso, dalla 'base', per essere non una scuola pedagogica tra le altre, ma una cosa sola col movimento di liberazione delle classi popolari»: ivi, p. 56.
[16] GR, *Scuola e civiltà*, in A. Bernardini, *Un anno a Pietralata*, La Nuova Italia, Firenze 1968, pp. IX-XI.
[17] Ivi, p. VIII.
[18] GR, *Perché ho dedicato il mio ultimo libro alla città di Reggio Emilia*, cit., p. 26. Al XII congresso del partito comunista Rodari fa un intervento. Le riflessioni sui giovani proseguiranno negli anni Settanta con la rubrica settimanale *Dialoghi con i genitori*; il primo articolo, del 29 novembre 1970, si intitola *I figli non sono nostra proprietà*. V. anche *Conversando con Rodari*, a cura di A. Raffaelli, in «Il Forlivese», 3, 10 febbraio 1974, pp. 12-13.

15. Un invito a organizzarsi

[1] GR, *Ritorno a scuola*, in «Paese Sera», 1° ottobre 1967, p. 3.
[2] GR, *Un autore fra gli alunni*, in «Didattica di Riforma», 9, 1968, p. 3.
[3] GR, *Grembiule sì o no*, in «Corriere dei piccoli», 31 marzo 1968, p. 6.
[4] GR, *La tecnica e l'uncinetto*, in «Corriere dei piccoli», 26 maggio 1968, p. 6.
[5] GR, in «Corriere dei piccoli», 9 agosto 1967, p. 6.
[6] GR, *Vi piace il calendario?*, in «Corriere dei piccoli», 23 giugno 1968, p. 6.
[7] GR, *L'amico che ripara*, in «Corriere dei piccoli», 30 giugno 1968, p. 6.
[8] GR, *Esami con la coda*, in «Corriere dei piccoli», 1° settembre 1968, p. 6.

[9] GR, *Il fratello capellone*, in «Corriere dei piccoli», 8 dicembre 1968, p. 6.

[10] GR, *La lavagna dei cattivi*, in «Corriere dei piccoli», 26 gennaio 1969, p. 6; GR, La *gara del silenzio*, in «Corriere dei piccoli», 22 dicembre 1968, p. 6.

[11] GR, *L'adunata dei distratti*, in «Corriere dei piccoli», 4 maggio 1969, p. 6.

[12] GR, *Caro nonno*, in «Corriere dei piccoli», 25 gennaio 1970, p. 6.

[13] GR, *Io, noi e tutti, le gare a scuola, classifiche e altro*, in «Corriere dei piccoli», 9 marzo 1969, p. 6.

[14] *Ibid.*

[15] GR, *L'assemblea di classe*, in «Riforma della scuola», 10, 1969, p. 6.

[16] Bernardini, *Un anno a Pietralata*, cit., p. 15.

[17] *Lettera a una professoressa*, LEF, Firenze 1967, p. 20. Cfr. Roghi, *La lettera sovversiva*, cit.

[18] GR, *L'assemblea di classe*, cit.

[19] *Ibid.*

[20] GR, *Chi scrive per i bambini*, in «Rinascita», 22 dicembre 1962, p. 3.

[21] GR, *Lo schiaffo del maestro*, in «Noi donne», 4, 26 gennaio 1958, p. 5.

[22] GR, *Appunti per un mini manuale genitori-figli*, cit.

[23] *Ibid.*

[24] GR, *Come convivere con il maestro*, in «Corriere dei piccoli», 4 ottobre 1970, p. 6.

[25] *Caro don Giulio*, 16 febbraio 1970, AST, AE, f. 269.

[26] La rivista è interamente disponibile on line sul sito di Alo (Austrian Literature Online) http://www.literature.at/default.alo.

[27] C. Poesio, *Gianni Rodari*, in «Bookbird », 3, 1968, p. 19.

[28] *Caro don Giulio*, cit.

[29] GR, *Discorso di accettazione del premio Andersen*, «Schedario», gennaio 1971, pp. 24-27. Cfr. *Pollicino è utile ancora* (1968), in «Il Giornale dei genitori», 58-59, 1980. Per il rapporto fra Rodari e la scienza, cfr. De Luca, *La gaia scienza*, cit., pp. 143-156, e P. Greco, *L'universo a dondolo*, Springer Verlag, Milano 2010. Il premio Andersen rende Rodari ancora più noto, fama accresciuta anche dalle filastrocche musicate da Sergio Endrigo: cfr. USTS, pp. 235 sgg.

16. Un libro d'oro e d'argento

[1] GR, *Perché ho dedicato il mio ultimo libro alla città di Reggio Emilia*, cit., p. 22. Sulla *Grammatica* cfr. USTS, pp. 186 sgg.

[2] Ivi, p. 23.

[3] Cfr. GR, *Un libro che comincia dopo la parola fine*, in N. D'Amato, *I ragazzi del parco Robinson*, Paravia, Torino 1970, pp. IX-XI.

[4] Su Bruner cfr. S. Giusti, *Il potere conoscitivo della letteratura: genealogia di un'idea*, in «Symbolon», XII-XIII, 9-10, nuova serie, 2018-2019, pp.

197-220. Molto importante anche H. Gardner che collabora a lungo con Malaguzzi: si veda il suo *Formae mentis: saggio sulla pluralità dell'intelligenza*, Feltrinelli, Milano 2010.

[5] *Conversando con Rodari*, cit.,

[6] Ivi, p. 25.

[7] L. Malaguzzi, *I cento linguaggi del bambino*, in A. Hoyuelos Planillo, *Loris Malaguzzi. Una biografia pedagogica*, Junior, Reggio Emilia 2004, p. 34.

[8] Cfr. *Io chi siamo. Itinerari fantastici con Gianni Rodari e bambini reggiani*, inFORMA edizioni, Reggio Emilia 1982.

[9] GDF, p. 10.

[10] *Ibid.* Cfr. De Luca, *La gaia scienza*, cit., pp. 84-85. Cfr. *Io chi siamo*, cit., p. 16. USTS, pp. 185-193.

[11] Cfr. *supra*, p. 150.

[12] Intervista televisiva alla maestra Giulia Notari, in F. Marini, *Gianni Rodari. Il profeta della fantasia*, Rai Storia, 2018.

[13] *Ibid.*

[14] Fra le esperienze che Rodari usa come materia prima a Reggio ci sono anche i suoi programmi radiofonici. Rodari è infatti autore di *Tante storie per giocare* che va in onda su Radio Due tra il dicembre 1969 e il marzo 1970. Cfr. GR, *Tante storie per giocare*, Editori Riuniti, Roma 1971.

[15] L.S. Vygotskij, *Immaginazione e creatività nell'età infantile*, Editori Riuniti, Roma 1972, p. 29.

[16] Ivi, p. 24.

[17] *Ibid.*

[18] Bini, *Leggere e trasgredire*, in *Leggere Rodari*, cit., p. 14-15.

[19] Un approfondimento in G. Leo, *Gianni Rodari. Maestro di creatività*, Graus, Roma 2003; O. Andreani Dentici, *Intelligenza e creatività*, Carocci, Roma 2001.

[20] Leo, *Gianni Rodari*, cit., p. 62.

[21] T. De Mauro, *Prefazione*, in GR, *Esercizi*, cit., p. 10.

[22] *«Ci racconta una novella?». Cinque domande a Gianni Rodari*, a cura di Nico Orengo, in «Libri nuovi», luglio 1974, p. 34.

[23] Cfr. De Luca, *La gaia scienza*, cit., pp. 67-68.

[24] GDF, p. 10.

[25] GDF, p. 42.

[26] GDF, p. 166.

[27] GR, *Perché ho dedicato il mio ultimo libro alla città di Reggio Emilia*, cit., p. 23. Cfr. W. Benjamin, *Figure dell'infanzia: educazione, letteratura, immaginario*, R. Cortina, Milano 2012.

[28] F. Tonucci, *Il convegno visto e disegnato da Frato*, in *Se la fantasia cavalca con la ragione*, cit., pp. 271-276. Tonucci è una figura chiave nell'elaborazione di alcuni input politici e culturali che nascono intorno alla prima infanzia: cfr. *La creatività: spunti per un discorso educativo,* LEF, Firenze 1970, e L. Carrubba., *A tre anni si fa ricerca: esperienze della Scuola materna statale del quartiere Corea di Livorno nei primi quattro anni di sperimentazione*, a cura di F. Tonucci, LEF, Firenze 1976.

[29] GDF, p. 13.

[30] Il rapporto fra Mariano Dolci e Gianni Rodari è ricostruito in *Burattinaio comunale. Conversazione con Mariano Dolci*, in GR, *Il mio teatro*, cit., pp. 201-212.

[31] M. Dolci, *Burattinaio municipale o pedagogico? Perché la mela cade e la Luna resta su*, in «Valore Scuola», 15, 2001.

[32] GDF, p. 111.

[33] Cfr. Faeti, *Uno scrittore*, cit., pp. 62-63. Cfr. G. Leo, *La 'Grammatica della fantasia' e il rinnovamento della didattica*, in A. Acerbi, D. Martein, *Città creattiva Laboratori tecnoludici*, Pironti, Napoli 2004, pp. 77-86.

[34] Leo, *La "scuola di fantasia" e la produzione dei ragazzi*, cit., p. 60.

[35] *Il gorilla quadrùmano. Conversazione con Giuliano Scabia*, in GR, *Il mio teatro*, cit., pp. 223-224.

17. Senza fate né streghe

[1] Boero, *Gianni Rodari invenzione e ideologia*, cit., p. 23, e Id., *Gianni Rodari. Passione e fantasia*, in «l'Unità», 21 dicembre 2004. La collana chiude nel 1978; per una ricostruzione nel panorama dei suoi anni cfr. R. Eynard, *Tantilibri tantibambini: significati e funzioni nel libro per i ragazzi di ieri e di oggi*, Sei, Torino 1983.

[2] P. Fossati, *Caro Munari*, 16 febbraio 1972, in AST, AE.

[3] Roberto Cerati propone di far illustrare a Paola anche *Gli affari del signor gatto*, cfr. *Caro Gianni*, 21 settembre 1970, AST, AE, f. 286. Il libro sarà illustrato da Maria Giulia Agostinelli, come proposto dallo stesso Rodari nella lettera *Caro Davico*, sd, AST, AE, f. 275.

[4] GR, *Munari smonta arance e piselli*, in «Paese Sera», 17 aprile 1964, p. 2.

[5] GR, *Munari. Dalle macchine inutili agli oggetti funzionali*, in «Paese Sera», 23 settembre 1966, p. 1-2. V. anche Id., *Appunti sulla letteratura per l'infanzia oggi. Il libro giocattolo*, in «Servizio Informazione», Avio, 1/2, 1969, pp. 23-25.

[6] GR, *Caro Davico*, cit.

[7] Cfr. L. Baglioni, *Gianni Rodari 'favolista delle cose vere'*, cit., p. 126. Cfr. L. Sossi, *EL: metafore d'infanzia. Evoluzione della letteratura per ragazzi in Italia attraverso la storia di una casa editrice*, Einaudi Ragazzi, Trieste 1998.

[8] N. Ginzburg, *Senza fate e maghi*, in «La Stampa», 16 aprile 1972, p. 3, ora in Ead., *Vita immaginaria*, Mondadori, Milano 1974.

[9] *Ibid.* Sull'attualità di questi temi cfr. N. Terranova, *Un'idea di infanzia. Libri, bambini e altra letteratura*, Italo Svevo, Roma 2019.

[10] *Ibid.*

[11] B. Munari, *Libri per bambini come soggetto di design*, 5 luglio 1974, AST, AE.

[12] GR, *Pollicino è utile ancora*, cit.

[13] Su Andersen e Rodari cfr. USTS, p. 162-163, e H.C. Andersen, *Fiabe*, presentazione di G. Rodari, Einaudi, Torino 1970.

[14] GR, *Introduzione* a *Novelle fatte a macchina*, Einaudi, Torino 1973.

[15] *Ibid.*

[16] Benelux, *Il mondo è uno solo*, in «Paese Sera», 25 maggio 1967, p. 1.

[17] GR, *I ragazzi leggono. Dibattito sulle letture dei ragazzi*, a cura di M. Pallotti, in «Panorama», supplemento n. 36, pp. 23-24.

[18] G. Fofi, *La torta in cielo*, in «Ombre rosse», 6, luglio 1974, pp. 58-59.

[19] A. Afanas'ev, H.C. Andersen, J. e W. Grimm, C. Perrault *et al.*, *Fiabe e potere*, a cura di P. Angelini e C. Codignola, Savelli, Roma 1978, p. 11.

[20] Cfr. Roghi, *La lettera sovversiva*, cit., pp. 152-175.

18. Dopo il Sessantotto

[1] Anonimo, *Per un lavoro politico con bambini*, in «Ombre rosse», 6, 1974, p. 5.

[2] *Ibid.* Fofi riprenderà questi temi in modo esplicito nel 1990 in un articolo dal titolo *Contro Rodari. Quelli del metodo e quelli dei contenuti*, in «Lo straniero», 11-12, IV, estate-autunno 2000.

[3] *Ibid. Diario di un maestro* ha la consulenza pedagogica di Francesco Tonucci, del Mce. Di Tonucci si veda *La ricerca come alternativa all'insegnamento*, LEF, Firenze 1972.

[4] Tullio De Mauro in GR, *Parole per giocare*, cit., p. 4.

[5] E. Sanna, C. Tuzii, *Dentro la scuola. Dalle aule della materna ai banchi delle medie*, programma in 5 puntate, nel giugno 1972 su Rai 1 in prima serata.

[6] GR, *Proposte per il che*, in «Riforma della scuola», 8-9, 1973, pp. 2-3.

[7] *Ibid.*

[8] Cfr. Galfré, *Tutti a scuola*, cit., pp. 258-262.

[9] N. D'Amico, *Punto per punto le innovazioni introdotte dai decreti delegati*, in «Corriere della sera», 1 giugno 1974, p. 5.

[10] GR, *La prof. allergica e il padre aggressivo*, «Il Giornale dei genitori», 1, 1975.

[11] *Ibid.*

[12] Regolamento delle scuole di Reggio Emilia.

[13] *Il convegno dei Cinque*, a cura di A. Leone, Radio Due, 19 febbraio 1975.

[14] Lodi, *Rodari in classe*, cit., p. 154.

[15] MA, p. 26.

[16] MA, p. 31.

[17] *Ibid.*

[18] Lodi, *Rodari in classe*, cit., p. 155.

[19] *Ibid.*

[20] MA, p. 32.

[21] De Luca, *La gaia scienza*, cit., pp. 60-61.

[22] GR, *Il dissenso giovanile*, in «Paese Sera», 20 febbraio 1977, p. 3. De Luca, *La gaia scienza*, cit., p. 61.

[23] *I giovani e il linguaggio*, programma radiofonico andato in onda l'11

dicembre 1976 su Radio Tre dove si teorizza un legame fra gli slogans del movimento del Settantasette e Gianni Rodari. Su Rodari la radio e la Tv cfr. Roghi, *La tigre di carta. Rodari, la radio e la TV*, in *Altre cento di queste favole*, Atti del convegno, Catania, 14-15 gennaio 2020 (in corso di pubblicazione).

[24] GR, *Intendersi bene sulla scuola seria*, in «Paese Sera», 12 febbraio 1978, p. 3.

[25] GR, *La scuola più seria non cerca vendette*, in «Paese Sera», 26 giugno 1977, p. 3.

[26] GR, *Intendersi bene sulla scuola seria*, cit.

[27] GR, *Terrorismo e matematica*, in «Paese Sera», 28 maggio 1978, p. 2.

[28] GDF, p. 175.

[29] GR, *Terrorismo e matematica*, cit.

19. Burattinaio

[1] Per una bibliografia rodariana sul teatro dei ragazzi cfr. GDF, pp. 185-186.

[2] Cfr. GR, *Scuola, teatro, società*, in GR, *Il mio teatro*, cit., p. 32. A. Mancini, *Ragazzi tutti a teatro!*, in Piatti, *Saperi artistici*, cit., pp. 49-60. Sui temi generali cfr. *Difesa del gatto con gli stivali*, ora in GDF, pp. 182-185; *Pro e contro la fiaba* si trova invece in GR, *A scuola di fantasia*, a cura di C. De Luca, introduzione di M. Lodi, Einaudi, Torino 2014, pp. 107-124.

[3] GR, *Buttiamo via il televisore*, in «Paese Sera», 28 gennaio 1979, p. 2.

[4] GR, *Com'è difficile fare il genitore*, in «Paese Sera», 11 febbraio 1979, p. 2.

[5] GR, *Caro padrone*, 8 marzo 1971, AST, AE, f. 298.

[6] MA, pp. 123-137. Cfr. *La storia di tutte le storie. Conversazione con Mara Baronti*, in GR, *Il mio teatro*, cit., pp. 241-243. Rodari, con Lele Luzzati e Teatro aperto '74, figura tra gli autori del volume *Il teatro, i ragazzi, la città*, Emme Edizioni, Milano 0000, in cui ha pubblicato il suo testo teatrale *La storia di tutte le storie.*

[7] *Testimonianze*, in «LG Argomenti», 1-2, gennaio-giugno 1980.

[8] USTS, pp. 157 sgg.

[9] M. Dolci, *Burattinaio comunale. Conversazione con Mariano Dolci*, in GR, *Il mio teatro*, cit., pp. 209.

[10] W. Benjamin, *Programma per un teatro proletario di bambini*, in E. Fachinelli, *Il bambino dalle uova d'oro*, Feltrinelli, Milano 1974, p. 158.

[11] Benelux, in «Paese Sera», 5 marzo 1969, p. 1. Si veda anche G. Diamanti, *Il teatro di Gianni Rodari*, in GR, *Il mio teatro*, cit., pp. 191-200.

[12] GDF, p. 111.

[13] Cfr. GR, *Scuola, teatro, società*, in GR, *Il mio teatro*, cit., p. 32. V. anche GR, *Franco Passatore mette le carte in favola*, in GDF, pp. 81-85.

[14] *Ibid.*

[15] *Il gorilla quadrùmano. Conversazione con Giuliano Scabia*, cit., pp. 222-224.

[16] *Caro Ponchicerati*, 2 marzo 1976, AST, AE, f. 406. Cfr. *Lettere*, cit., p. 111.

[17] GR, *Caro Guidodavicobonino*, 22 luglio 1976, AST, AE, f. 409. Il volume uscirà nel 1978 a cura di Emanuele Luzzati, Rodari e la compagnia Teatro aperto '74, *Il teatro, i ragazzi, la città: la storia di tutte le storie*, cit.

[18] *La storia di tutte le storie. Conversazione con Mara Baronti*, in GR, *Il mio teatro*, cit. pp. 237-238.

[19] Cfr. A. Marchesini Gobetti, *Gianni Rodari e un nuovo teatro per i ragazzi*, in GR, *Il mio teatro*, cit., pp. 184-190. V. *Un maestro. Conversazione con Lele Luzzati*, in GR, *Il mio teatro*, cit., pp. 247-254.

[20] GR, *Luzzati, Il teatro, i ragazzi, la città*, cit. Le esperienze di teatro didattica sono numerosissime e coincidono con un recupero della fiaba che ha il suo culmine nel mese del teatro per ragazzi organizzato dal comune di Roma nel 1978. Su questo evento, molto interessante l'intervista a Giuseppe Bertolucci in *Spazio Tre servizi*, Radio Tre, 6 giugno 1978.

[21] M. Dolci, *Burattinaio comunale. Conversazione con Mariano Dolci*, in GR, *Il mio teatro*, cit., pp. 201-212. Cfr. P. Crispiani, *Fare teatro a scuola*, Armando Editore, Roma 2006, soprattutto per la ricca bibliografia sul periodo qui preso in considerazione.

[22] GR, *Autopresentazione*, München 1977.

[23] GR, *Materia prima*, cit., p. XI.

[24] GR, *Caro Guidodibi*, 1° giugno 1977, AST, AE, f. 423.

[25] GR, *Carissimi amici*, 19 giugno 1977, AST, AE, f. 427.

[26] GR, *Caro Ferrero*, 23 novembre 1977, AST, AE, f. 432. Nella stessa lettera il progetto per un volume Struzzo che comprenderà *La gondola fantasma*, *Gli affari del signor gatto* e *I viaggi di Giovannino Perdigiorno*.

[27] Instancabile anche nelle sue attività scolastiche Rodari continua a girare l'Italia. Un ricordo di una di queste visite è quello di G. Diamanti, *Gianni Rodari una favola di pace*, Abbiabbé edizioni, Giugliano (Na) 2008.

[28] GR, *Novelle fatte a macchina*, cit.

[29] GR, *Nota per Ferrero*, sd, AST, AE, f. 432.

[30] GR, *Caro Carena*, 20 febbraio 1979, AST, AE, f. 459.

[31] Cerati, *Caro Gianni*, 21 agosto 1979, AST, AE, f. 466.

[32] GR, *Caro Ceratissimo*, 3 maggio 1979, AST, AE, f. 461. Il 7 giugno 1979 va in onda la puntata del programma *Buonasera con* di Nico Orengo e Donatella Ziliotto dedicata a Gianni Rodari, un documento prezioso e toccante: è l'ultima intervista allo scrittore fatta dalla Tv.

20. Giochi nell'Urss

[1] GR, *Caro Cerati*, 14 novembre 1979, AST, AE, f. 472. Cfr. *Lettere*, cit., p. 119.

[2] J. Dobrovolskaja, *Post scriptum. Memorie o quasi*, ebook, Youcanprint, 2015, p. 501.

[3] GR, *Giochi nell'Urss*, Einaudi, Torino 1984, p. 19.

[4] Ivi, p. 3.
[5] Ivi, p. 21.
[6] Ivi, p. 73.
[7] I. Calvino, *Presentazione*, in *Una pietra sopra*, Mondadori, Milano 1980, p. 6.
[8] «Parlare del nuovo Medio Evo, del Medio Evo prossimo venturo, è una moda già vecchia di decenni. Umberto Eco ha già riconosciuto, non senza simpatia, i nuovi barbari nei giovani indiani metropolitani refrattari alla nostra cultura tardo-imperiale. Italo Calvino vede nero nei prossimi quattrocento-cinquecento anni: una volta c'era solo Mao Tse-Tung a calcolare in termini di secoli. I giornali continuano a pubblicare lettere di professori che piangono il crepuscolo degli dei, pardon, l'abolizione del latinetto nella scuola media. Nelle scuole elementari i bambini ciclostilano diligentemente oscure profezie sulla catastrofe ecologica: quando suona l'ora della ricreazione, però, corrono a giocare senza più temere l'inquinamento dell'atmosfera e la morte dei laghi. È la fine del mondo? In un certo senso sì. L'affermazione però va corretta con il ricordo di tutte le altre volte che la fine del mondo c'è già stata», GR, *La fine del mondo non ci sarà*, in «Paese Sera», 17 aprile 1977, p. 1.
[9] GR, *Giochi nell'Urss*, p. 15.
[10] Ivi, p. 93.
[11] Ivi, p. 77.
[12] Ivi, p. 80.
[13] Ivi, p. 86.
[14] Ivi, p. 91. Cfr. MA, pp. 45-47. E USTS, p. 192.
[15] Ivi, p. 122.
[16] MA, p. 36.
[17] Sulla genesi del libro *Giochi nell'Urss* cfr. USTS, pp. 182 sgg.
[18] Il resoconto della visita a Krasnodar da parte dei presenti è consultabile al sito: http://www.myekaterinodar.ru/ekaterinodar/articles/ob-istorii-posesheniya-g-krasnodara-dzhanni-rodari-ili-pochemu-ne-bylo-napisano-prodolzhenie-istorii-o-chipollino/.
[19] GR, *Giochi nell'Urss*, p. 145.
[20] GR, *Giochi nell'Urss*, pp. 151-153. Cfr. http://www.myekaterinodar.ru/ekaterinodar/articles/ob-istorii-posesheniya-g-krasnodara-dzhanni-rodari-ili-pochemu-ne-bylo-napisano-prodolzhenie-istorii-o-chipollino/.
[21] GR, *Giochi nell'Urss*, p. 185.
[22] Dobrovolskaja, *Post scriptum*, cit., p. 503.

21. Chi sono io

[1] GR, *Caro Carena*, 14 novembre 1979, AST, AE, f. 473.
[2] GR, *Caro Carena*, 8 gennaio 1980, AST, AE, f. 477. Cfr. *Lettere*, cit., p. 121.

[3] Boero, *Gianni Rodari oltre la Nigoglia*, in *Rodari e la sua terra*, cit., p. 36. Cfr. MA, p. 159.

[4] Germani, *A colloquio con Gianni*, cit.

[5] V. Roghi, *La tigre di carta. Rodari e i mezzi di comunicazione di massa,* in «Andersen», 370, marzo 2020, pp. 16-18.

[6] *Ibid.*

[7] De Mauro, *I giovani e il linguaggio*, cit.

[8] Dobrovolskaja, *Post scriptum*, cit., p. 517.

[9] MA, p. 160.

[10] De Mauro, *I giovani e il linguaggio*, cit.

[11] Fondazione Gramsci, Archivio Lombardo Radice, corrispondenza.

[12] *Ibid.*

[13] *Ibid.*

[14] GR, *Introduzione* a *C'era due volte il barone Lamberto,* Einaudi, Torino 1978.

[15] Cfr. P. Nori, *I russi sono matti*, Utet, Milano 2019, p. 43.

[16] GR, *Favole al telefono*, cit., p. 86.

Avvertenza bibliografica

I libri scritti su Gianni Rodari sono ormai tanti da riempire una biblioteca. Così altrettanti sono i temi ancora da approfondire. Io ho seguito una linea di storia culturale assolutamente arbitraria: ho lavorato sul Rodari pubblico e ho individuato alcuni temi intorno ai quali ho ricostruito la sua biografia indagando, oltre ai suoi scritti, i fondi archivistici del ministero dell'Interno, della casa editrice Einaudi e dell'Archivio Gramsci. Non ho avuto accesso all'archivio privato, in fase di riordino, ma non credo che anche in quel caso i risultati sarebbero stati diversi. Avrei comunque scelto di occuparmi del Rodari edito sul quale c'è ancora moltissimo da dire.

Per quanto riguarda gli aspetti di storia della letteratura rimando a Pino Boero e al suo fondamentale *Una storia tante storie. Guida all'opera di Gianni Rodari* (Einaudi, Torino 2020) per l'interpretazione critica, la cronologia e la bibliografia.

Rinvio a Mariarosa Rossitto, *Non solo filastrocche. Rodari e la letteratura del Novecento* (Bulzoni, Roma 2011) per quanto riguarda l'impostazione di fondo e per la bibliografia sui volumi che contengono prefazioni, testi di Rodari o a sua cura.

Su Rodari e la scienza rimando al lavoro di Pietro Greco, *L'universo a dondolo* (Springer Verlag, Milano 2010). Sui Benelux, spero di vedere presto pubblicato lo studio di Giorgio Diamanti. Per il Rodari critico interessante la raccolta di F. Bacchetti, *Testi su testi. Recensioni e elzeviri da «Paese Sera-libri» (1960-1980)* (Laterza, Roma-Bari 2007).

Alcuni aspetti storiografici solo accennati – come il controllo di polizia sui 'pionieri', il dibattito sulla scuola in «Riforma della scuola», i viaggi in Urss e soprattutto la storia dei lettori di Gianni Rodari – ho deciso di approfondirli altrove.

Ringraziamenti

Il primo ringraziamento va a Giorgio Diamanti per aver contribuito in maniera determinante a orientarmi nella ricchissima bibliografia rodariana. Un interlocutore altrettanto prezioso, generoso e puntuale nel mio lavoro di ricerca è stato Pino Boero. Iris Karafillidis è stata per me una fondamentale guida per indagare gli archivi e le riviste russe. Grazie non basta.

Grazie a Marzia e Maurizio Corraini, Elisa Palermo e a tutta la casa editrice Corraini.

L'idea di scrivere questo libro mi è venuta mentre lavoravo a *La lettera sovversiva* (Laterza, Bari-Roma 2017), che infatti si chiude con una frase di Gianni Rodari: sapevo che quello era un discorso appena iniziato, che questo libro prosegue anche se non chiude. Il taglio interpretativo risale invece a un momento preciso: quando a casa di un amico, Gabriele Della Morte, ho visto nella libreria del salotto tutti gli Struzzi messi in bella vista: lì Rodari sta, dove deve stare, fra Brecht e Lee Masters, autore fra i grandi del '900. Grazie dunque Gabriele.

Grazie a Rodari per avermi fatto trovare dei nuovi e importanti amici: Paolo Fallai, Leila Maiocco, Roberto Gandini e Ilaria Capanna. Alla casa editrice Laterza. Agli editori, Giuseppe e Alessandro, a Giovanni Carletti. A Anna, Bianca, Manuela, Nicola, Nicoletta, Cinzia, Rossano, Imma. Un ringraziamento speciale va alla dott.ssa Luisa Gentile (Archivio di Stato di Torino) e a Walter Barberis in quanto responsabile dell'Archivio storico Einaudi.

A Reggio Emilia ringrazio Mauro Sarzi, Milena Albertin e la Fondazione Famiglia Sarzi.

A Roma: Giovanna Bosman e la Fondazione Gramsci. La dott.ssa Anna de Pascale e il personale della sala studio dell'Archivio centrale dello Stato. Il personale della Biblioteca nazionale centrale. Un grazie speciale a Daniela Marcheschi e Giulia de Florio.

E poi, in ordine sparso, grazie a: Simone Giusti, Christian Raimo, Laurana Lajolo, Celeste Ingrao, Anna Busetto Vicari, Jack Zipes, Ermanno Taviani, Paolo Nori, Susanna Mattiangeli, Francesco Tonucci, Fondo Pagliarini-Gramsci Bologna, Marco Fincardi, Roberto Renga, Matteo Marchesini, Giacomo Pontremoli, Riccardo De Gennaro, Vincenzo Schirripa, Giovanna Zoboli, Grazia Gotti, Daniele Taurino, Juri Meda, Annamaria Di Giorgio, Andrea Peruca, Irvando Sgreccia, Francesco Giasi, Maria Giulia Brizio, Marco Pautasso, Nicola Bertini, Franco Lorenzoni, Anna D'Auria e tutto l'Mce, Marta Barone per Mandel'stam, Laura Parigi, Paola Arduini e tutti coloro che hanno condiviso con me ricordi rodariani.

Grazie a Paola Rodari e a sua madre, Maria Teresa Ferretti Rodari, custodi di una memoria così preziosa.

Per me Gianni Rodari è stato innanzitutto *Le favole a rovescio* che mia zia Grazia leggeva a me e a mia cugina Silvia facendoci fare tante risate, e *Piccoli vagabondi* che la mia mamma Irma mi ha regalato quando avevo dieci anni. E poi è stato *La sirena di Palermo*, *Pigmalione*, *Il pittore* e tutte le favole e filastrocche che ho letto, ogni sera per anni, alle mie figlie, Alice e Anita.

Questo libro è dedicato a Matteo Di Castro, *il topo dei fumetti*.

Indice dei nomi

Annotazioni

Annotazioni